All-inclusive

Bezoek onze internetsite www.awbruna.nl
voor informatie over al onze boeken en softwareproducten.

Suzanne Vermeer

All-inclusive

A.W. Bruna Uitgevers B.V., Utrecht

© 2006 Suzanne Vermeer
Omslagontwerp: Wil Immink
© 2006 A.W. Bruna Uitgevers B.V., Utrecht

ISBN 90 229 9182 2
NUR 305

Kreta, Griekenland

Ze zaten met z'n vieren naast elkaar aan de bar van het hotel. Twee stelletjes van begin twintig. Bruinverbrand en behoorlijk aangeschoten.

'Doe me er nog eentje, Sjors,' zei Teun de Graaf met al een beetje een dubbele tong. De naam van de Griekse barkeeper was op dit tijdstip een lastige horde die hij omzeilde met de Nederlandse variant ervan. Zijn wijsvinger wees nadrukkelijk naar het lege glas recht voor hem. Hij grijnsde stompzinnig. Uit zijn lichaamstaal bleek dat hij zichzelf zowel grappig als slim vond.

'Doe eens rustig aan, joh,' zei zijn vriendin Marieke op een toon die beginnende irritatie moest veinzen. Een moeilijke opgave, aangezien zij reeds aan haar vijfde ouzo nipte.

Teun sloeg theatraal zijn ogen ten hemel. 'Hoezo? Voor alles wat ik drink is betaald, hoor.' Hij klakte hard met zijn tong om zijn bewering van meer cachet te voorzien.

Hierna hief Danny Everts zijn glas. 'Lang leve all-inclusive,' brabbelde hij tegen niemand in het bijzonder. 'Boeken via internet, vliegtuig in, polsbandje om en daarna zoveel eten en drinken als je maar wilt.' Een diepe zucht volgde. 'Wat een prachtsysteem.'

Zijn vriendin Esther knikte loom. Tot meer was ze nu even niet in staat. De ouzo steeg behoorlijk naar haar hoofd. Tegen beter weten in hoopte ze dat het draaierige gevoel in haar hoofd zou verdwijnen als ze rustig bleef zitten.

Teun sloeg de zojuist ingeschonken ouzo met één slok naar binnen. Hij trok heel even een vies gezicht, waarna een harde oprisping volgde.

Marieke lachte uitbundig, terwijl Esther wazig voor zich uit bleef kijken.

'Laten we die maar tellen!' zei Danny op de toon van een sportverslaggever die een voetballer een mooi doelpunt ziet scoren. Voor de zoveelste maal maakte hij een saluutgebaar naar Teun, die in acht dagen tijd van een volstrekt onbekende tot een boezemvriend was uitgegroeid.

'Vannacht ben ik de minnaar van jouw dromen,' bralde Teun tegen Marieke. Jolig legde hij zijn rechterarm om haar schouder en hij kuste haar onhandig op de mond. Quasi verongelijkt duwde zij hem van zich af.

'Na zoveel drank val jij anders direct in slaap.'

Teun legde zijn hoofd in zijn nek en begon ongegeneerd te lachen. Vijf luidruchtige seconden later trok hij zijn shirt uit en achteloos wierp hij het kledingstuk in de schoot van zijn vriendin. 'Ik val absoluut niet in slaap. Om dat te voorkomen ga ik me eerst opfrissen.'

Danny grijnsde breeduit. 'Je lijkt wel gek, joh. Lift in, naar die kamer sjokken...'

'Ho, ho, ho,' interrumpeerde Teun zijn vakantievriend. Met zijn rechterhand maakte hij een vaag gebaar naar het terras. 'Deze jongen gaat geschiedenis schrijven. Met een slok op sneller zwemmen dan Pieter... hoe heet die vent ook alweer... eh... Pieter van de Ratelband.'

Hij stak zijn duim op en sprintte weg. Een paar seconden later hoorde het drietal een harde bons waarop een plons volgde. Zelfs Esther proestte het nu uit. Die Teun, toch, dachten ze gezamenlijk. Altijd in voor een geintje.

Zonder dat er zelfs maar een spier in zijn gezicht vertrok, hoorde de directeur van het Apollo Hotel, Andres Diomedes, het verhaal van zijn manager aan. Hoewel Demetrius Kiriakos door de telefoon bondig en duidelijk was geweest, speelde er direct een aantal vragen door het hoofd van Diomedes. In dit soort onverkwikkelijke zaken ging het altijd om details, wist hij uit ervaring.

'Ik vat het even kort samen,' zei hij op zakelijke toon. Hierna knikte hij begripvol tegen zijn vrouw, die hem vanuit de deuropening duidelijk maakte dat ze op het punt stond om naar bed te gaan.

'Een beschonken gast van het hotel rent via de bar naar het terras. Onderweg komt hij ongelukkig ten val en hij belandt in het zwembad. De door de barman gealarmeerde bewaking vindt hem op de bodem van het zwembad.'

Aan de andere kant van de lijn bleef het stil, waaruit Diomedes concludeerde dat hij het voorval juist verwoordde.

'De barman handelde volgens de regels, hij heeft echter niets van het ongeluk zelf gezien,' ging hij verder. 'Een gast onder invloed kan moeilijkheden veroorzaken. Het was dus een preventief telefoontje.'

Hoe het kwam dat de hotelgast in een dergelijke toestand verkeerde, liet Diomedes buiten beschouwing. Reglementtechnisch gezien was dit namelijk volstrekt irrelevant.

'De barman belde om 23.17 uur de bewaking. Zij troffen om 23.29 uur de klant levenloos aan in het zwembad. Tussen de melding en het ter plekke zijn zitten twaalf minuten. Een behoorlijk tijdsbestek, lijkt me zo.'

'De bewakers waren in de westelijke vleugel vanwege een echtelijke ruzie die uit de hand dreigde te lopen,' antwoordde Kiriakos meteen. 'Nadat zij de heibel enigszins hadden gesust, gingen ze direct door naar het terras. Ze zagen het bloedspoor en vonden de gast in het zwembad.'

'Duidelijk,' bromde Diomedes. 'Zijn er getuigen?' wilde hij weten.

'Geen directe. Voor zover wij na kunnen gaan, heeft niemand gezien wat er precies is voorgevallen.'

Diomedes knikte en dacht enkele seconden diep na. 'Start de procedure,' zei hij uiteindelijk en hij verbrak de verbinding. De directeur van het Apollo Hotel liep in de richting van zijn slaapkamer. Terwijl hij de trap opliep, namen twee zaken het voortouw in zijn gedachtegang. De gast had het vierentwintig uur per dag geldende verbod 'verboden te rennen' genegeerd. Verder was het reglementair vastgelegd dat gasten zich na 23.00 uur niet meer in het zwembad mochten begeven. Daarbij opgeteld dat het personeel zich keurig aan de regels had gehouden, kon hij enkel tot de slotsom komen dat het hotel in deze zaak geen enkele blaam trof.

Een geruststellende gedachte.

Maart

1

'Goed zo, Dennis,' hoorde Chantal van der Schaaf Jeroen roepen. Om zijn woorden kracht bij te zetten, stak hij zijn rechterduim op. Hun zoon had echter geen oog voor deze aanmoediging. Het enige wat voor hem telde was de bal. Met zijn tong uit de mond rende hij achter een tegenstander aan die in het bezit van het speeltuig was.

'Kom op, Max!' riep Jeroen enthousiast. 'Nu jij. Pak af die bal.'

Chantal zag dat de oudste van de tweeling de bal aan een helblond ventje ontfutselde. Hij liep er een paar meter mee, waarna hij hem weer naar voren schoot. Dennis draaide vliegensvlug om zijn as en rende achter de bal aan.

'Prima pass, Max,' zei Jeroen. 'Die bal is voor jou, Dennis.'

Met een glimlach om haar mondhoeken zag Chantal hoe Dennis achter de bal aanging. Een inspanning die uiteindelijk tot niets zou leiden. Een verdediger van de tegenpartij was hem te snel af. Deze uit de kluiten gewassen jongen bedacht zich geen moment en ramde de bal naar voren. Dennis hief moedeloos zijn handen ten hemel. Een gebaar dat enkele seconden standhield. Hierna kromde hij zijn rug en zette het weer op een lopen. Vanaf de zijlijn leek het alsof zijn tong weer een stukje verder uit zijn mond hing.

Chantal genoot in stilte. Ze vond het prachtig om haar twee zoons zo bezig te zien. Ze hadden zoveel plezier. De jongens waren helemaal in hun element. En als haar kinderen lekker in hun vel zaten, gold voor haar hetzelfde.

'Speel die bal eens wat sneller over, joh.' Tegen wie Jeroen dat zei was haar niet geheel duidelijk. Waarschijnlijk ging het om Jordie, die bekendstond als een dribbelaar.

'Hij is verliefd op de bal, mam,' verklaarden Dennis en Max na afloop van de wedstrijd in koor. Dat gebeurde thuis op de bank, als ze samen met hun vader de wedstrijd bespraken. Analyseren, noemden ze het. Een serieuze bezigheid waarmee alleen de mannen zich bezighielden. Haar opmerkingen in de trend van 'Jordie kan beter verliefd zijn op een meisje' werden door de analisten met verbaasde gezichten aangehoord. Alsof zij van Venus kwam terwijl het drietal zich toch echt op aarde bevond. Uiteindelijk kreeg ze hiermee de lachers op haar hand. En daar was het haar om te doen. Voetbal deed haar weinig. Een glimlach op de gezichten van haar kinderen en Jeroen was daarentegen een geschenk dat ze graag ontving.

'Feller, Max,' zei Jeroen vol vuur. 'Laat je niet zo gemakkelijk aftroeven.' Chantal voelde hoe hij zijn rechterarm om haar schouder sloeg. Een vluchtige kus op haar linkerwang volgde. Zijn blik bleef op het veld gericht.

'Hier doen we het allemaal voor, lieverd,' zei Jeroen. Ze dacht een vleugje emotie in zijn stem te horen. De scheve grijns op zijn gezicht was echter in tegenspraak met die gedachte. 'Kijk die mannen toch eens lol hebben. Gewoonweg prachtig!'

Ondanks de gure wind die allerlei openingen in haar kleding vond, beaamde Chantal zijn woorden met een warme glimlach. Ze legde haar hoofd op zijn schouder, waarna Jeroen haar nog steviger tegen zich aan trok. 'Gaat het een beetje, pop? Als je liever in de kantine wilt gaan zitten...'

Chantal genoot nog een paar seconden van de kleine intimiteit. De vluchtige geur van zijn aftershave, een vlaag van zijn lichaamswarmte die vanuit zijn stoere jack ontsnapte en haar wang streelde. Met een stille zucht tilde ze haar hoofd op en schudde ontkennend. 'Nee hoor, die kou valt best wel mee,' jokte ze. 'Het gaat prima zo.' Direct realiseerde ze zich dat op het veld jochies van negen en tien jaar in een sportshirt met daaronder een korte broek liepen. Als ze uitademden verschenen er witte wolkjes boven hun hoofd. Verhitte koppies. Geen van deze jonge voetballertjes dacht aan zoiets triviaals als kou. Tenminste, niemand liet dat blijken.

Zelf droeg ze laarzen, jeans en een gewatteerde jas. Ga je schamen, meid.

Ze kneep haar ogen samen. Het waas dat er door de koude wind was opgeblazen trok weg. Zaterdagochtend in Almere. Maart roerde zijn staart; dikke wolkenpakken kondigden regen aan. Een rilling trok langs haar rug. Wat ben je toch een koukleum, ging het door haar heen. Een aanstelster. Hierna volgde weer een kille streep die haar rug even in tweeën leek te splitsen.

Voor de tweeling was de zaterdagmorgen het hoogtepunt van de week. De grote dag waarop ze hun voetbalkunsten op een heus veld gingen vertonen. Van uitslapen kon geen sprake zijn. De wedstrijden begonnen standaard om negen uur, wat inhield dat Dennis en Max om zeven uur naast hun bed stonden. Nerveus en dus luidruchtig.

Nadat ze met veel pijn en moeite een kleinigheid hadden ontbeten, begon de voorbeschouwing van de wedstrijd. Een vast ritueel waaraan Jeroen diende deel te nemen. Met slaperige ogen maakte hij er het beste van.

'Hé, scheids, ga eens bij Hans Anders een brilletje kopen!' Chantal keek naar rechts, waar het luidruchtige commentaar vandaan kwam. Het verraste haar dat de man die zojuist iets naar de scheidsrechter had geroepen zo klein van stuk bleek. Hij had een bulderende stem die eerder bij een robuuste bouwvakker paste. Ze kende hem niet, dus nam ze aan dat het een supporter van de tegenpartij was. Misschien wel de vader van het ventje dat op de grond zat en een pijnlijk gezicht trok.

Nadat ze een betere blik op het geblesseerde voetballertje had geworpen, sloeg haar moederhart twee slagen over. De tegenstander van haar kinderen was ineens een jongetje dat pijn aan zijn been had. Een fragiel ventje dat nu het liefst om zijn moeder zou roepen. Het scharlaken rood van zijn shirt vervaagde tot marineblauw. De kleur waarin Dennis en Max speelden. Door met haar ogen te knipperen verjoeg ze de minitrance. Ze stond weer met beide benen in de polderklei van Almere, en alle spelertjes droegen de originele clubkleuren. Met 'niet zo zwaar op de hand. Het valt allemaal wel mee', corrigeerde ze zichzelf zonder dat iemand het hoorde.

De trainer van de tegenpartij rende het veld in. Hij knielde naast het mannetje en wreef met een waterige spons over diens been.

'Brr,' verwoordde Jeroen haar gedachten. Blijkbaar was het een wondermiddel, want het ventje stond op en nam, zij het wat moeizaam, zijn plaats op het veld weer in.

'Zelfs een blinde kon zien dat het een overtreding was, idioot,' becommentarieerde de man met de harde stem. Hij had het volume hiervan wel enigszins teruggedraaid. Hoogstwaarschijnlijk had dit te maken met de aanwezigheid van twee echtparen die inmiddels naast hem stonden. Ze waren onderling flink aan het discussiëren. Wat Chantal betrof mocht dit tot aan het eindsignaal doorgaan. Met je kind meeleven en hem aanmoedigen was één. Onfatsoenlijke teksten naar iemands hoofd slingeren kon daarentegen gewoonweg niet door de beugel. Sterker nog, daar had ze een uitgesproken hekel aan.

Jeroen knikte in de richting van het opgewonden standje dat aan zijn toehoorders met drukke armbewegingen iets duidelijk wilde maken. 'Die man heeft er echt zin in op de vroege morgen,' zei hij spottend.

Chantal grijnsde. 'Een prima collega voor je.'

Jeroen zag hier de humor wel van in en lachte hardop. 'Helaas ontbreekt het hem aan diplomatieke grondbeginselen,' zei hij even later met een gespeeld, uitgestreken gezicht.

'Typisch een antwoord van een communicatiemedewerker,' kaatste Chantal terug.

'Zou zomaar kunnen.' Hij haalde nonchalant zijn schouders op en concentreerde zich weer volledig op datgene wat zich op het veld afspeelde.

Het spel lag even stil en Chantal gebruikte deze luwte in de wedstrijd om vanuit haar linkerooghoek langs Jeroen te kijken. De vaste kliek stond weer bij elkaar, zag ze.

Al op de eerste dag van de competitie was er een vast groepje ouders ontstaan die altijd bij elkaar stonden. Jan en Bianca de Groot, Huub en Claudette Everstijn en Paul en Annette van Brakel konden het tijdens de wedstrijden onderling uitstekend vinden. Té goed. Op het enge af.

Halfverborgen achter Jeroen, liet ze een blik over het groepje glijden. Hoewel ze niets van heimelijk gedrag moest hebben, voelde ze zich geen voyeur. Althans, dat maakte ze zichzelf wijs. Natuurlijk hield ze anderen stiekem in de gaten. Haar verdediging beriep zich echter op het feit dat ze hen toch moeilijk ongegeneerd aan kon staan gapen. Dat was onbehoorlijk. Wellicht provocerend. Misschien zou het sextet denken dat zij jaloers was. Erbij wilde horen. Of...

Jezus, mens! Hou toch op met die idiote redeneringen, bestrafte ze zichzelf. Haar eigen stem zorgde ineens voor spitsuur in haar hoofd. Waarom moet je toch overal een verklaring voor verzinnen? ging ze verder. Jij wilt gewoon lekker gluren. Nou, en? Is dat strafbaar, of zo?

Chantal onderdrukte een glimlach. Haar obstinate ik had gesproken. Soms schoot zij uit haar slof om zichzelf te corrigeren. Daar bleef het echter bij. De woorden die meestal helder en logisch klonken werden nooit in praktijk gebracht. Tussen zeggen en doen lag een brede weg. Ze moest er niet aan denken om deze te betreden. Laat staan over te steken...

Terwijl ze tussen haar oogharen door naar het zestal keek, vuurde Jeroen het elftal aan. 'Kom op, mannen. Niet verslappen. Blijven voetballen.'

Al talloze malen had ze Jeroen dit soort algemene teksten horen slaken. Peptalk. Ze vroeg zich regelmatig af of de jongens er beter door gingen voetballen. Of ze het in het heetst van de strijd überhaupt wel hoorden. Ach, het maakte verder ook weinig uit. Iedereen had het naar zijn zin, en daar draaide het uiteindelijk allemaal om.

Het luidruchtige commentaar van Jeroen was voor haar geen aanleiding om van blikveld te veranderen. In het groepje dat zij bespiedde gebeurde meer dan op het veld. Jan was in een geanimeerd gesprek gewikkeld met Claudette. Ofschoon de gure wind afdwong om veel met haar ogen te knipperen, zag Chantal dat de twee elkaar regelmatig aanraakten. Heel subtiel. Als je er niet speciaal op lette, was het nauwelijks waarneembaar. Ze wilde glimlachen om deze ontdekking, maar wist zichzelf te beheersen.

Haar nieuwsgierige blik gleed over de kleding van Claudette. Een tastbare weergave van het karakter van de vrouw die ze droeg. Heel geraffineerd. Zwarte laarzen met daarboven nauwsluitende jeans. Een lange, zwartleren jas die tot aan haar middel openstond, zodat haar stevige cupmaat extra werd geaccentueerd. Uitdagend, zonder het te overdrijven. Regelmatig duwde Claudettes rechterhand een onwillige, bruine lok uit haar gezicht, waardoor haar slanke vingers en gemanicuurde nagels duidelijk zichtbaar werden. Het was één groot spel, wist Chantal.

Huub leek hiervan niets in de gaten te hebben. Paul en hij hadden de grootste lol. Regelmatig sloeg de een de ander op de schouders. Het leek er het meest op alsof ze onderling moppen uitwisselden.

Kijk maar uit, Huub, dacht Chantal. Misschien is jouw vrouw eveneens met een uitwisselingsprogramma bezig. Wederom wist ze haar gezicht in de plooi te houden. Toen ze zich op de smoezende Bianca en Annette wilde concentreren, werd ze door een ruwe schreeuw opgeschrikt.

'Goal!' Jeroen stak beide armen in de lucht en maakte een vreugdesprongetje.

'Geweldig, Max. Wat een streep! Yes, yes, yes!'

Een donkere wolk die voornamelijk met schuldgevoel was gevuld, trok zich boven Chantal samen. Ze keek onmiddellijk recht voor zich uit, begon te klappen en toverde haar meest spontane lach tevoorschijn. Terwijl ze de blije moeder speelde, gaf ze zichzelf ervan langs. De tirade duurde tot aan het moment dat Max zich uitgelaten aan de zijlijn meldde met in zijn kielzog een kluwen dolgelukkige medespelers. Toen hij vlak voor haar stond, wees hij nadrukkelijk naar haar. 'Deze was voor jou, mam!' Daarna drukte hij met zijn rechtervuistje tegen het clubembleem dat ter hoogte van zijn linkerborst zat. Een gebaar dat hij van zijn voetbalidolen had overgenomen.

'Fantastisch gedaan, jongens,' jubelde Jeroen. Ook hij balde zijn rechtervuist, maar zijn linkerhand wees daarentegen onverbiddelijk naar de middenstip. 'En vasthouden die voorsprong,' zei hij quasi streng. Als een echte trainer die het resultaat vooropstelt. De groep jonge voetballers reageerde voorbeeldig. Gezamenlijk liepen ze terug naar hun helft.

'Wat een schitterende goal, hè schat?' zei Jeroen. Het enthousiasme stond in zijn bruine ogen te lezen.

'Heel mooi,' was het obligate antwoord dat haar als eerste te binnen schoot. Toen de scheidsrechter floot en de tegenpartij aftrapte, nam zij zich voor om de bal geen seconde meer uit het oog te verliezen.

2

Chantal parkeerde haar auto recht voor de twee-onder-een-kap van de familie Kronenberg. Voordat ze het portier opende, wierp ze er even een blik op. Het was een schitterend huis. Strakke bouwstijl, diepe voor- en achtertuin, oprit met garage. Verder 'was het van alle gemakken voorzien', zoals Heleen Kronenberg tijdens een korte rondleiding opmerkte. Dat was twee jaar geleden. Sindsdien kwamen Dennis en Max er regelmatig over de vloer. Hun klasgenootje Rogier Kronenberg was enig kind en een beetje mensenschuw. Buiten schooltijd verbleef hij het liefst in zijn vertrouwde omgeving. Hij beschouwde de tweeling als zijn beste en tevens enige vrienden, had Heleen haar tijdens het koffiedrinken ooit toevertrouwd. Eigenlijk had ze toen niet geweten hoe ze moest reageren. Voor Dennis en Max was Rogier gewoon een vriendje. Een speelkameraad met wie ze net zo omgingen als met andere kinderen.

Ze liep naar de deur en belde aan. Enkele seconden later deed Heleen Kronenberg open. 'Hallo, Chantal.' Ze keek demonstratief op haar gouden horloge. 'Jeetje, is het alweer zo laat?'

'De tijd vliegt tegenwoordig, meid,' antwoordde Chantal en ze stapte naar binnen.

Heleen sloot de deur. In plaats van haar gast voor te gaan, leunde ze met haar rug tegen het robuuste eikenhout. 'Zes uur, en ik heb nog niets aan het eten gedaan,' zei ze zuchtend. 'Pieter kan elk moment thuiskomen.' Met de vingers van haar linkerhand friemelde ze aan haar blouse. Ze staarde langs Chantal heen. De blik in haar ogen was zowel afwezig als leeg. 'Stom, hè?' giechelde ze. 'Ik heb er gewoon niet aan gedacht. Ben ook zó druk bezig de hele dag.'

Chantal haalde haar schouders op en giechelde wat met haar mee. Dit was typisch Heleen Kronenberg, wist ze. Een reuzevriendelijke meid, maar een beetje een warhoofd. Wellicht was leeghoofd een meer waarheidsgetrouwe term. Maar ze wilde haar niet zo typeren, daarvoor was ze gewoonweg een te aardig mens.

'Koffie?' Uit de manier waarop Heleen dit vroeg, kon ze opmaken dat de avondmaaltijd reeds tot een gepasseerd station behoorde. Ook dit was kenmerkend voor Heleen. Ze was de hele dag met van alles en nog wat bezig zonder echt concreet te zijn. Voor een betaalde baan had ze geen tijd. Druk, druk, druk. Te veel werk in en om het huis, meldde ze regelmatig. Wat dat werk precies inhield, was Chantal nooit duidelijk geworden. Driemaal per week maakte een interieurverzorgster het huis schoon en elke zaterdagmorgen onderhield een tuinman het groen.

Het was nu Chantals beurt om op haar horloge te kijken. 'Nee, bedankt. Als we zo thuiskomen zet ik meteen het eten op. Anders wordt het zo laat voor die jongens, weet je wel. Morgen gewoon weer school.'

Hoewel Heleen begrijpend knikte, leek zij met haar gedachten ergens anders. Chantal zag dat Heleen haar aankeek zonder haar daadwerkelijk te zien. Haar blik was leeg en afwezig. En dat was vreemd, wist ze. Heleen mocht zich dan apart gedragen, het was wel degelijk een goedlachse en levenslustige vrouw. Precies datgene wat deze keer in haar oogopslag ontbrak.

'Ach ja, het avondeten,' zei Heleen op een voor haar ongewoon bescheiden toon. Ze fronste haar wenkbrauwen, waarmee ze suggereerde hier zwaar over na te denken. Ze haalde diep adem en hield deze een paar seconden vast. Daarna blies ze langzaam uit. Ondertussen knikte ze een paar maal. 'Dat wordt dus weer de catering bellen!' zei ze op een onverwacht luchtige toon. Haar gezicht klaarde plotseling op. Chantal zag de scherpte het afwezige in haar blik verdrijven. Om haar mondhoeken speelde als vanouds die onverschillige glimlach van een vrouw die haar eigen beschermde leventje leidde en het zo allemaal wel prima vond. De oude Heleen was er weer. 'Telefoon, telefoon, telefoon.' Terwijl ze dit zei, tastte haar handen de zakken van haar broek af. 'Rotmobieltje. Nergens te vinden als je het nodig hebt.'

Dit begon erop te lijken, dacht Chantal. Op jaarbasis raakte Heleen een stuk of tien mobiele telefoons kwijt. Altijd in huis. Weken nadat haar man een nieuwe voor haar had gekocht, kwam het oude mobieltje weer tevoorschijn. Blijkbaar vond men dit in huize Kronenberg de normaalste zaak van de wereld, aangezien Heleen hier nooit moeilijk over deed. Ook Pieter maakte er geen punt van. Hooguit een dag nadat ze haar zoveelste mobieltje was verloren, kwam hij met een nieuwe aanzetten. Chantal had ooit opgevangen dat Pieter bekendstond als een keiharde strafpleiter. Eenmaal thuis was hij echter de liefde zelve, die zijn vrouw en zoon adoreerde. Als was in de handen van Heleen.

Ze liep Heleen achterna de woonkamer in.

'Nummer, nummer, nummer.' Modetijdschriften werden resoluut van de salontafel geveegd. Van rondslingerende bijouterie maakte ze achteloos een hoopje. 'Zeker weten dat Pieter de telefoonklapper op een andere plek heeft gelegd,' zei ze meer tegen zichzelf dan tegen haar gaste. 'Die man kan soms zó slordig zijn.'

Chantal maakte met beide handen een afwerend gebaar. Ze had geen tijd en zin om hier verder betrokken in te raken. Zowel het mobieltje als de telefoonklapper kwam heus weer boven water. De vraag was slechts wanneer dit zou gebeuren. Ze keek naar Heleen, die zocht als iemand die zich bij voorbaat bij een verlies had neergelegd. Haar vriendin keek wat in de rondte en schoof met allerlei losse spulletjes.

Met 'Wat heb je in de vriezer liggen?' onderbrak ze de zinloze speurtocht.

Heleen keek haar enkele tellen wezenloos aan. Alsof zij zojuist had gehoord dat Prada was overgenomen door Gucci. Hierna brak er een glimlach op haar gezicht door. 'O, Chantal. Wat een slimme zet!' Ze begon te stralen. 'De vriezer. Hoe kom je er op. Ja natuurlijk, daar zit wat in. Hoewel... het is alweer een tijdje geleden dat ik gekeken heb.' Haar mondhoeken zakten langzaam naar beneden. 'Nou ja... we zien wel. Anders moet Pieter straks maar wat gaan halen. Iets van de Argentijn, of zo.'

Chantal zette de auto in de eerste versnelling en trok op. Met een rustig gangetje reed ze de woonwijk uit. Toen het huis van de familie Kronenberg een slordige honderd meter achter hen lag, stelde ze de onvermijdelijke vraag. 'En? Was het leuk?'

In haar achteruitkijkspiegel zag ze Max gehaast ja knikken. Precies wat zij al verwachtte.

'Heel leuk, mam,' zei Dennis. Hij raffelde de woorden af. Er was duidelijk belangrijk nieuws. Ze popelden om het haar te vertellen, zag en voelde Chantal.

Het afscheid van Rogier en zijn moeder was iets te soepel verlopen. Snelle handdrukken voor Heleen Kronenberg werden gevolgd door een gezamenlijk 'doei' in de richting van Rogier. Daarna was de tweeling zij aan zij naar de auto gelopen. Gehoorzaam en voorbeeldig gedrag dat geheel met de standaardprocedure botste. Het was namelijk eerder regel dan uitzondering dat er werd getreuzeld met het afscheid nemen of gezeurd om het verblijf wat te rekken. Aangezien Max en Dennis zich vandaag als engeltjes gedroegen, kon het niet lang uitblijven voordat de aap uit de mouw kwam.

'Mam, wij hebben iets belangrijks te vertellen,' opende Max op een verwachtingsvolle toon.

Omdat ze moeite had om haar glimlach te onderdrukken, veinsde ze opperste concentratie tijdens het beoordelen van de verkeerssituaties. 'Kom maar op met dat belangrijke nieuws,' zei ze zo neutraal mogelijk.

'Wij weten eindelijk zeker wat we voor onze verjaardag willen.' Een blik in de spiegel vertelde haar dat het gezicht van Dennis glunderde. Tevens straalde er een jongensachtige vastberadenheid van uit. Nadat de afgelopen weken het halve magazijn van Bart Smit op hun verlanglijstje was gezet, kon dit weleens serieus zijn, ging het door Chantal heen.

Max verbrak de korte stilte. 'Wij willen naar Alaska,' zei hij op heldere toon. 'Op zalm vissen,' vulde Dennis aan. 'Wilde zalm.'

Chantal beet op haar lip om niet in lachen uit te barsten.

'Wat we vangen kun jij dan op de barbecue leggen,' meldde Max.

Dennis knikte verwoed om de woorden van zijn broer kracht bij te zetten. Hij zag zichzelf blijkbaar al in het ruige landschap bivakkeren.

Chantal zette haar linkerrichtingaanwijzer aan. Met nauwkeurig in haar spiegels kijken en secuur rijgedrag won ze tijd. Op zalm vissen in Alaska. Hierbij vielen alle verlanglijstjes die de afgelopen weken de revue hadden gepasseerd in het niet. Op zalm vissen in Alaska. Wilde zalm. Hoe kwamen ze in 's hemelsnaam aan die onzin? Het bestond toch niet dat een kind voor zijn tiende verjaardag zoiets absurds vroeg? Ze keek weer in haar achteruitkijkspiegel. De uitdrukking op beide gezichten was uiterst serieus. Alsof ze zojuist om een bal of een nieuwe fiets hadden gevraagd. 'Ik kan me vergissen, hoor. Maar volgens mij is Alaska een behoorlijk afgelegen streek waar ook wilde dieren voorkomen.' Ze liet bewust een korte stilte vallen. 'Wat moeten we doen als er opeens een beer opduikt? Die houden namelijk ook van zalm.' Ze knikte. Alsof ze diep over de zojuist geschetste situatie nadacht. 'En geloof me, met een grizzlybeer willen jullie geen ruzie krijgen.'

Op de achterbank had de tweeling zich een denkgezicht aangemeten. Halfgesloten ogen, dunne lippen en afhangende mondhoeken. De radertjes in hun koppies draaiden op volle toeren. Chantal gaf hun echter geen kans om te reageren. Het was nu zaak om een paar antwoorden boven water te krijgen. Op een relaxte manier, anders gooide de tweeling zeker hun kont tegen de krib en was er de komende uren geen land met hen te bezeilen. 'Het is wel een beetje vreemd om vissen op zalm in Alaska voor je verjaardag te vragen, toch? Ik zou er in elk geval nooit op zijn gekomen.'

'Dat komt omdat jij een meisje bent, mam,' antwoordde Max ad rem.

'En zo is het maar net,' bevestigde zijn broer wijselijk.

Hoewel Chantal het inwendig uitproestte, hield zij haar gezicht in de plooi.

'Daar hebben jullie gelijk in, maar niemand kan mij wijsmaken dat dit zalm-gedoe zomaar uit de lucht is komen vallen. Heeft Rogier het er soms over gehad?'

Uit ervaring wist ze dat haar jongens geheid in het lokaas zouden bijten. Ze gokte op Max. Hij was de oudste, al scheelde het slechts zeven minuten. Over het algemeen was hij iets feller en alerter dan Dennis, die meestal de kat uit de boom keek. Als deze fase eenmaal achter de rug was, kwam de jongste pas op stoom. Soms gingen alle remmen dan los en liep hij zichzelf voorbij. Het was dan aan hen om hun zoons enthousiasme te temperen.

Haar gelijk kondigde zich met overslaande stem aan. 'Wij hebben een film gezien, mam. Echt helemaal te gek.' Hij haalde adem om zijn geestdrift verder te ventileren. Dennis was hem echter voor.

'Over vissen op wilde zalm in Alaska. Dat gaat met een vlieghengel, weet je. Zo'n ding waarmee je heel veel moet zwaaien. De rivieren daar zitten hele-maal vol met wilde zalm.' Hij hief zijn rechterhand en telde af. 'Vijfponders, tienponders...' Max nam soepel over.

'Vijftienponders, twintigpo...'

'Ja, ja, ik begrijp heus wel wat jullie bedoelen.' Ze probeerde haar lichte irri-tatie te verbloemen door er 'Een soort van zalmenland, dus', aan toe te voe-gen.

'Precies!' antwoordde Max.

'Alleen dan van water, mam,' wist Dennis.

Nu kon Chantal haar lachen niet meer inhouden. Het land van water. Nadat haar mannetjes van nog geen tien jaar spraken over vissen op wilde zalm, vlieghengels en vijftienponders, was het land van water de druppel die haar in lachen uit had laten barsten. Wat een verhaal! Echt te gek voor woorden. Omdat de tweeling dit totaal anders zag, nam ze zich echter voor om niet direct al te hard te oordelen. 'Ik zal het er vanavond met papa over hebben, oké?'

De twee bekkies achter haar betrokken. Max en Dennis zagen de bui al han-gen.

Hun ouders namen altijd samen de beslissingen. De poging om hun moeder warm voor hun plan te maken leek mislukt.

Hoewel ze het volgens de huisregels speelde, voelde Chantal zich schuldig. Dit had alles te maken met de beteuterde koppies van haar kinderen. Ze vond het vreselijk om de teleurstelling van hun gezichten af te zien druipen. Ze voelde zich schuldig. Dat dit nergens op sloeg deed niet ter zake. Gevoels-matig was zij de boeman. En zo zagen de kinderen het ook, wist ze. 'Vertel nog eens iets over die dvd,' zei ze op de vrolijkste toon die ze voorhanden had. Een plannetje had zich namelijk razendsnel in haar hoofd genesteld.

'Het was geen dvd, mam,' antwoordde Max verveeld. Hij wist dat de kans op deze visvakantie nihil was en wilde er eigenlijk niet meer over praten.

'Het was een film van internet,' zei Dennis op een donderwolktoon. 'Rogier heeft hem van internet gedownload.'

Terwijl ze deed alsof ze naar links keek, zag Chantal in haar rechterooghoek hoe Max zijn broer bestraffend aankeek. Ze schonk er zogenaamd geen aandacht aan door direct oogcontact via de achteruitkijkspiegel te vermijden. Gespeeld verdiept in het verkeer zei ze simpel: 'O.'

De blik die Max hierop naar zijn broertje zond sprak boekdelen. Opeens zat er een worm in haar maag. Het beest kronkelde als een bezetene. Misselijkheid kwam sterk opzetten. Ze haalde adem door haar neus en blies krachtig uit, in de hoop hiermee haar lichaam en geest weer in balans te brengen.

Het was niet bij een filmpje over zalmvissen in Alaska gebleven, wist ze vrijwel zeker. Wat ze verder hadden gezien, liet zich gemakkelijk raden. De blik in de ogen van Max was veelzeggend geweest. Ze moest zich beheersen om niet kwaad te worden, de auto te parkeren en uit machteloosheid tegen de tweeling te gaan schreeuwen.

'Stel je niet zo aan, mens.'

'Wat zei je, mam?'

'Eh, niets, lieverd.' Ze zocht naar woorden. 'Oudere mensen praten soms tegen zichzelf,' was het enige wat haar te binnen schoot.

'Wat stom,' vond Dennis.

Ze draaide de straat in waar ze woonden. De auto van Jeroen stond al voor de deur. Blij dat ze van onderwerp kon veranderen, wees ze naar de blauwe Renault. 'Kijk, papa is thuis.'

Het bleef stil op de achterbank. De tweeling was dol op hun vader, maar dat kwam nu even niet uit. De teleurstelling over de vermeende visvakantie en de verspreking van Dennis lagen op dit moment zwaar op hun maag. Ze waren slim genoeg om zich te realiseren dat hun moeder hen doorhad, wist Chantal. En dat dit muisje eventueel een staartje kon hebben...

Ze parkeerde de auto en ontgrendelde de kindersloten. 'Gaan jullie papa vast gedag zeggen. Ik kom eraan. Even wat papieren in het dashboardkastje leggen.'

De tweeling holde naar de voordeur. Een van hun favoriete spelletjes stond op het punt van beginnen: talloze malen kort op de deurbel drukken totdat hun vader met een quasi kwaad gezicht opendeed. Daarna sprongen ze in zijn armen en hadden ze gezamenlijk de grootste lol over het feit dat papa er voor de zoveelste keer in was getrapt.

Chantal zag het gebeuren en verwonderde zich over het feit dat kinderen zo gemakkelijk om konden schakelen. Ze hadden nu de grootste lol met hun vader en de visvakantie leek ineens iets uit een ver verleden. Daar stonden ze geeneens meer bij stil. Missie mislukt, jammer dan. Op naar het volgende project; gein schoppen met papa.

Even vroeg ze zich af of dit wellicht de beste manier van leven was. Pluk de dag, zorgeloosheid als grootste goed. Wat er morgen gebeurt zien we dan wel weer. Even snel als deze gedachte opkwam, wees ze haar echter af. Gedeeltelijk, want voor de kinderen zou het een ideale levenswijze kunnen zijn. Voor Jeroen en haarzelf deed het daarentegen geen opgeld. Daarvoor was hun verantwoordelijkheid naar de kinderen toe te groot. Een situatie waarvoor ze ruim tien jaar geleden bewust hadden gekozen.

Ze zat te piekeren. Aan de ene kant zat het internetverhaal haar niet lekker, terwijl ze zich aan de andere kant afvroeg of ze hier nu wel ophef over moest maken. Als ze tot het laatste besloot, waar ze wel degelijk naar neigde, dan had dit ongetwijfeld consequenties. En juist daarop zat ze niet bepaald te wachten.

'Twijfel toch niet zo, verdorie nog aan toe,' vermande ze zichzelf. Die eeuwige onzekerheid was een crime waarvoor zij zichzelf regelmatig vervloekte.

Samen met Jeroen had ze de afspraak om tegen elkaar altijd open spel te spelen. Naar de kinderen toe wilden zij als één blok opereren. Dat schiep duidelijkheid. Zo kon je vermijden dat de ene ouder tegen de andere werd uitgespeeld. Beslissingen die de kinderen aangingen, werden dan ook steevast gezamenlijk aan hen gemeld en uitgelegd. Een werkwijze die in de loop der jaren zijn vruchten had afgeworpen. Na verloop van tijd wist de tweeling dat papa en mama altijd eerst samen overlegden voordat er ergens over werd beslist. Natuurlijk probeerden de twee zo af en toe de spelregels te veranderen. Maar dat was logisch. Het bleven tenslotte kinderen.

Jeroen wenkte. Ze stak haar hand op en maakte duidelijk dat ze er aankwam. Ze sloot haar ogen en dwong zichzelf een beslissing te nemen. Oké, meid, de laatste ronde. Zet het duidelijk op een rijtje.

Het had er alle schijn van dat Rogier onbeperkt toegang tot internet had. Ieder logisch denkend mens kon ervan uitgaan dat zijn surfpraktijken hem dus bij sites brachten die niet geschikt waren voor kinderogen. De reactie van de tweeling vertelde haar wat dat betrof genoeg. Ze kende haar kinderen als geen ander en wist precies wanneer zij kattenkwaad hadden uitgehaald. Zelf waren ze ook in het bezit van een computer met internetaansluiting. Met enkele ingrepen waarvan ze niet het fijne wist, had Jeroen ervoor gezorgd dat de tweeling enkel toegang kreeg tot sites die verantwoord waren voor kinderen van hun leeftijd.

Deze middag waren ze in de speelkamer van Rogier beland in een virtuele wereld waarvan hun ouders niet wilden dat zij er rondsnuffelden. Dat dit een eenmalig bezoek betrof, stond bij haar vast. Dit kon ze namelijk niet toestaan en Jeroen evenmin. De grote vraag was echter hoe zij dit op moest lossen. Of moest ze in de wij-vorm denken? Dat laatste leek het meest voor de hand liggend. Het plannetje dat zich stiekem in haar hoofd had genesteld gaf een ander alternatief.

Stel nu dat zij zelf met Heleen ging praten? Vrouwen onder elkaar. Heleen kon soms zo wereldvreemd zijn, wellicht had zij er geen flauw idee van hoe verstrekkend internet kon zijn. Ja, met een kopje koffie erbij zouden zij er heus wel uitkomen. Haar man Pieter kon er dan voor zorgen dat Rogier beperkte toegang kreeg, wat inhield dat Max en Dennis gewoon bij hem konden spelen. Een glimlach brak op haar gezicht door. Goed gedaan!

Ze opende het portier en liep naar de voordeur. Bij elke stap nam de twijfel over haar beslissing toe. Hoe dit kwam was haar een raadsel. Het was simpelweg sterker dan alles wat ze zich zojuist had voorgenomen. Van leeuwin tot papieren tijger. Toen ze de huiskamer binnenkwam was haar voorgenomen plannetje gereduceerd tot nul. Het was een opzetje van niks, wist ze ineens.

'Dag, schat,' zei Jeroen. Hij liep naar haar toe en kuste haar teder op haar wang. 'Hoe was je dag?'

Ze haalde haar schouders op. 'Ging wel. Heel normaal, eigenlijk.'

Jeroen knikte bedenkelijk. Haar toon en lichaamstaal zeiden hem genoeg. De twaalf jaar samen waren wat dat betrof een goede leerschool geweest. 'Gaat het?'

Chantal gaf hem een kus. 'Niks bijzonders. Een akkefietje met de jongens. Na het eten hebben we het er wel over, oké?'

3

Chantal keek door het keukenraam naar het grauwe wolkenpak, schuin boven haar. Tien minuten geleden hadden er nog lichtgrijze strepen in de hemelse droefheid gezeten. Die waren nu verdreven door de schemering. Een trieste dag eind maart had ook zijn zonnige kanten, dacht ze. De aanstormende duisternis, bijvoorbeeld. Als die zich aankondigde, stapte het overgrote deel van de visite op.

Een spontane glimlach brak door. Eén van de weinige, die dag. De afgelopen uren had ze hoofdzakelijk op de automatische piloot gelachen en vriendelijke gezichten getrokken. Zoals genodigden op een feestje aan de Amsterdamse grachtengordel deden. Of bekende Nederlanders tijdens een champagnefeest na de modeshow van een beroemde couturier. Tenminste, dat had ze in bladen en op televisie gezien. Voor dat soort trendy party's had ze immers nog nooit een uitnodiging ontvangen.

'Nou, jij schijnt het nogal naar je zin te hebben,' zei haar jongere zus Denise quasi vrolijk toen ze de keuken binnenstapte. De schampere ondertoon die in haar woorden doorklonk, negeerde Chantal. Zo was Denise nu eenmaal. Licht provocerend zonder daarmee de grens te overschrijden. Denise hield in elke hand een bord met daarop restjes kaas, toast en worst. In vier stappen overbrugde zij de afstand tot de afvalbak en deponeerde de overblijfselen erin. 'Volgende ronde,' zei ze met een scheve grijns op haar gezicht en ze zette beide borden op het aanrecht. In haar groene ogen verscheen heel even een twinkeling die van alles kon betekenen. Hierna schudde ze vol ongeloof haar hoofd, waardoor het laatste restje model uit haar warrige kapsel verdween. 'Jeetje, wat wordt er veel gegeten. Ze lijken wel om te komen van de honger!'

Ze zette de twee borden op het aanrecht en keek met een scheve grijns naar de koelkast. 'Ik neem tenminste aan dat er een volgende ronde komt.' Omdat een reactie van haar drie jaar oudere zus uitbleef, trok ze met haar rechterhand de deur van de koelkast open.

'Laat maar, joh,' zei Chantal. 'Dat regel ik wel. Ben hier toch bezig.'

Denise schudde wederom met haar hoofd. Ditmaal deed ze het bijzonder fanatiek, waarmee ze duidelijk maakte geen tegenspraak te dulden. 'Dacht het niet, Tal. Jij hebt vanmiddag al lang genoeg in de keuken gestaan. Als ik niet beter zou weten, dan schaarde ik je bij de club van stiekeme sherryhappers.'

Ze scharrelde wat met haar hand tussen de vleeswaren.

'Van die eenzame alcoholisten, weet je wel.'

Chantal grinnikte. 'Eenzaam ben ik sowieso niet. Maar als ik te lang naar de verhalen van sommige gasten luister, dan is de fles het meest voor de hand liggende medicijn.' Ze knikte kort in de richting van de woonkamer. Hoewel Chantal met dit gebaar generaliseerde, wist haar zus precies op wie ze doelde. 'Nog even doorzetten, meid,' zei ze op luchtige toon. Ze goochelde onhandig met plakken ham, toast en een stuk roombrie. 'Het wordt al donker, over een uurtje zijn ze allemaal weg,' wist ze zeker.

Chantal zuchtte. 'Je hebt gelijk, ik moet niet zo zeuren.' Hierna liep ze de woonkamer binnen.

Ze constateerde na één oogopslag dat iedereen er nog was. Hierop volgend gaf ze zichzelf een standje. Natuurlijk was er niemand vertrokken, slimmerd. Dan waren ze echt wel afscheid komen nemen.

Ze dwong zichzelf een positievere houding aan te nemen. Dit negatieve gedoe sloeg namelijk nergens op. Zo zat ze niet in elkaar. Van nature was ze een vrolijke en goedlachse vrouw die gek op haar man en hun twee kinderen was. Een fulltimemoeder met een parttimebaan bij een makelaarskantoor. Zowel de verzorging van de kinderen als het werk buitenshuis deed ze met plezier. Chantal wist een voorzichtige glimlach rond haar mondhoeken te toveren. Op zich een hele prestatie, aangezien ze zich verre van vrolijk voelde. Hoewel sommige hersencellen haar aanspoorden tot vriendelijke lichaamstaal, wilde een bepaald gedeelte hieraan niet meewerken.

De verjaardag van Max en Dennis was een jaarlijks feest dat haar werkelijk tot op haar botten sloopte. Zes jaar geleden, na de vierde verjaardag van de jongens, hadden zij besloten het in de toekomst anders aan te pakken. In plaats van op de dag zelf, werd het weekend na de verjaardag van het tweetal als feestdatum geprikt. Op de zaterdagmiddag na het voetballen mochten Max en Dennis hun vriendjes en vriendinnetjes uitnodigen, terwijl de zondag voor familie en kennissen werd gereserveerd. Hiermee maakten ze een eind aan het willekeurig binnenlopen van familieleden op doordeweekse dagen.

Het werkte wel, dacht Chantal terwijl ze afwezig een slok van haar rode wijn nam. Of het zoveel beter was, liet ze in het midden. Deze constructie had het nadeel dat zij op de zondagnamiddag volkomen stuk zat. Aangezien de tweeling vrijdagavond steevast bloednerveus werd vanwege de aanstaande cadeautjes en het partijtje, sliep niemand die nacht fatsoenlijk. De zaterdagmiddag was een martelgang vol kindergeblèr en op zondagochtend stond de visite reeds om elf uur voor de deur.

Terwijl ze van haar wijn nipte, sprak ze zichzelf moed in. Eigenlijk is het heel normaal dat je zo in zit te kakken, meid. Je moest eens weten hoeveel vrouwen van jouw leeftijd al met hoofdpijn op bed hadden gelegen. Ze negeerde het stemmetje in haar hoofd dat op verontwaardigde toon zei: 'Je bent pas vijfendertig.'

Omdat ze niet in de stemming voor een praatje was, liet ze haar ogen langs de bekende gezichten schieten. Hiermee vermeed ze direct oogcontact dat meestal tot niets meer dan het uitwisselen van onbeduidende zinnen leidde. Precies datgene waar ze nu even niet voor in de stemming was.

Vanaf haar stoel die aan de eettafel achter in de woonkamer stond, had ze een prima uitzicht op alle aanwezigen. Hoewel er volop werd gesproken en gelachen, drongen de details niet tot haar door. Waarover ze het hadden of waarom ze lachten, bleven onderdelen van de filmische brij die aan haar voorbijtrok.

Links van haar, voerde haar schoonmoeder Dorien een geanimeerd gesprek met Tineke Groesbeek, hun linkerbuurvrouw die nog nooit een verjaardag van de tweeling had overgeslagen. Tineke was getrouwd met Gerard en zij hadden twee dochters, van wie de jongste sinds een jaar in Groningen studeerde en vanwege de afstand met het ouderlijk huis in Almere daar op kamers woonde. Hun oudste dochter was vier jaar geleden getrouwd en woonde in Amsterdam. Hoewel het nooit op een directe manier ter sprake was gekomen, had Chantal het idee dat het tussen Tineke en haar oudste dochter niet echt boterde.

Ze vermeed de blik die haar schoonmoeder haar toewierp. Hun relatie zou door anderen waarschijnlijk als 'koel' betiteld worden. Een eufemisme, aangezien Dorien van der Schaaf naar haar toe de warmte van poolijs uitstraalde. Ze was wel sluw genoeg om dit niet in het openbaar te doen. Tijdens feestjes en verjaardagen bleef het bij een halfgeïnteresseerde blik waarin hooguit een vleugje onderkoeling resideerde. Chantal wist wel beter. Dorien had het haar nooit vergeven dat zij met Jeroen was getrouwd. Hij was haar enige zoon, en na de dood van haar man, haar kostbaarste bezit. Zij had Jeroen van haar afgenomen, wist Chantal. Gestolen. Zo dacht Dorien namelijk.

Op de driezitsbank waren Tinekes man Gerard en de rechterburen Klaas-Jan en Annemiek Sturkeboom druk aan het converseren. Gezien de geanimeerde gebaren en wild op- en neergaande monden ging het er luidruchtig en vriendschappelijk aan toe. Chantal zag hetgeen zich in de kamer afspeelde nog steeds als een soort stomme film aan zich voorbijtrekken, en vond het prima zo. Het kon niet lang meer duren voordat een paar gasten het welletjes vonden en opstapten.

Ze zag dat haar ouders al een beetje onrustig op de tweezits zaten te schuifelen. Waarschijnlijk waren zij degenen die het spoedig voor gezien hielden. Vanwege hun leeftijd en de terugrit naar Amsterdam-Noord, verlieten zij meestal als eersten de rijtjeswoning in Almere. Chantal kon hier best begrip voor opbrengen, maar vond het tegelijkertijd jammer. Evenals haar zus Denise had ze een prima band met haar ouders.

Haar blik gleed naar Jeroen, zijn zus Evelien en haar echtgenoot Sander. Ze zaten op tuinstoelen die Jeroen die ochtend uit de schuur had gehaald. Achter hen stonden Max en Dennis met grote ogen te kijken naar de achterkant van een klein fototoestel dat Sander vasthield.

Alsof het zo was afgesproken, stapte Denise de kamer binnen op het moment dat zij alle aanwezigen kort had bekeken. 'Hier is de catering,' kondigde ze zichzelf aan. Hoewel het enthousiast klonk, onderkende Chantal direct de ironische ondertoon die als een venijnig insect door haar woorden zoemde. Door de zogenaamd spontane actie van haar zus scheurde het lethargische doek dat haar netvlies bedekte. Stemmen drongen weer door en haar geest registreerde meteen wie er wat zei. Haar blik bleef gericht op beide gezichten van haar kinderen, waarop een bewonderende blik lag.

'Kijk, een echte leeuw!' zei Dennis vol ontzag.

Sander glimlachte vergenoegd. 'Het is dat ik van de expeditieleider niet uit mocht stappen, jongens. Anders was deze foto veel scherper geworden.' Hij keek met veel bravoure om zich heen.

'Zou u echt zijn uitgestapt, oom Sander?' vroeg Max. 'Leeuwen zijn toch hartstikke gevaarlijk?'

Met beide handen maakte Sander een sussend gebaar. In zijn ogen stond nu de alwetende blik van een wereldreiziger te lezen die al wat noemenswaardig was minstens twee keer had beleefd. 'Dat valt wel mee, joh. In die reservaten is er voldoende voedsel voor die beesten. Je moet ze alleen niet uitdagen, want dan kunnen ze agressief worden.'

Chantal moest op haar tong bijten om de vrede te bewaren. Dit was dus typisch Sander Bergsma. Een verwaande kwast die als grootste hobby interessant doen en opscheppen had. Bij voorkeur over zijn eigen daden. Hij had in de goede tijd bergen met geld op de beurs verdiend en was sindsdien een onuitstaanbaar mannetje. De kinderen vonden hem daarentegen geweldig, dus hield ze haar mond dicht. Voor de zoveelste keer...

'Tjee, oom Sander, hebt u die vissen allemaal gevangen?' reageerde Max heftig nadat Sander met een simpele druk op een minuscule knop de volgende foto presenteerde.

'Ik heb er die vakantie een paar gevangen die een fors stukje groter waren,' pochte hij. 'Twee haaien van bijna drie meter lang, om precies te zijn. Ben er een slordige vier uur mee bezig geweest om die krengen binnen te halen.' Hierna toverde hij de vermoeide mimiek van een uitgeputte diepzeevisser uit zijn arsenaal van imitaties. In zijn rechterhand verscheen een denkbeeldige hengel, terwijl zijn linkerhand met snelle rondjes de molen bediende. Langzaam boog hij voorover en hij rechtte daarna met veel moeite zijn rug. De tweeling bekeek met open mond het tafereel. In gedachten zagen zij het monster uit de diepte aan de lijn spartelen.

'Zó, dat is echt gaaf,' meldden zij gelijktijdig.

Hoe krijgt die man het toch voor elkaar? dacht Chantal grimmig. Urenlang hadden zij op de tweeling ingepraat om hen duidelijk te maken dat zalmvissen in Alaska geen normaal verjaardagscadeau was. De kans was groot dat Sander met zijn indianenverhalen alles weer oprakelde.

'Ik wist niet dat jij zoveel van actieve vakanties hield,' zei Jeroen. Ook hij voelde de bui al hangen en probeerde op een tactische manier het vissen naar de achtergrond te verbannen. 'Je lijkt me meer het type dat ontspannen langs de zwembadrand ligt.' Hij grijnsde naar zijn zwager en voegde eraan toe: 'Met een tropische cocktail in je hand, natuurlijk.'

Sander knikte. 'Dat klopt helemaal. Die safari en het diepzeevissen waren excursies die je tussendoor doet. Die hotels zijn namelijk geweldig, weet je. Om een topvakantie te hebben, hoef je in principe het complex geeneens te verlaten.'

Demonstratief drukte hij het minischerm bijna tegen de neus van Jeroen. 'Kijk nou eens goed, kerel. Dit soort eten wordt er dus driemaal dagelijks geserveerd. Vis, vlees, pasta's, voorgerechten, toetjes, je kunt het zo gek niet verzinnen of het staat er. Allemaal eersteklas voedsel. En je mag onbeperkt snaaien. Het all-inclusive systeem is werkelijk he-le-maal af.'

Jeroen haalde licht zijn schouders op. 'Ik heb er weleens over gehoord.' Hij trok zijn mondhoek omhoog. 'En ik heb er zo mijn twijfels over... hygiëne, bijvoorbeeld. Al dat voedsel dat elke dag in buffetvorm wordt geserveerd. Nee, volgens mij...'

'Ach, schei toch uit,' interrumpeerde Sander hem bruusk. 'Dat is werkelijk de grootst mogelijke onzin die ik sinds tijden heb gehoord. Erg conservatief, hoor! Je bent een aardige vent, Jeroen, maar deze redenatie slaat echt nergens op.'

Chantal voelde hoe haar woede opborrelde. Dit werd versterkt door het geknik van haar schoonzus Evelien, die daarmee haar broer volledig te kakken zette. Dat ze partij voor haar man trok, was te billijken. Maar op zo'n overduidelijke manier, nee, dat ging er bij haar niet in. Gelijktijdig vond ze het teleurstellend, aangezien ze in tegenstelling tot Sander goed met haar schoonzus op kon schieten.

'Jeroen, luister nou eens,' ging Sander verder. 'Deze foto's zijn twee maanden geleden, tijdens een vakantie in Gambia gemaakt. Ik kan je verzekeren dat als wij het ouderwetse systeem van hotel met ontbijt hadden geboekt, het nu met onze gezondheid stukken slechter was gesteld.' Hij liet een stilte van enkele seconden vallen en keek bewust recht in het verbaasde gezicht van Jeroen. 'Dat meen ik dus bloedserieus, kerel. In de restaurants die ik daar in de buurt van het hotel heb gezien, laat ik de hond van de buren nog niet vreten.' Hij grijnsde vals. 'En jij weet wat een hekel ik aan dat kreng heb.'

Jeroen kon er de humor wel van inzien en glimlachte. Zijn zus Evelien proestte het daarentegen uit, wat behoorlijk geforceerd overkwam.

'Kijk,' ging Sander verder. 'Die reis naar Gambia was voor ons een tussendoortje. We wilden de zon opzoeken, en dan kom je in de winter algauw op dat soort plekken terecht. Ik bedoel, de Canarische Eilanden en Florida kan ik zo langzamerhand wel uittekenen.'

Evelien knikte even blasé als gedwee. Het was overduidelijk dat zij zich moeiteloos schikte in de rol van 'de vrouw van'.

'Dit soort prachtige accommodaties vind je overal ter wereld,' beweerde haar echtgenoot stellig. 'Daar hoef je in de zomer echt niet ver voor te reizen, Jeroen. Frankrijk, Spanje, Canarische Eilanden, Griekenland, Turkije, Egypte, en zo kan ik nog wel even doorgaan. Het all-inclusive systeem is al jarenlang gemeengoed geworden, joh. De mensen zijn er enorm enthousiast over, wat niet meer dan logisch is. Je betaalt een bepaald bedrag en daarmee is de kous dus af. Eten en drinken zoveel je maar wilt, elke dag animatie voor zowel kinderen als volwassenen en 's avonds zijn er altijd shows of evenementen.'

'Heb je er soms aandelen in?' vroeg Jeroen op een veel scherpere toon dan de bedoeling was. Dit had hoofdzakelijk te maken met de manier waarop zijn zwager diens mening verkondigde. Sander leek wel een sekteleider, dacht hij. En ik de domoor aan wie de leer via doctrine moest worden doorgegeven.

'Neem die gasten nou eens als voorbeeld.' Sander wees onverstoorbaar met de duim van zijn rechterhand naar achteren, waar zijn neefjes elk woord van hem als zoete koek verslonden.

'Die rakkers zouden in zo'n complex de tijd van hun leven hebben. Sport en spel onder begeleiding, als ze wat willen eten of drinken, dan pakken ze het gewoon en 's avonds is er een kinderdisco. Iedereen doet lekker zijn eigen ding. Top, toch?' Hij draaide zich om en gaf een kameraadschappelijke knipoog aan de tweeling die zichzelf reeds in een door hun oom geschetst vakantieparadijs zagen rondbanjeren.

'Ja, papa,' zei Dennis met overslaande stem.

'Dat willen wij ook,' vulde Max hem aan. Hierna gebruikte hij zijn modewoord om te benadrukken hoe geweldig hij het idee van Sander vond. 'Cool.'

Omdat Dennis niet bij zijn broertje kon en wilde achterblijven, gooide hij er eveneens een populaire oneliner tegenaan. 'Vet gaaf.'

Voor Chantal was de maat nu vol. Dat die kwal van een Sander hen maar een stelletje burgers vond die niet met de tijd mee wilden gaan, was tot daar aan toe. Dat hij nu openlijk de tweeling manipuleerde om op een andere manier op vakantie te gaan, kon ze niet over zich heen laten gaan. Dan maar ruzie, dacht ze strijdlustig. Ze stond op en liep rechtstreeks op haar zwager af.

'Wij gaan naar huis, Chantal,' hoorde ze haar moeder zeggen. Haar voorgenomen strafexpeditie stokte. Ze verdrong haar woede en perste er een dunne glimlach uit. 'Zo vroeg al, mam?'

'Je vader is een beetje moe, kind. Hij zit de hele week al niet lekker in zijn vel. Misschien dat hij iets onder zijn leden heeft. Een verkoudheid, of zo.'

Chantal keek haar vader met een meewarige blik aan. 'Gaat het wel, pap?'

'Niks aan de hand, meisje,' verzekerde hij op een manier waarop veel ouderen patent hebben. Het kon alle kanten op.

'Dennis, Max, kom eens hier,' zei Chantal op gedecideerde toon. 'Opa en oma gaan naar huis.'

Terwijl de tweeling haar kant opkwam, liep ze zelf naar de deur die de woonkamer met de gang verbond. Ze keek niet op of om toen ze deze opende en zich zogenaamd naar de kapstok spoedde. Eenmaal in de gang, leunde ze tegen de muur en ademde zwaar. Rustig nou, zei ze tegen zichzelf. Sander is het niet waard dat jij jezelf zo opfokt. Laat gaan. Over een uur is hij weg en de jongens zijn dat gebral morgen toch vergeten. Ze kreeg haar ademhaling snel in bedwang. Haar eigen woorden hadden twijfel gezaaid. Ze zuchtte en nam een beslissing.

4

Elke spier in haar lichaam deed pijn als ze zich bewoog. Toch draaide ze zich op haar linkerzij en kuste Jeroen op zijn wang. Daarna liet ze zich terugzakken en ging op haar rug liggen. De ontspanning die dit meebracht voelde aan als een lauwe douche op een druilerige herfstdag.

'Ik ben gebroken,' zei Chantal na een langgerekte zucht. 'Slaap lekker.'

Jeroen legde zijn boek op het nachtkastje. Hierna deed hij het leeslampje uit, zodat de slaapkamer in het pikkedonker werd gehuld. 'Ik begrijp dat je op bent, schat,' zei hij op een toon waarin oprecht begrip doorklonk. 'Wat een weekend, zeg. Slopend. Elk jaar vraag ik me weer af of wij er wel zo verstandig aan hebben gedaan om alles in één weekend te proppen.'

'Het is even doorbijten, maar te prefereren boven elke avond visite,' antwoordde Chantal. 'Wat ik me elk jaar rond deze tijd steeds afvraag, is of we bepaalde figuren nog wel uit moeten nodigen. En dan doel ik natuurlijk op één specifiek iemand.'

'Je weet donders goed dat wij dit niet kunnen maken, Tal. Trouwens, de kinderen lopen met hem weg, hoor.'

'Dat kan me nu even niets schelen. Zij zijn ook gek op Jan van de snackbar. Helemaal als hij hun extra patat geeft. Ik word gek van die Sander met zijn praatjes en die degenererende houding naar onze manier van leven toe.' Ze draaide zich met het nodige gekreun en gesteun op haar linkerzij. 'Er is niets mis met een rijtjeshuis in de seizoenenbuurt van Almere-Buiten. Wij wilden dat en we zijn hier gelukkig. Ik verdom het om nog langer in mijn eigen huis door die vent voor schut te worden gezet. Ik ben die snoeverij over Amsterdam-Zuid en de bewoners ervan zat.'

Voordat haar man de kans kreeg om te reageren ging ze verder. Met gedempte stem imiteerde ze Sanders overdreven conversatietoon. 'Gistermiddag heel sobertjes met Jack Spijkerman in de P.C. Hooftstraat geluncht. Jack had een paar geniale ideeën voor een nieuwe show en wilde wat feedback, weet je wel. Freek schoof later aan om een vorkje mee te prikken. Later bleek dat hij zijn portefeuille vergeten was. Ja, die Freek is op zijn oude dag nog een echte rakker, hoor.'

Doordat ze zich flink opwond, verdween de vermoeidheid spoorslags. Ze wilde verder met haar tirade, maar Jeroen was haar voor.

'Freek de Jonge woont in Muiderberg, Tal. Het verhaal waar jij op doelt, vertelde Sander verleden jaar. Het ging toen om Carlo Boszhard en een producer van wie de naam me is ontschoten.'

'Het zal me een rotzorg zijn om wie het ging,' reageerde Chantal als door een wesp gestoken. 'Je weet heus wel wat ik bedoel.' Ze kneep met de vingers van haar rechterhand in het dekbed. Hoe kon Jeroen zo laconiek reageren? Al meerdere malen had Sander hem in het bijzijn van anderen gekleineerd. Waar was zijn eergevoel gebleven?

'Ik begrijp inderdaad wat je bedoelt, lieverd. Je moet het echter wat genuanceerder zien. Sander is wel de man van mijn zus. Ik ben het met je eens dat hij af en toe een draak kan zijn. Maar hij heeft ook zijn goede kanten. Om je een voorbeeld te geven, vanavond heeft hij mij toch aan het denken gezet.'

Chantal moest zichzelf dwingen om in deze houding te blijven liggen. Het liefst had ze zich omgedraaid en geen woord meer gesproken. Wat haar betrof was deze discussie gesloten. Voor zover je kon spreken van een discussie. Voor haar was het een volslagen raadsel hoe Jeroen Sander kon verdedigen.

'En waarover heeft die sympathieke vent je dan aan het denken gezet?' vroeg ze op een toon die niets te raden overliet.

'Over de vakantie,' antwoordde Jeroen stoïcijns. 'Het zou kunnen dat hij daar gelijk in heeft. Ik zeg niet dat het zo is, maar ik wil me toch in die materie verdiepen.'

Chantal voelde hoe zijn rechterhand zachtjes over haar heup wreef. Normaal gesproken vond ze dit prettig. Nu ervoer ze het echter als een storend element. Ze draaide zich demonstatief om. 'Zie mij maar als de domme brunette van de klas.' Hoewel ze fluisterde, klonk haar stem scherp. 'Maar over welke materie heb je het eigenlijk?'

Een licht geamuseerde zucht klonk. 'Over het all-inclusive systeem, natuurlijk. Ik weet dat jij Sander niet mag, Tal. Maar laten we nou eens eerlijk zijn. Elk jaar met de caravan naar Zuid-Frankrijk is ook niet alles. Een mens moet toch openstaan voor veranderingen?'

'Ik kan me vergissen, hoor,' toucheerde Chantal meteen. 'Maar volgens mij heeft iedereen het daar altijd goed naar zijn zin.'

Jeroen kreunde over zoveel onbegrip bij zijn vrouw. 'Daar gaat het dus niet om, stijfkop. We hebben altijd leuke vakanties. Het enige wat ik wil is mijn horizon op dat gebied verbreden. Kijken wat er nog meer te koop is.'

Chantal wist dat deze discussie op dit tijdstip enkel tot ruzie kon leiden. Ze was opgefokt door het gedrag van haar zwager, het onderdanige karakter van haar schoonzus en het krachteloze optreden van haar man. Tevens realiseerde ze zich dat ze doodmoe was en het daarom wellicht wat overtrok. Slapen was nu veruit de beste optie. Ze draaide haar hoofd naar links. 'Welterusten, ik hoor de komende weken wel van je wat onze vakantiebestemming wordt.'

Geheel tot haar verbazing grinnikte Jeroen om haar laatste woorden van die avond. 'Slaap lekker, pop. Waar we naartoe gaan beslissen we nog altijd samen. Het wordt in elk geval een leuke vakantie. Dat beloof ik je.'

Ze zaten knus tegen elkaar aan. Jeroen lag half onderuit op de bank en Chantal steunde met haar hoofd op zijn rechterschouder. De televisie stond voor de verandering uit, zodat het obstinate gekletter van de voorjaarsregen tegen de ramen als achtergrondmuziek fungeerde.

Jeroen bladerde in de reisgids en Chantal keek met een schuin oog mee. Ze genoot van hun zwijgende samenzijn. De betrekkelijke stilte die er heerste was een oase van rust vergeleken bij de afgelopen uren waarin de tweeling als vanouds voor kabaal had gezorgd.

Deze avond waren zij drukker dan gewoonlijk geweest. Dit had alles te maken met de reisgids die Jeroen had meegebracht. Het resultaat van ruim twee weken soebatten. Hoewel Chantal ervan overtuigd was dat hun interesse voor een ander soort vakantie na het verjaardagsfeest wel zou wegebben, bleek dit niet het geval. De volgende dag stond er tijdens het avondeten behalve de karbonaden, gekookte aardappelen en doperwten eveneens een stevige discussie op het programma. Dennis en Max hadden op school bij hun vriendjes informatie opgedaan en waren met rode konen het huis binnengevallen.

'Bijna iedereen gaat deze zomer all-inclusive, mam,' zeiden ze op een toon waarin zowel verontwaardiging als enthousiasme doorklonk. Ze had het op een bevlieging gehouden. Een nawee van de vorige dag. Geheel volgens deze gedachtegang had ze uitermate lauw gereageerd en de jongens naar de voetbaltraining gebracht.

Toen ze er 's avonds weer over begonnen, had Jeroen ingegrepen. Met zijn vaderlijk gezag wist hij de jongens tot bedaren te brengen. Zonder harde toezeggingen te doen, hield hij echter wel de mogelijkheid open voor een ander soort vakantie dan zij gewend waren. Maar hij gaf wel aan dat hij dit eerst uitgebreid met hun moeder moest bespreken. Dit vond ze grote klasse van hem. Het was op dat moment namelijk zo eenvoudig geweest om zijn gelijk te halen.

'Hoe langer ik blader, des te meer zin ik krijg in vakantie, schat,' bromde

Jeroen afwezig. Chantal keek nu met meer dan met een half oog naar de brochure die op zijn schoot lag. Dit was eigenlijk een weerspiegeling van haar gedrag de afgelopen weken wanneer hun vakantie ter sprake kwam. Ze bekeek het vanaf de zijlijn, maar werd steeds nieuwsgieriger. Zonder dit te laten merken, natuurlijk. Het was tenslotte Sanders idee geweest, iets wat haar nog steeds niet lekker zat.

'Dat all-inclusive is zo gek nog niet. En dan druk ik me bijzonder voorzichtig uit.'

Vanaf de opengeslagen pagina glimlachte de zomer hen toe. Een schitterend hotel met een azuurblauwe zee op de achtergrond contrasteerde heftig met de bakken regen die er in Almere-Buiten uit de lucht vielen.

'Dit is werkelijk grote klasse,' zei Jeroen. In zijn stem klonk een vleug opwinding door. 'Zuid-Turkije, het plaatsje heet Lara, vlak bij Antalya. Hotel Luxor, een themahotel. Dit houdt in het kort in dat de inrichting is gebaseerd op het oude Egypte onder de tijd van de farao's.' Hij klakte goedkeurend met zijn tong. 'Kijk nou toch eens, Tal. Je gelooft je ogen niet.'

Aangestoken door zijn geestdrift, wierp ze een meer nadrukkelijker blik op de pagina. Na enkele seconden kon ze enkel beamen wat haar man zei. Zo op het eerste gezicht oogde het als een absolute toplocatie. 'Dat ziet er wel aardig uit,' zei ze zo nonchalant mogelijk. Een overgave wilde ze zo lang mogelijk uitstellen. 'Zal ongetwijfeld een vermogen kosten.'

Jeroen schudde met de brochure, waarna een bijlage van grijs papier op zijn schoot viel. 'De prijslijst.' De manier waarop hij het zei, deed vermoeden dat het hier een menukaart betrof.

'Kijk jij maar, dan koester ik nog even de illusie dat vakantie in zo'n complex ook voor stervelingen zoals wij is weggelegd.'

Glimlachend bladerde Chantal door de bijlage. Onder 'Turkije' stonden de hotels in alfabetische volgorde. Voordat haar ogen Hotel Luxor vonden, realiseerde ze zich dat het checken van dit soort prijzen eigenlijk onder de noemer 'jezelf lekker maken' viel. Met hun net boven modale inkomen konden ze zich een dergelijke luxe eigenlijk niet permitteren. Het leven was duur en leek met de dag duurder te worden. Haar blik gleed over de cijfertjes die achter de naam van het hotel en in kolommen stonden.

'Zet me maar weer keihard terug op aarde,' zei Jeroen gekscherend terwijl hij las over de mogelijkheden die het hotel aanbood. 'Ik zweef namelijk nog steeds.' Hij gaf Chantal een vriendschappelijke por. 'Nou, kom op met die getallen, joh. Verlos me uit mijn lijden.'

Met een onzekere blik in haar ogen gaf ze hem de bijlage terug. 'Ik ben niet zo goed in dit soort dingen, Jeroen. Haal alles door elkaar heen, en zo. Kijk jij maar, dat lijkt me beter.'

Jeroen dacht eerst dat hij in de maling werd genomen. Chantal wist donders goed hoe je een tabel af moest lezen. Haar lichaamstaal verraadde echter niets over een ophanden zijnde grap. Ze leek eerder verbaasd en een beetje onzeker.

'Dit kan dus niet,' mompelde hij toen hij de bedragen las. Toen Jeroen de bedragen nogmaals bij elkaar optelde, kwam hij echter tot dezelfde eindconclusie. 'Dit kan dus wél.' De glimlach op zijn gezicht werd breder. 'Voor 1.800 euro zitten wij met z'n vieren, vijftien dagen all-inclusive in een vijfsterrenhotel!'

In een spontane reactie kuste hij Chantal op beide wangen. 'Dat kunnen we betalen, schattebout van me. Sterker nog, als we twee weken naar Zuid-Frankrijk gaan, zijn we hetzelfde, zo niet meer kwijt.' Hierna stond hij op en maakte een triomfantelijk gebaar met zijn linkerarm. 'Jezus, wat zullen de jongens dit geweldig vinden.'

Door het aanstekelijke enthousiasme van haar echtgenoot verdween Chantals laatste restje gereserveerdheid. Haar voorzichtige glimlach ging over in een brede grijns. 'Laat me nog eens naar dat wonderhotel van je kijken,' grapte ze en ze griste daarna de reisgids van de bank.

'Wacht maar tot je alle faciliteiten hebt bekeken, dan wil je nooit meer ergens anders heen.'

Haar blik gleed over het informatiekatern. De activiteiten die het hotel kosteloos aanbood waren legio. De jongens zouden het prachtig vinden, wist ze. Het was een soort paradijs op aarde. Hoewel ze het liefst elk woord wilde spellen, legde ze quasi nonchalant de reisgids op de bank. 'Het lijkt me wel wat,' zei ze met een prachtig gevoel voor understatement.

Juli

5

Doordat wolken ontbraken, werd de zon een doek ontnomen om haar prachtige ondergang te schilderen. Langzaam zakte de vuurbal en ze liet violette littekens na in de kabbelende opperhuid van de Middellandse Zee.

'O, wat prachtig,' verzuchtte Chantal. Ze pakte de hand van Jeroen. 'Dit is de fijnste vakantie tot nu toe.'

Terwijl hij vol bewondering naar de glinsterende plas keek die weer marineblauw kleurde, knikte hij loom. 'Het is precies zoals voorgespiegeld. Gewoonweg grandioos.'

Vanaf de stoelen waarin ze onderuitgezakt zaten, hadden ze een prachtig uitzicht op de immense tuin van Hotel Luxor en de daarachter gelegen Middellandse Zee. Het leven was de afgelopen zes dagen meer dan goed te noemen. Ze beleefden een droomvakantie en Nederland was in hun gedachten niet meer dan een denkbeeldig stipje waarnaar ze, helaas, over negen dagen terug moesten keren.

Met lichte tegenzin stond Jeroen op. Hij rechtte zijn rug en strekte beide armen. 'Kom op, Tal, dan gaan we een stukje wandelen. Als ik nu niets onderneem, dan vinden de schoonmakers mij morgenochtend in deze stoel.'

Hij pakte Chantals handen en trok haar voorzichtig doch vastbesloten naar zich toe. Hierna kuste hij zijn vrouw teder op haar mond. Zijn vingers gleden langs haar rug, waarna hij zachtjes in haar billen kneep. 'Wat ben je toch een heerlijk meisje,' fluisterde hij.

Ze schonk hem een ondeugende blik en boog licht voorover, zodat haar lippen bijna zijn oor raakten. 'Als jij dat vannacht tegen me zegt, win je de hoofdprijs.'

Jeroen grijnsde breeduit. Het vooruitzicht dat hij straks de hoofdprijs ging bemachtigen, maakte van hem een nog gelukkiger mens dan hij al was. Hij sloeg zijn arm om haar heup en trok Chantal tegen zich aan. 'Kom, we gaan een stukje lopen. Goed voor de spijsvertering, zoals mijn oma altijd zei.'

Ze volgden het pad dat naar rechts afboog. Enkele meters verder stapten ze de exotische tuin binnen. Ze bleven op het pad en verbaasden zich over het prachtige kleurenspel van de flora om hen heen. De bloemen en planten symboliseerden het exotische en weelderige van Egypte.

Na twintig meter kwamen ze bij een bruggetje aan. Eronder stroomde de Nijl. Dit was het zwembad van Hotel Luxor. Een architectonisch hoogstandje waarvan iedere gast behoorlijk onder de indruk was. Deze Nijl was vijfhonderd meter lang en kronkelde als een reusachtige slang door de tuin heen. Om het zo authentiek mogelijk te maken, werd er in de machinekamer een kunstmatige eb en vloed gecreëerd. Dit hield in dat de waterstand elk uur fluctueerde. Kleine verschillen van hooguit twintig centimeter, maar juist deze details maakten van een leuk idee iets unieks. Tevens dreven er krokodillen en nijlpaarden van plastic in rond waarmee de jeugd zich vermaakte. 's Avonds werd het geheel verlicht door onderwaterlampen die op strategische punten waren geïnstalleerd. De donkergroene waterlelies die als fontein dienstdeden maakten het plaatje af.

Hoewel ze op het pad bleven, bevonden ze zich van het ene op het andere moment in een totaal andere wereld. De grote zandbak waar ze nu doorheen waden, stelde de Sahara voor. In het midden ervan stond de piramide van Cheops. Rondom het bouwwerk waren steunen bevestigd, zodat de kinderen er naar hartenlust op konden klimmen. Ook waren er vier glijbanen, aan elke zijde één, waardoor een klimpartij met een flinke roetsj kon worden beëindigd.

Na de Sahara volgde een oase. Een groot plein met in het midden een heuse waterbron. Tussen de tientallen planten stonden langwerpige banken en tafels, zodat de vermoeide woestijnreiziger altijd een plekje kon vinden om tot rust te komen. In smetteloos witte gewaden geklede obers zorgden voor de verfrissingen.

Ze namen plaats aan de dichtstbijzijnde tafel. Voordat Jeroen de kans kreeg zijn bestelling te plaatsen, maakte een man die schuin rechts tegenover hen zat een spontaan handgebaar. 'Hé, luitjes. Lekker aan de wandel?' De woorden werden uitgesproken met een zwaar Utrechts accent. 'En waar zijn die twee apen gebleven? Goh, wat heb ik vanmiddag een lol om ze gehad.'

Jeroen keek verwonderd naar de man die een volslagen onbekende voor hem was. 'Ze zijn naar de kinderdisco,' antwoordde hij uit goed fatsoen. Hierna produceerde hij een bijpassende glimlach in de richting van de vragensteller. Door een paar maal met zijn voeten af te zetten waardoor hij met zijn korte broek over de bank gleed, overbrugde de man de geringe afstand die er tussen hen bestond. Zijn vrouw imiteerde hem, zodat het oudere echtpaar in vier hartslagen recht tegenover hen zat. 'Hallo, ik ben Joop.' Een hand met veel gouden ringen en bijpassende armband werd toegestoken.

'Jeroen, en dit is mijn vrouw Chantal.'

'Mijn meisje heet Coby,' meldde de liefhebber van goud. 'Wij zijn al vijfendertig jaar getrouwd en daar heb ik nog geen dag spijt van gehad.' Om te benadrukken dat hij geen onzin verkondigde, legde hij zijn linkerhand op het rechterdijbeen van zijn vrouw en wreef er stevig over. 'Of niet dan, wijfie?' Wijfie giechelde met de elegantie van een jong kippetje tijdens haar eerste afspraakje. Ook zij was in het bezit van een aanzienlijke hoeveelheid gouden sieraden, zag Jeroen. Die glinstert nog in het pikkedonker en je hoort haar van mijlenver aankomen, schoot het door hem heen. Door een vraag te stellen, kon hij zijn lachen inhouden. 'Zitten jullie ook in dit complex?' Voordat het laatste woord zijn lippen verliet, was de stompzinnigheid van de vraag al tot hem doorgedrongen. Natuurlijk zaten ze in hetzelfde complex, sukkel. Ze droegen de verplichte, rode polsband en hadden die middag lol om de tweeling gehad. 'We zitten hier al tien dagen,' zei Joop. Uit niets in zijn antwoord bleek dat hij de vraag overbodig of vreemd vond. 'Ik had die apen van jullie al een paar maal allerlei toeren uit zien halen, maar vandaag hebben wij ook even met ze zitten kletsen.' Er verscheen een brede glimlach op zijn gebruinde gelaat. 'Het zijn leuke gassies.'

Zijn vrouw Coby knikte heftig. De miniatuursymbolen aan haar halsketting zorgden voor een begeleidend klokkenspel van bescheiden aard. 'En zulke beleefde knulletjes, waar. Ik zei nog tegen Joop: "Die zijn goed opgevoed."'

Chantal glimlachte verlegen. 'Dank u wel, we doen elke dag weer ons best.'

Een vriendelijk wegwerpgebaar van Coby volgde. 'Ach, kind. Ik weet er alles van. We hebben drie van die bengels grootgebracht, waar. Ze zijn nu allemaal het huis uit.'

Ze boog zich voorover en keek Chantal recht in haar ogen. 'En ik mis hen elke dag. Daarom ben ik zo blij dat mijn schoondochters allemaal werken. Wij hebben de kleinkinderen vaak over de vloer. Heerlijk, kan ik lekker met ze keutelen.'

Joop trok een quasi verveeld gezicht, dat contrasteerde met de twinkeling in zijn ogen. 'Onze huiskamer lijkt af en toe wel een crèche. En maar gillen, die guppy's. Soms word ik er gek van.' Terwijl hij dit zei, klopte hij met zijn linkerhand teder op de rechterhand van zijn vrouw. Een gebaar dat Chantal opviel en Jeroen totaal ontging.

'Ach, die kinderen,' ging Joop verder. 'Uiteindelijk draait het toch allemaal om die apenkoppen, nietwaar? Hoe oud ze zijn maakt allemaal geen fluit uit. Het blijven altijd je kinderen.' Hij wachtte niet op een bevestigend gemompel, maar raasde door. 'En door die jongens van jullie zitten we hier nu zo gezellig te kletsen. Dat vraagt om een biertje, waar. Ik trakteer de hele avond.' Een bulderende lach volgde. De meest voor de hand liggende grap in een all-inclusive resort had bij Joop nog niets aan charme verloren.

De ober bracht twee bier en evenzoveel glazen witte wijn. Hij glimlachte toen Joop 'Goed gedaan, jochie,' zei en liep terug naar de bar.

'Die gasten spreken bijna allemaal heel behoorlijk Nederlands,' wist Joop. 'De meesten hebben in Nederland of Duitsland gewerkt. Nu het toerisme hier floreert kunnen ze eindelijk dicht bij huis hun boterham verdienen.'

Jeroen knikte. 'Wat we in de reisgids zagen was indrukwekkend te noemen. We hadden er geen flauw idee van dat het toerisme in Turkije zo gigantisch was.'

'Jullie eerste keer hier?' vroeg Coby.

'Ja, zowel hier als in Turkije.'

'En wij hebben er geen seconde spijt van,' vulde Chantal aan. Hoewel ze in het begin wat moeite met de directe benadering had gehad, voelde ze hoe gaandeweg het gesprek haar gereserveerdheid verdween. Dit waren opper-vlakkige vakantiepraatjes met een laag drempel- en dieptegehalte. Gesprek-ken die je, bij wijze van spreken, de volgende dag alweer vergeten was. Leuk, ongedwongen met elkaar kletsen. Een manier van communiceren die tijdens het reguliere leven in Nederland allang bij het grofvuil was gezet. Daar was opgewekte ernst het hoogst haalbare.

'Weet je,' zei Joop tussen twee slokken door. 'We komen hier al vijf jaar achtereen. En met hier bedoel ik dus Turkije, waar. Zoals veel Utrechters hebben wij een stacaravan op De Wilgenplas bij Maarssen. In het voorjaar de spulletjes in orde maken, zomers veel vissen en eind september inpakken en wegwezen. Terug naar Kanaleneiland.'

Zowel Jeroen als Chantal knikte zonder overtuiging.

'Ik zie jullie denken: dat is toch die schoffiesbuurt van televisie? Nou, dat klopt wel. Het hele zooitje is verloederd door die Arabieren. Vooral die jon-geren tussen de veertien en twintig. Die scheuren de hele dag op scooters rond en doen alles wat Allah verboden heeft.' Hij lachte om zijn eigen grap, die mede door zijn vrouw werd gewaardeerd.

Jeroen en Chantal grinnikten uit beleefdheid mee.

'Maar het ging dus over Turkije,' zei Joop nadat hij met een snelle polsbewe-ging de rest van zijn bier in zijn keelgat goot.

'Vijf jaar geleden waren wij het dus even helemaal zat met de caravan. In Frankrijk of Spanje hadden we geen zin, daar waren we al eens geweest. Coby is toen zomaar een reisbureau binnengelopen en drie dagen later zaten we in een hotel in Alanya. Om je dood te lachen.'

Om de lippen van Coby lag de glimlach van een overwinnaar. Doordat Joop de boeking als een voldongen wapenfeit beschreef, viel haar doortastende optreden in het reisbureau onder heuse heroïek.

'Ik neem aan dat het beviel,' zei Jeroen.

'Absoluut,' antwoordde Joop terwijl hij met zijn rechterhand aan de ober duidelijk maakte dat er meer van hetzelfde moest komen. 'Sindsdien gaan we elk jaar naar Turkije. Mijn eigen professor zoekt op internet naar de beste aanbiedingen. Die houden we scherp in de gaten en als we denken dat het niet meer goedkoper kan, boekt Coby.' Hierna gaf hij zijn vrouw een vette knipoog. 'Zij is het levende bewijs dat blondjes ook verdraaide slim kunnen zijn.' Coby gaf hem een speelse tik tegen zijn schouder, waarbij ze er wel voor zorgde dat haar lange, rode nagels beide partijen geen schade berokkenden. 'Doe toch niet zo raar, Joop,' zei ze quasi vermanend. Uit de pretlichtjes in haar ogen viel echter op te maken dat ze het prachtig vond wat haar man beweerde.

Chantal glimlachte oprecht. In de korte tijd dat ze hier met het Utrechtse echtpaar aan de tafel zaten, had ze reeds genegenheid voor hen gekregen. Simpele volksmensen die zichzelf niet mooier of beter voordeden dan ze waren. Als ze deze mensen echter in Almere tijdens het winkelen tegen het lijf was gelopen, zou er nooit een geanimeerd gesprek zijn ontstaan. Dan zou ze het snel hebben afgekapt en tot de orde van de dag zijn overgegaan. Logisch, maar aan de andere kant toch weer vreemd. Dit waren namelijk lieve mensen. Op leeftijd, en nog steeds stapelgek op elkaar. Eigenlijk wil ik ook wel op die manier oud worden, dacht ze. Maar dan zonder geblondeerd haar, opvallend goud en het stopwoordje 'waar' dat als 'woar' klonk.

Geholpen door de wijn, soesde ze wat in haar eigen wereld. Ze hoorde Jeroen een vraag stellen: 'Dus Hotel Luxor was dit jaar de beste aanbieding?' Hierna knipperde ze een paar maal met haar ogen en was ze weer bij de les.

'Wel als je de prijs en het aangebodene met elkaar vergelijkt,' antwoordde Joop stellig. 'In tegenstelling tot het Kremlin, het Topkapi en Orange County, draait dit themahotel pas enkele maanden. Ze moeten nog naamsbekendheid krijgen, wat automatisch inhoudt dat hun aanbieding dit seizoen heel scherp is.' Er sloop oprechte waardering in zijn geamuseerde blik. Een flauwe glimlach trok groeven in het magere gezicht waarvan de huid veel weg had van gelooid leer.

'Coby houdt alles in de gaten. Hotels die net openen hebben echter haar extra aandacht. Dat zijn de lekkertjes, zegt ze altijd. En tot nu toe heeft mijn meisje het steeds bij het rechte eind gehad, waar. Vijf keer geschoten, vijf keer raak.'

Jeroen liet zich meeslepen met het enthousiasme dat Joop tentoonspreidde. Hij knikte stevig en glimlachte breeduit. Hoewel Chantal zich amuseerde, bleef ze bewust op het randje van de conversatie. Ze vond het prima, zo. De woorden kwamen als een vrolijke deken over haar heen. Luisteren en af en toe iets zeggen kon ook heel ontspannend zijn. 'Hebben jullie nog voorkeuren? Ik bedoel, het Luxor is een themahotel. Maakt dit nog iets uit in jullie keuze, of gaat het enkel om het prijstechnische aspect?'

Terwijl Coby de vraag in stilte in haar eigen woorden formuleerde, antwoordde Joop. Het werd met de minuut duidelijker dat zijn vrouw het podium bouwde waarop hij kon schitteren. De drijvende kracht die genoegen nam met een bescheiden rol op de achtergrond.

'Het geld is een belangrijke factor, laten we daar vooral niet moeilijk over doen. Als ik dik in de poen zat, lag ik wel met mijn kont op het dek van een superjacht in Marbella, waar? Toch wil het weleens gebeuren dat we iets schitterends zien dat een paar centen meer kost, zoals Orange County verleden jaar.'

Tot Joops genoegen zag hij de vragende blik in Jeroens ogen. Hij nam een slok bier, wreef zich in de handen en zei: 'Man, man, man, wat was dat mooi.' Hij maakte met zijn linkerhand een ruim gebaar. 'Themahotel Orange County ligt in Kemer, da's ergens die kant uit. Ze noemen het ook wel "Holland in het klein". Geloof me, je weet niet wat je ziet.'

Coby schudde een paar maal met haar hoofd en mompelde: 'Onbeschrijfelijk, onbeschrijfelijk.'

Deze woorden spoorden Joop aan om het onmogelijke door middel van helder taalgebruik toch te visualiseren. 'Die Turken hebben een klap foto's van Nederlandse trekpleisters genomen, voornamelijk van Amsterdamse. Ze zijn aan het kopiëren geslagen en hebben het hele zooitje in één hotel verwerkt. Ik zal je een paar voorbeelden geven. De balie is het Centraal Station van Amsterdam, je auto kun je op de Dam parkeren. In de wachtkamer eerste klas hangen oude meesters zoals de *Nachtwacht* aan de muur. Buiten zie je Amsterdamse grachtenpanden met Franse balkons. De grachten doen als zwembad dienst. Verder heb je er de wallen, zonder hoertjes natuurlijk, de Stadsschouwburg en coffeeshop The Bulldog.'

Hij haalde diep adem en ging onverdroten verder. 'De bruggen over de grachten zijn typisch Hollands. Dat geldt helemaal voor de Volendamse huisjes en de molen vlak bij het strand; het symbool van Orange County. Thuis in Turkije, dus.'

Jeroen had in de reisgids plaatjes van het door Joop zo levendig beschreven hotel gezien. Zo'n beetje het laatste plekje in Turkije waar hij zijn vakantie door wilde brengen, al zou hij zich natuurlijk tegen de sympathieke Utrechters in geheel andere bewoordingen uitlaten. 'Dat lijkt me super. Maar meen je nou echt dat het daar mooier was dan hier?' probeerde hij zo zonder al te bijdehand over te komen. 'Met al die dingen van het oude Egypte, bedoel ik.' Joop maakte direct een serieus wegwerpgebaar. 'Ach, jochie, hou toch op. Het ziet er hier best wel aardig uit, hoor. Maar het is absoluut niet te vergelijken met Orange County. Die sfeer, hè? Allemaal Nederlanders onder elkaar. Zo gezellig, waar.'

Voordat Jeroen kon reageren zei Coby: 'Het is dat die gasten dit jaar de prijs belachelijk hebben opgeschroefd, anders waren wij daar weer naartoe gegaan.'

'Zeker te weten,' beaamde Joop en hij liet een zachte boer zonder zich hiervoor te verontschuldigen. 'Achterlijke dakhazen met hun idiote prijzen,' zei hij, het kwam duidelijk recht uit het hart.

Het daaropvolgende uur werd gekenmerkt door gezellige borrelpraat en een drinktempo van Joop en Coby waarmee Jeroen en Chantal zich niet konden en wilden meten. Tegen tienen keek Jeroen ineens opzichtig op zijn horloge. Hij maakte een schrikbeweging die bij Chantal verre van spontaan overkwam. 'Goh, is het alweer zo laat? De tijd vliegt als je gezellig zit te kletsen.' Coby keek hem vragend aan. Haar linkeroog loenste, wat geenszins verwonderlijk was gezien de aanzienlijke hoeveelheid witte wijn die ze in een korte periode had geconsumeerd.

'Moeten jullie soms de jongens halen?' vroeg ze.

'Klopt,' bevestigde Jeroen en hij stond op. 'Bedankt voor de gezellige avond.' Hierna gaf hij Joop een hand en Coby drie kussen. Chantal deed hetzelfde, waarna ze hand in hand wegwandelden. Toen ze de oase verlieten en de onderste trede van de marmeren trap betraden die naar de loge van het hotel leidde, hoorden ze in de verte de bulderende stem van Joop. 'Hé, Ali, kwak die glazen nog eens vol, jochie. We drogen hier langzamerhand uit, waar!' Ze keken elkaar aan en begonnen gelijktijdig te grijnzen. Daarna bleven ze staan, in de verwachting dat Joop voor nog meer verbaal vuurwerk zou zorgen. Toen dit echter uitbleef, hield Chantal haar hoofd een beetje schuin naar links. Een gewoontegebaar dat ze alleen maakte als ze zich op haar gemak voelde en iets wilde vragen. 'Waarom moest jij zo plotseling weg? De kinderdisco is pas om halfelf afgelopen.'

Jeroen glimlachte op een jongensachtige manier. 'Nou... eh... je begon toch over de hoofdprijs? Het lijkt me wel spannend om eerst met een kleine prijs te beginnen. Noem het voor mijn part een aanmoedigingsprijs.'

Chantal slaakte een zucht. Hierna sloeg ze opzichtig haar ogen ten hemel. 'Kunnen jullie mannen dan nooit eens aan iets anders denken?'

Jeroen haalde nonchalant zijn schouders op. 'Af en toe wel, maar nu spreek ik voor mezelf. Dat die andere mannen het blijkbaar niet kunnen, vind ik lullig voor je. Nu begrijp ik ook waarom je 's avonds zo moe bent. Als je er tussendoor tijd voor kunt vinden, moet je ons eens aan elkaar voorstellen. Wel zo netjes.'

De tik die Chantal uitdeelde naar het lachende gezicht van haar echtgenoot was gericht, maar veel te traag. Jeroen ontweek haar hand met het grootste gemak, deed een stap naar voren en trok haar tegen zich aan. 'Dat noemen ze lange tenen.'

'Dat noemen ze onbeschoft gedrag.' De woorden contrasteerden echter met haar zachte stemgeluid waarin geen verwijt doorklonk.

'Ik hou van je,' fluisterde Jeroen. Zijn vingers gleden langzaam door haar bruine haren terwijl zijn lippen teder haar nek kusten. Chantal bemerkte direct dat de signalen die zijn lichaam uitzonden niet primair gestuurd werden door seksuele gevoelens. Hij omhelsde haar liefdevol, drukte hun bovenlijven zacht tegen elkaar en fluisterde lieve woordjes.

De daaropvolgende minuten bleven ze in deze houding staan. Ze luisterden naar de ballade van talloze krekels en het ritme van de zee op de achtergrond. Het schijnsel van de maan besprenkelde hun omgeving met een sprookjesachtig licht. Zij bevonden zich in een door hen gecreëerd vacuüm tussen ruimte en tijd. Een speciale plek waar enkel aan liefde toegang werd verleend.

6

De middagen waren heter dan de ochtenden. Vanaf een uur of elf veranderde de de frisse adem van de Middellandse Zee langzamerhand in een warme bries die eerder zweetdruppels dan verkoeling bracht. Na het middaguur waren er rond het zwembad dan ook nauwelijks ongeopende parasols te vinden. Op de ligbedden eronder genoten de toeristen van het weer, de sfeer en de betrekkelijke rust. Voor sommigen van hen was het ontbreken van een stressor een ware zegen. Het overige was vanuit hun gezichtspunt een prettige bijkomstigheid. Het woord 'bonus' hadden ze uit hun gedachtewereld verbannen. Dat was thuis weer aan de orde. Nu even niet.

'Ik heb nog steeds het gevoel dat mijn maag elk moment kan knappen,' zei Jeroen puffend. Hij lag languit op het ligbed en zijn lichaamstaal verried dat hij geen enkele intentie had hierin de komende uren verandering te brengen.

'Vind je het gek?' zei Chantal loom. 'Jouw lunch bestond uit de halve Middellandse Zee.'

Jeroen glimlachte voldaan. 'Jij weet toch hoe gek ik op vis ben?' Met genoegen dacht hij terug aan de lunch. Omdat Max en Dennis per se in de zee hun nieuwe snorkelsetjes wilden testen, waren ze wat later dan normaal de eetzaal binnengekomen. Zijn oog was direct op een toevoeging aan het meterslange buffet gevallen. Op de achterste tafel stonden schalen met oesters, krab, grote gamba's en inktvis. Een extra traktatie voor de liefhebber, aangezien het reguliere visaanbod uit tonijn en sardienen bestond. Na drie volle borden van al dat lekkers naar binnen te hebben gewerkt, was hij voldaan het restaurant uitgestrompeld. In zijn kielzog de tweeling, die zich te goed had gedaan aan bergen friet en een legertje knakworsten. Het door hen verorberde voedsel vormde geen enkele belemmering voor de activiteiten die op stapel stonden. Even kwiek als voor de lunch liepen ze voor hem uit en babbelden erop los. Ze wilden met hun snorkelspullen de Nijl gaan onderzoeken. Tenminste, uit opgevangen flarden van hun drukke conversatie trok hij die conclusie. Dat Chantal zich te midden van al dat heerlijke eten zo goed kon beheersen, was hem elke keer weer een raadsel. Slechts twee keer had ze opgeschept. Bescheiden hoeveelheden, waarvan minstens de helft uit groenten en fruit had bestaan. En waarvoor? Ze had een prachtig figuur waarmee ze met iedere jonge meid kon wedijveren. Hij zuchtte stilletjes. Dacht ze daar zelf maar zo over...

'Pap, we gaan wat verder de Nijl op,' hoorde hij Dennis zeggen.

'Spelen met de krokodillen en de nijlpaarden,' vulde Max aan.

Jeroen stak zijn rechterduim op. 'Prima, mannen. Geen vreemde toeren uithalen, oké?'

'Nee, pap,' klonk het in koor. Daarna hoorde Jeroen verwoed gespetter. De tweeling kon goed zwemmen, maar had weinig ervaring met snorkelen. Het was nu nog eerder regel dan uitzondering dat de zwemvliezen boven het wateroppervlak uitkwamen en daar veel deining veroorzaakten.

'Ze hebben de tijd van hun leven,' zei Chantal. 'Het lijken wel jonge zeehonden.'

Jeroen grinnikte. 'Het ziet er inderdaad niet uit, maar geloof me, binnen een paar dagen kunnen ze net zo goed duiken als Cousteau. Die gasten pakken dat soort dingen razendsnel op.'

'Dat zal wel, toch vind ik het een beetje eng idee als ze uit het zicht zijn.'

'Ze kunnen zwemmen als waterratten, Tal. Moeten we soms constant achter ze aan lopen? Ik kan je verzekeren dat de heren dan behoorlijk opstandig worden.'

Chantal knikte weinig overtuigend.

'Maak je toch niet zo druk. Die jongens zwemmen echt niet in zeven Nijlen tegelijk, hoor.'

Ze glimlachte geforceerd. 'Dat zijn nu eenmaal dingen...'

'Die alleen een moeder kan begrijpen,' vulde Jeroen uitgesproken monotoon aan. 'Dat weet ik, Tal. Dat weet ik.'

Terwijl Chantal naar de juiste woorden zocht om hem op een leuke manier van repliek te dienen, zag ze Martina in haar ooghoek verschijnen. Het Nederlandse hoofd Animatie liep stevig door en kwam recht op haar af. Er zat nog minstens tien meter tussen hen toen Martina al druk begon te gebaren.

'Chantal, hé, Chantal!'

Ze overbrugde de afstand snel. 'Ik heb goed nieuws,' zei ze een paar tellen later. De woorden kwamen wat houterig uit haar mond, aangezien ze zichzelf niet de rust gunde om even op adem te komen.

'Vanavond wordt er kaviaar aan het buffet toegevoegd,' zei Jeroen droog.

Met een driftig, afwerend gewapper van de rechterhand reageerde de animator op zijn opmerking. 'Dat weet ik niet. Kan me ook niet schelen. Ik ben hier voor Chantal. Morgenavond is het Cleopatra-gala. Het begint met een muzikale voorstelling over het oude Egypte, waarna een modeshow volgt. Er is behoorlijk wat reclame voor gemaakt.'

Chantal knikte bevestigend. In de loge hingen posters van het evenement. Ook hadden ze in hun kamer een folder ontvangen waarin het spektakel werd aangekondigd. Uitsluitend voor gasten van Hotel Luxor, en de toegang was gratis.

'De choreografe van de modeshow is opeens van gedachten veranderd. Zij wil dat er naast haar eigen modellen vier gasten uit het hotel meelopen. Dames met een goed figuur uit een iets hogere leeftijdscategorie. Zo tussen de dertig en veertig. Volgens haar kan het publiek zich daarmee goed identificeren.'

Chantal dacht te begrijpen waarvoor Martina hier voor haar stond, maar trok een neutraal gezicht. Ze durfde nog niet hardop een conclusie te trekken. Stel je voor dat ze vraagt of wij tickets voor de eerste rij willen, ging het door haar heen. Dan sta ik ongelooflijk voor schut. 'Misschien is dat wel een goed idee,' zei ze. 'Het hotel heeft natuurlijk veel gasten van die leeftijd.'

'En niet één van hen is in het bezit van een figuur dat aan dat van jou kan tippen,' zei Jeroen met een brede grijns. 'Het is zover, meisje. Op je ouwe dag ga je nog carrière op de catwalk maken.'

Chantal keek hem geïrriteerd aan. Door zijn woorden voelde ze zich helemaal opgelaten.

'Als jij meedoet zijn we compleet,' zei Martina. 'Naast jou doen er nog een Zweedse, een Engelse en een Duitse gaste mee. Zij zijn al in de oefenruimte.'

Hoewel haar hart een klein vreugdesprongetje maakte, voelde Chantal zich eveneens onzeker. De laatste keer dat ze een modeshow had gelopen, was op de basisschool. Het beeld van klappende ouders schoot aan haar voorbij. Ze was toen tien. Net zo oud als Dennis en Max nu waren.

'Eh... wat is de bedoeling?'

Martina reageerde direct. Ze voelde aan dat ze Chantal met een goed verhaal over de streep kon trekken. Aangezien ze dagelijks met mensen werkte, ging ze blindelings op haar gevoel af. 'Maak je vooral niet druk, het is namelijk hartstikke leuk. De modellen die het grootste gedeelte van de show lopen zijn beroeps uit Bulgarije en Polen. Ons management heeft een deal met dat van hen gemaakt. In ruil voor een spetterende show verblijft het hele modecircus een week lang kosteloos in ons hotel. Voor hen is het eigenlijk vakantie, vandaar dat de sfeer onderling erg goed is. Geen nerveuze toestanden zoals je weleens op televisie ziet.'

Martina zag dat de gespannen trekken uit Chantals gezicht grotendeels waren verdwenen.

'Ze leren jullie vieren een paar basisdingen. Vandaag en morgen. In totaal twee uur.'

'Hoe laat?'

Martina keek demonstratief op haar klokje. 'Je moet er over anderhalve minuut zijn.'

Met een blik waarin hoofdzakelijk besluiteloosheid stond te lezen, keek Chantal Jeroen aan.

'Wegwezen, jij,' zei hij gedecideerd. 'Dit is jouw grote doorbraak in showbusinessland. Ik hou die jongens wel in de gaten.'

Het leek wel of iemand gewichten aan zijn oogleden had gehangen, zo zwaar voelden ze aan. Zijn verstand zei dat hij wakker moest blijven, terwijl zijn lichaam heel andere plannen had. Hij knipperde een paar maal met zijn ogen, waarna zijn oogleden een stuk minder zwaar aanvoelden.

De overdadige lunch eiste zijn tol. Het eten lag zwaar op zijn maag en het lichaam maakte hem duidelijk in alle rust dit voedsel te willen verwerken. Bij voorkeur slapend. De afgelopen middagen had hij ook al de grootst mogelijke moeite gehad om zich niet aan de geneugten van een siësta over te geven. In vergelijking met deze dag had hij toen minder gegeten. Eigenlijk een fractie van hetgeen hij vanmiddag had verorberd.

Boven de rand van de artificiële Nijl doken de hoofden van Max en Dennis gelijktijdig op.

'We maken nog een rondje, papa,' zei de laatste.

'Waar is mama naartoe?' wilde Max weten.

'Aan het oefenen voor een modeshow.'

Hij hoorde een 'gaaf', een 'cool', en tweemaal 'doei', waarna de rakkers uit het zicht verdwenen. Jeroen glimlachte. Blijkbaar namen ze het vrij unieke gegeven dat hun moeder in een modeshow meeliep voor kennisgeving aan. Geweldig hoe onbevangen kinderen konden reageren om daarna weer intens van hun moment te genieten.

Naast de snorkelsets had de tweeling ook waterdichte horloges gekregen. Aangezien de tuin van het hotel gigantisch groot was en vakantie vierende kinderen van tien jaar geen flauwe notie van tijd hadden, waren de twee oosterse pruldingen goede investeringen geweest. Volgens afspraak meldden ze zich elk halfuur. Een overeenkomst waar iedereen goed mee kon leven en waar de jongens zich keurig aan hielden.

Jeroen voelde de spieren van zijn oogleden verslappen. Het was mooi geweest, de luiken moesten nu dicht. Een lome blik op de imposante boezem van een langslopende dame bleek een vergeefse poging tot afstel. De spleetjes waardoor hij keek sloten zich.

Even een paar minuten doezelen. Dat moest kunnen. Chantal was flink aan het oefenen en de jongens hadden zich zojuist gemeld. Alles ging prima. Een paar minuten relaxen kon geen kwaad.

Evenals de drie andere vrouwen die aan het modegezelschap waren toegevoegd, deed ze heel erg haar best. Zo op het eerste gezicht leek het allemaal vrij eenvoudig. Gekleed in een modieuze outfit op een langwerpig podium van twee meter breed een beetje flaneren. Rechtop lopen en geen seconde de glimlach van je gezicht laten verdwijnen. Eenmaal op de catwalk, bleek het allemaal moeilijker dan het in eerste instantie leek. Het podium bleek ineens stukken smaller en constant lachen was een opgave op zich omdat er zoveel dingen tegelijk door je hoofd speelden.

De modellen hadden het voorgedaan. Met een aangeboren of aangeleerde elegantie, dat was haar toen nog niet duidelijk, kweten ze zich van hun taak. Nadat ze met haar drie ad-interimcollega's een stukje over de catwalk had gelopen, wist ze zeker dat het merendeel van de modellen niet voor dit vak geboren maar gekozen waren.

De choreografe van het gezelschap ontpopte zich als de onbetwiste leidster. Een stugge vrouw, die luisterde naar de bedrieglijk charmante naam Natascha en Engels met een loodzwaar Oostblokaccent sprak. De doorgerookte stem was een verlengstuk van haar uitstraling.

De veranderingen die het uiterlijk van de meisjes tijdens deze repetitie ondergingen, was een openbaring op zich. Voordat ze op moesten, stonden ze achter de coulissen met elkaar te kletsen, lazen een boek of waren druk in de weer met hun mobiele telefoon en Prada-tassen. Op het moment dat ze echter door de choreografe het podium op werden gedirigeerd, veranderde hun gelaatsuitdrukking volledig. Van de ene op de andere seconde straalden de meiden. Ook als ze niet lachten. De metamorfose was compleet. Dit waren echte beroeps, wist Chantal. Tegenover deze meiden had ze geen schijn van kans. 'Rechtop lopen en nooit, maar dan ook nooit naar beneden kijken,' zei Natascha streng. Chantal zag aan de bewegingen van de Duitse gaste dat ook bij haar de nervositeit had toegeslagen. Het ging hier nou niet bepaald zo aan toe als Martine had voorgespiegeld. Natuurlijk was Natascha voor hen milder dan ze tegenover haar eigen meiden was. Het woord 'mild' had voor haar echter dezelfde betekenis als 'tucht' voor ieder ander redelijk denkend mens.

Chantal plukte met de vingers van haar rechterhand aan de flinterdunne stof van het zilvergrijze gewaad dat heerlijk koel aanvoelde. Hoewel ze een leek op het gebied van exclusieve kleding was, kon ze wel vaststellen dat ze hoogstaande kwaliteit droeg. En ook dat ze de prijs ervan geeneens wilde weten. Hoogstwaarschijnlijk zou ze ervan achteroverslaan.

Natascha klapte tweemaal fel in haar handen. '*Next, yes!*'

Chantal haalde diep adem en sprak zichzelf moed in. Kom op, meid. Dit kun jij best. Trek je niets van dat akelige mens aan. Je bent hier op vakantie. Dit is geen strafkamp, hoor. Ze rechtte haar rug, stapte de catwalk op, keek recht vooruit en mat zichzelf een zo zelfverzekerd mogelijke tred aan.

'*This is good,*' hoorde ze enkele seconden later. '*Very, very good.*'

Chantals mondhoeken schoten omhoog. De glimlach op haar gezicht stond ineens bol van de spontaniteit.

Chantal liep als een volleerde mannequin over de catwalk. Haar tred was zo licht dat het leek alsof ze zweefde. Zonder dat hij er zelf erg in had, knorde Jeroen goedkeurend. Wat hem betrof was zijn vrouw verreweg de mooiste van de hele groep. Een hele prestatie, aangezien er kanjers van meiden meeliepen. Niet één van hen kon echter aan zijn Chantal tippen. Zo was het maar net!

Drie modellen liepen vlak langs hem heen. Ze droegen bikini's met tijgermotieven en glimlachten verleidelijk. Waarom ze zulke bikini's droegen in een show die in het teken van Cleopatra stond, was hem een raadsel. Erover klagen was daarentegen het laatst wat in hem opkwam. Met het uitzicht was niets mis.

'Daar komt mama weer,' hoorde hij rechts van hem Dennis opgetogen zeggen.

'En ze heeft geen bikini aan,' zei Max, die aan zijn linkerkant zat. In zijn stem klonk opluchting door.

Chantal droeg een beige broekpak dat nogal vreemdsoortig op hem overkwam. Het leek veel te groot en te wijd. Meer een uitgaanstenue voor een uit de kluiten gewassen vrouwelijke bouwvakker. Op de een of andere manier stond het haar echter hartstikke leuk. Misschien is het wel een pyjama, dacht hij. Verder speculeren was zinloos, omdat zijn kennis hiervan ophield bij de cover van modetijdschriften die bij de huisarts of tandarts lagen.

'Goed zo, mama!' zei Dennis nogal luid.

'Jij bent de beste,' jubelde Max.

'Een beetje rustig aan, mannen,' hoorde hij zichzelf zeggen.

In plaats van te luisteren, deed Max het tegenovergestelde. Hij stond op en begon op en neer te springen. 'Mama is geweldig, olé, olé, olé.'

Zijn broer imiteerde hem direct. Hij zag dat veel mensen afkeurend hun kant opkeken.

'Ophouden, jullie,' beet hij hen venijnig toe. Zijn hoofd ging nu van links naar rechts, zodat het leek of hij vanaf een tribune naar een tenniswedstrijd keek.

De jongens trokken zich niets van zijn woorden aan. Sterker nog, ze verhoogden het volume van hun toch al luidruchtige kabaal.

'Nu is het verdorie...'

Jeroen schrok wakker. Onbewust keek hij direct naar de twee ligbedden naast hem waarop hij min of meer de tweeling verwachtte. De bedden waren echter leeg. Drie hartslagen later verscheurde de werkelijkheid het waas van zijn slaapdronken toestand in flarden. De herrie rondom hem stond niet toe dat hij kon glimlachen om zijn vreemde droom. De paniek in de ogen van langs hem heen rennende mensen was daarvoor te groot.

Zonder erbij na te denken, sprong hij op van zijn ligbed. Een kleine vijftig meter bij hem vandaan was een samenscholing. Mannen schudden vertwijfeld met hun hoofd, vrouwen huilden of gilden en kinderen werden door paniekerige ouders van de plek weggebonjourd. Jeroen verstijfde. Terwijl hij sneller ging lopen, wierp hij een blik op zijn horloge. Twintig minuten. Hij had twintig minuten liggen slapen!

De afstand tot de groep bedroeg nog dertig meter, toen plotseling een hysterische stem in zijn hoofd schreeuwde: 'Waar zijn de kinderen?' Meteen daarop dacht hij: ze hoeven zich pas over een minuut of tien te melden.

Maar wat als ze zich niet konden melden?

Hij schudde met zijn hoofd om deze gedachte te verbannen. Wat er zich aan de rand van de Nijl afspeelde had niets met zijn jongens van doen. Die waren volop aan het snorkelen en bevonden zich ongetwijfeld in een heel ander gedeelte van de artificiële rivier.

Terwijl hij de plek naderde, zwol een naar en beklemmend gevoel in zijn onderbuik op. Hij slalomde langs een paar kinderen en duwde twee mannen ruw opzij. Voordat hij tot de onheilsplek kon doordringen, hield een geüniformeerde bewaker hem zonder pardon tegen. Jeroen weerde de onverzoenlijke armen af. Hij boog zijn bovenlichaam naar rechts, zodat hij toch een glimp op kon vangen van hetgeen er zich vlak bij de rand afspeelde.

Chantal had zich zo snel mogelijk verkleed. Deze ronde was de vrijetijdskleding aan de beurt. Lichte pastelkleuren hadden de overhand. Na de lovende woorden van Natascha was het plezier teruggekeerd waarmee ze deze klus was aangevangen. Ze stond achter de coulissen op haar beurt te wachten en sprak ondertussen met een van de meiden die van modellenwerk hun beroep hadden gemaakt. Hoewel ze, zoals alle overige modellen, met een zwaar Balkanaccent Engels sprak, begrepen ze elkaar redelijk tot goed.

'*Next, yes!*' De dwingende stem liet het verzoek als een bevel klinken.

Het model verbrak abrupt hun gesprek, rechtte haar rug en veranderde haar mimiek in dat van een barbiepop.

'Chantal!'

Vanwege de indringende manier waarop haar naam werd uitgesproken, draaide ze zich direct om. Martina kwam op een draf aangelopen. Van modellen, rekwisieten en andere obstakels trok ze zich niets aan. Ze was een menselijke bulldozer die een rechte lijn aanhield. Wie of wat in de weg stond, had pech.

'Snel, meekomen,' zei ze op een toon die geen tegenspraak duldde. Een model dat even daarvoor ruw door haar opzij was geduwd, keek vuil uit haar ogen maar zei niets.

De plotselinge verschijning van de animator en haar onalledaagse optreden brachten Chantal van haar stuk. Ze begreep dat er iets dringends aan de hand was, maar wist zich geen houding te geven. Ze stond tenslotte op het punt de catwalk te betreden. Wat kon er opeens zo superbelangrijk zijn? schoot het door haar hoofd. 'Ik moet zo...'

Zonder uitleg vooraf greep Martine haar rechterarm en trok haar met zich mee. Met veel moeite wist Chantal haar evenwicht te bewaren. De goedgetrainde jonge vrouw zette er flink de pas in. Tegenover elke stap van Martina maakte Chantal er noodgedwongen twee.

Toen ze bij een deur aankwamen greep Chantal haar kans. Ze vertraagde de opgelegde looppas door opeens haar bovenlichaam naar achteren te gooien. Martina ving de onverwachte ruk op, maar kon niet verhinderen dat hierdoor haar tempo strandde.

'Eerst wil ik weten wat er aan de hand is,' zei Chantal verontwaardigd. Ze zette beide handen in haar zij en keek Martina streng aan. 'En snel, anders ga ik terug naar de repetitie.'

De animator opende de deur naar de grote gang die uitkwam in de loge van het hotel. 'We hebben geen tijd te verliezen. Er is iets in het zwembad gebeurd. Volgens mij is de tweeling erbij betrokken.'

De rap uitgesproken woorden troffen Chantal vol. Alsof ze een keiharde stomp in haar maag kreeg. Adrenaline schoot door haar heen en gevoelsmatig hield ze op met ademen. Met uitpuilende ogen keek ze Martina aan. 'Wat bedoel...'

'Kom op!' Martina wachtte niet langer en zette het op een lopen. Hoewel ze half in shock verkeerde, ging Chantal direct mee. Ze renden door de loge en stormden de trappen af die naar de tuin leidden. Bij elke meter nam de onrust toe. Het greep haar bij de keel, drukte haar luchtwegen dicht.

Toen ze de oase bereikten, hoorde ze ergens op de achtergrond sirenes.

'Opzij, opzij.' Martina gedroeg zich als een menselijke stormram en baande zich een weg door de drommen toeristen die een glimp van hetgeen zich afspeelde wilden opvangen. Chantal liep vlak achter haar. Als iemand in de ontstane ruimte wilde springen, duwde ze deze persoon zonder pardon weg. Meter na meter naderden ze de zwembadrand.

Martina zei iets onverstaanbaars tegen de Turkse bewaker, waarna hij opzij stapte. Chantal liep langs hem heen en voelde hoe haar hart twee slagen oversloeg. Jeroen zat op zijn knieën aan de rand van de kunstmatige Nijl. Zijn ogen waren tweemaal zo groot als normaal en uit zijn blik sprak volledige wanhoop. Met zijn vingers trok hij als een waanzinnige aan zijn haren. Zijn asgrauwe gezicht behoorde toe aan een man die per vergissing een enkele reis hel had genomen en zich realiseerde dat zijn leven voorbij was.

Naast hem bogen vier medewerkers van het hotel zich beurtelings over twee levenloze kinderen. Chantal wilde naar de onheilsplek rennen en het gelijktijdig uitschreeuwen. Haar benen, evenals haar stem, weigerden echter dienst. Ze stond als aan de grond genageld en keek naar de zwemvliezen die nog aan de kindervoetjes zaten. Zowel de voetjes als de zwemvliezen zou ze uit duizenden herkennen.

Opeens begon de omgeving te draaien en werd het zwart voor haar ogen.

Mallorca, Balearen

Jochem Hundertmark deed het bijzonder rustig aan. Elke stap was een verzoeking, een overwinning op zichzelf. De afstand van het restaurantgedeelte
tot aan de lounge bedroeg slechts dertig meter. Voor Jochem een hele opgave,
aangezien zijn maag aanvoelde als een te hard opgepompte skippybal zonder
overdrukventiel.

'Daar is een plekje vrij,' meldde zijn vrouw Anna. Haar benige wijsvinger
priemde in de richting van twee fauteuils.

'Goed gezien, bolle,' bracht Jochem tussen twee stappen door hijgend uit.
Zijn vrouw glimlachte haar gebit bloot. Dat deed ze altijd als hij een van zijn
standaardgrappen lanceerde. 'Bolle', wanneer het haar betrof, vond ze toch
wel de leukste. Ze was slechts een meter negenenvijftig en woog amper vijf-
enveertig kilo. Vel over been, dus.

Jochem overbrugde de laatste meters met stevig gepuf. Eenmaal bij de zit-
plaatsen aangekomen, liet hij zich met al zijn honderdtwintig kilo's ongegeneerd vallen en slaakte een diepe zucht die schijnbaar uit zijn tenen kwam.
'Zo, bolle,' mompelde hij even later. 'We hebben het weer overleefd.' Hierna
trok hij een gezicht waar tevredenheid van afstraalde. Zijn rechterhand rustte op de enorme buik onder zijn lichtblauwe overhemd. 'Ik heb vanavond
zeker voor Hundertmark ingeladen,' zei hij met een scheve grijns. Hierbij
glinsterden zijn kleine oogjes alsof hij zojuist een prestatie van wereldformaat
had neergezet.

Anna deed een poging om afkeurend te kijken. Iets wat haar slecht afging,
aangezien ze al vijfendertig jaar was getrouwd met een man die ze veraf-
goodde. 'Zoveel eten is niet goed voor je, papa.' Ze gebruikte bewust het lief-
kozende 'papa'. Een woordje dat ervoor zorgde dat Jochem in een nóg betere
stemming geraakte. Ze vond het heerlijk om hem zo gelukkig te zien. Nee, ze
genóót ervan.

Jochem wuifde haar zogenaamde bezwaar met zijn dikke rechterknuist weg.
'Ach, mensje, at jij nou maar eens de helft van wat ik naar binnen stouw, dan
kreeg je tenminste een beetje vlees op die botten van je. Mager zijn, dat is pas
ongezond.' Maar hij streelde de arm van zijn vrouw op een manier die in
tegenspraak was met zijn woordkeus. Uit de knipoog die volgde sprak vijfen-

dertig jaar van geluk, verdriet en alles wat daartussenin zat. 'Jij bent alles voor me, bolletje. Mijn kleine meisje. Dat weet je toch?'

Anna straalde en knikte. Op vakantie kan Jochem toch zó romantisch zijn, ging het door haar heen. Ze legde haar dooraderde hand op zijn vlezige knuist en zuchtte als een tienermeisje op haar eerste afspraakje. 'Ik zeg het enkel voor je bestwil, lieverd,' fluisterde ze. 'Je eet hier minstens twee keer zoveel als thuis. Soms ben ik bang dat het verkeerd valt. Dat je er ineens niet lekker van wordt.'

Jochem legde zijn hoofd in zijn nek en lachte hardop. Zijn imposante maag deinde mee op het gebulder. 'Ik kan je verzekeren dat het eten me hier niet de das omdoet, bolle. Het zijn die enorme afstanden die je na het eten moet afleggen. Díé zijn funest voor me.' Met zijn linkerhand wenkte hij de ober die zijn verplichte ronde langs de gasten maakte. 'Doe ons een grote pils en een mineraalwater, Juan.'

Hij wees naar zijn maag en trok een jolig gezicht. 'Die school vis moet zwemmen, weet je.'

Juan glimlachte beleefd en liep naar de bar. Drie minuten later kwam hij terug met de bestelling.

'Mijn redding,' zei Jochem en hij zette het glas direct aan zijn lippen. Gelijktijdig hief hij zijn linkerhand op en maakte hiermee een stopbeweging. Juan bleef staan en zag hoe de dikke Duitser met een paar grote teugen de inhoud van het glas leegde. 'Lekker, doe me er nog maar eentje, grote vriend.' Na deze woorden volgde een forse boer.

'Papa, toch.' Anna glimlachte verontschuldigend naar de ober. Deze knikte op een gemoedelijke manier. Hij deed dit werk al vijf jaar en was wel wat gewend.

'Sorry,' zei Jochem tegen de rug van Juan die al op weg was naar de bar. In afwachting van zijn bier peuterde de Duitser aan het op één na bovenste knoopje van zijn overhemd en opende het. Het bovenste stond altijd open. Hij wapperde de dunne stof een paar maal op en neer zodat er wat lucht om zijn blote bast circuleerde. 'Voor het geld dat we betalen verwacht je toch dat die airco functioneert,' gromde hij. Het zweet gutste van zijn voorhoofd en droop via zijn wangen en hals op en in zijn overhemd. Binnen een mum van tijd leek het alsof Jochem Hundertmark enkel met zijn bovenlijf onder een douche had gestaan.

Anna keek haar man bezorgd aan. 'Ik heb je nog nooit zo zien zweten. Dat is niet normaal.'

Jochem trok een pijnlijke grimas. Zijn ademhaling was opeens onregelmatig en zwaar. Het zweet stroomde nu werkelijk uit elke porie van zijn enorme lichaam. 'Dan ben je zeker onze huwelijksnacht vergeten,' zei hij, in een poging het te bagatelliseren. Een trieste poging, aangezien zijn lichaamstaal het stadium van maskeren reeds had gepasseerd.

'Die rotairco,' gorgelde Jochem nu meer dan hij sprak. 'Steken die luie Spanjolen hun handen nog uit de mouwen, of moet ik hem soms zelf maken?'

'De airco functioneert prima. Het ligt aan jou, Jochem.' Een mengeling van bezorgdheid en angst voerde de boventoon in haar stem. Ze boog zich voorover en keek hem recht aan. 'Hier word ik bang van, Jochem. Ik ga vragen of ze de dokter willen roepen.'

Jochem wilde haar geruststellen, maar miste hiervoor de overredingskracht. Hij had het gevoel of er een olifant op zijn borstkas zat. Uitgerekend de zwaarste uit de kudde. Alle lucht werd uit zijn lichaam geperst. Zijn longen weigerden zuurstof op te nemen, hoezeer hij ook zijn best deed om dit te laten gebeuren.

Anna zag hoe de ogen van haar echtgenoot wegdraaiden. Een stuiptrekking deed zijn bovenlichaam kortstondig sidderen, waarna zijn mond openviel. Het puntje van zijn tong bleef roerloos op zijn onderlip liggen.

'Jochem!'

Bartolomé Quetglass, de directeur van Hotel Paraiso, maakte zijn gast met een korte knik duidelijk dat deze plaats diende te nemen. 'Complicaties, Bernat?' wilde hij van Bernardo Canellas weten. Zoals gebruikelijk onder Mallorquienes, verkortte hij de voornaam van de man tegenover hem.

De arts schudde zijn hoofd. Het was altijd vervelend als er iemand plotseling stierf, maar onder complicaties verstond hij toch iets anders.

'Om 20.18 uur kreeg Jochem Hundertmark een hartstilstand. Op dat moment bevond hij zich in de lounge van het hotel, waardoor het personeel er snel bij was. Ze zijn direct met beademing en hartmassage begonnen. Dit is overgenomen door het ambulancepersoneel dat negen minuten later arriveerde. In het ziekenhuis is de man uiteindelijk doodverklaard.'

'Heeft het personeel van Paraiso zijn taken volgens de regels uitgevoerd?'

Canellas haalde zijn schouders op. 'Ik heb de man gezien. Eén bonk vet. Geloof me, met nog geen tien defibrillators had men dat hart weer aan de praat gekregen.'

'Dat vroeg ik niet, Bernat. Ik ben nu enkel geïnteresseerd in het optreden van mijn personeel gedurende deze onverkwikkelijke zaak.' Mocht er in de woorden van Quetglass nog enig medeleven doorklinken, dan logenstraften zijn onbewogen uiterlijk en de kille blik in zijn ogen dit terstond.

'Mijns inziens treft het personeel van Paraiso geen enkele blaam,' zei Canellas op formele toon. 'Ze hebben hun taken volgens de geldige standaardprocedure uitgevoerd.'

Er verscheen een glimlachje om Quetglass' mondhoeken. Het was ronduit vervelend om een gast te verliezen. Helemaal als dit in het hotel gebeurde, recht onder de ogen van andere toeristen.

Ondanks de op het eerste gezicht funeste omstandigheden kon dit specifieke geval in de laagste schaal van 'onvoorziene omstandigheden' worden geplaatst, wist hij. De man was bovenmodaal dik, negenenvijftig jaar oud en dronk bier als water. Visuele kenmerken die de andere hotelgasten niet ontgaan waren, dat was godsonmogelijk. Iemand die zichzelf al geruime tijd vrijwillig op de lijst van Magere Hein had geplaatst. Een kwestie van eigen schuld, dikke bult, dus.

Als directeur van het hotel diende hij als eerste de belangen van zijn broodheer in ogenschouw te nemen. Paraiso behoorde toe aan de Estrella Groep, een hotelketen met negentien vestigingen in Europa en Zuid-Amerika. Zoals zoveel hotelketens stond hun hoofdkantoor op Mallorca, hemelsbreed tweehonderd meter verwijderd van hun vlaggenschip waarop hij kapitein speelde. Handig voor de public relations, minder leuk wanneer er problemen ontstonden.

Dit laatste was nu niet aan de orde. Oké, ze hadden een gast verloren. Gezien diens lichamelijke conditie had dit echter overal en op elk tijdstip kunnen gebeuren. Het belangrijkst was dat er op de handelwijze van het personeel niets aan te merken viel. Ze hadden hun taken op een professionele wijze uitgevoerd. Een gast verliezen was één, dood door schuld of nalatigheid van het personeel iets compleet anders. Dan konden er in het ergste geval claims komen. En dat was op het hoofdkantoor een vies woord dat moeiteloos kon wedijveren met 'lage bezettingsgraad' of 'marginale winst'.

Hij roffelde kort met de vingernagels van zijn rechterhand op het bureaublad. 'Het is me helemaal duidelijk, Bernat. Bedankt voor jouw kordate en representatieve optreden.'

'Het is mijn werk, Tolo,' antwoordde de arts terwijl hij opstond. Hij kende Quetglass al jaren en wist precies wanneer hij wel en niet diende te tutoyeren. 'Maar toch bedankt.'

Ze gaven elkaar vluchtig een hand, waarna Bernardo Canellas het kantoor verliet. Terwijl hij op de lift stond te wachten, trokken de afgelopen uren in vogelvlucht aan hem voorbij. Centraal hierin stond Jochem Hundertmark. Canellas was ervan overtuigd dat niets of niemand de man had kunnen redden, daarvoor was de Duitser te ver heen. Eigenlijk zou hij met het clichématige 'het was zijn tijd' dit dossier moeten sluiten. Op papier zou hij dit ook zeker doen. In zijn hoofd maalde het echter door.

Ja, Jochem Hundertmark was veel te dik. Ja, hij leefde ongezond en hoogstwaarschijnlijk op geleende tijd. Maar nee, hij had die dag niet hoeven sterven. Jochem Hundertmark was een eetverslaafde die zich in het restaurant van het hotel onbeperkt te buiten mocht gaan. Alle ingrediënten om te scoren waren volop aanwezig.

Bernardo Canellas schudde met zijn hoofd vanwege de vergelijking die bij hem opkwam. Zet een hond tien kilo biefstuk voor. Wat gebeurt er dan? Hij vreet zich dood.

Jochem Hundertmark had zich letterlijk doodgegeten. En de overdosis was hem aangereikt door de koks van het Paraiso. Zij waren de dealers die de verslaafde hadden bevoorraad.

De liftdeuren openden zich. De lift was leeg. Canellas stapte in en slaakte een zucht. Hierna wreef hij met de duim en wijsvinger van zijn rechterhand een paar maal over zijn gesloten ogen. Het was onzin om de mensen van het hotel te beschuldigen, wist hij. De ware schuldigen waren de mensen die het systeem hadden bedacht.

'All-inclusive.' Hij spoog de woorden uit alsof het een ziekte betrof die zijn lichaam vergiftigde.

7

Ik wil hier weg. Naar een plaats zo ... er muren. Een plek waar water enkel uit de kraan stroomt. Een land zonder rivieren.

Dag of nacht. Hitte of vorst. Het maakt me niet uit. Bergen of dalen. Geasfalteerde wegen zonder einde. De verstikkende vochtigheidsgraad van de jungle of de onbarmhartige droogte van de Sahara. Alles is beter dan hier. Alles.

'Max en Dennis... zij waren ons leven.'

Ik hoor en voel de snik in jouw stem. Deze pijn kent geen definitie. Evenals dit moment. Jij bent sterker dan ik. Jij drukt in woorden uit hoe het is om het kostbaarste bezit te verliezen. Jezelf dood te voelen terwijl je nog leeft. Jij kunt dat. Jij bent sterk. Ik niet.

'Elke minuut van de dag kijk ik in hun ogen. Zie de levenslust. Kan niet bevatten dat onze jongens er niet meer zijn. Ik kan het niet... en... wil het niet.'

Huil. Huil, alsjeblieft. Laat jouw tranen gaan. Het zijn uitingen van liefde. Over een verloren liefde die sterker was dan welke liefde ooit zal zijn. Huil voor onze kinderen, mijn liefste. Huil voor mij.

'Van de ene op de andere dag is het hart van ons bestaan opgehouden met kloppen. Chantal en ik zijn nog slechts omhulsels. Ontdaan van hun bestaan. De reden is vervlogen. Onze ziel is gelijktijdig met Max en Dennis naar de hemel gegaan. Onze lichamen blijven achter. Om er het beste van te maken, zoals dat heet.'

Kijk niet langer naar me. Ik kan die pijn niet meer verdragen. Ik zie in jouw oogopslag onze kinderen. Jouw blik laat ze weer tot leven komen. Ik zie ze, voel ze, ruik ze. Wil ze tegen me aan houden. Kussen. Het is een illusie. Evenals het leven.

De realiteit is een koude vlaag die alles bevriest. Het bloed in mijn aderen is ontdaan van warmte en wordt tegen de zin van mijn geest rondgepompt. Ik word verraden door mijn eigen lichaam.

Om jouw blik te ontwijken kijk ik naar rechts. Door mijn wimpers heen zie ik jouw moeder. Ze kijkt strak voor zich uit. Haar blik is op jou gericht, mijn liefste. Niet op de twee houten kisten. Het gegeven dat jij in deze zware tijd jouw gedachten en gevoelens tegenover een publiek zo mooi onder woorden kunt brengen, maakt haar trots. Het geeft haar de bevestiging dat een deel van haar standvastige karakter op jou is overgebracht.

Iedereen rouwt op zijn eigen manier. Ook jouw moeder. Ik kijk langs haar heen, omdat ik anders dingen ga denken die ongepast zijn. Niet nu. Niet hier. 'Onze jongens spelen nu voetbal in de hemel. Daarvan zijn we overtuigd. Ze hebben plezier en kijken elke dag naar beneden. Ze...'

Blijf sterk. Haal diep adem en maak je rede af. Zoals we hebben doorgesproken. We wisten dat er momenten zouden komen dat de emoties alle voornemens zouden verdringen. Dan moest je door. Ten overstaan van familie, vrienden en kennissen jezelf vermannen. De draad weer oppakken. Dat klinkt beter.

Je moet het alleen doen, mijn liefste. Aan mij heb je niets. Van een vrolijke moeder ben ik verworden tot een sociale melaatse. Iemand voor wie men medelijden koestert, terwijl je haar het liefst mijdt. Dit klinkt hard. Het is echter de waarheid.

Ik heb een ongeneeslijke ziekte waaraan je niet overlijdt. Een moeder die haar kinderen heeft verloren is geen moeder meer. Een zwaardere straf is niet denkbaar. Haar is iets afgepakt wat waardevoller dan het leven zelf is.

Vanuit mijn linkerooghoek zie ik je lippen bewegen. Je hebt je hersteld. De woorden komen weer. Mooie, nietszeggende woorden. Uitgesproken door een man van wie de ziel verteerd is door verdriet. Ik hou van je. Ik bewonder je. Je bent zo sterk.

In mijn wereld dringt geen geluid meer door. Het gaat precies zoals we dachten dat het zou gaan. Ik ben zwak. Niet in staat om mijn kinderen hardop toe te spreken.

Iedereen in deze verschrikkelijke zaal weet dat. Ze mijden mijn blik. Laat dit mij nooit overkomen, denken ze. Ze kijken strak voor zich uit. Zoeken een dood punt waarop ze hun blik kunnen richten. De kisten, bijvoorbeeld. Ze danken God in stilte voor het simpele gegeven dat hun kinderen leven. Gelijktijdig is er die gevoelsmatige schaamte. De afschuwelijke waarheid van ons noodlot grijpt hen bij de keel. De dood is dichterbij dan je denkt, hoopt, weten ze nu. Slechts enkelen onder hen durven jou rechtstreeks aan te kijken. De buren zijn er. Zowel links als rechts. En de overburen. Ze huilen allemaal. Ook de mannen. Heleen en Pieter Kronenberg zitten naast mensen die ik niet ken. Waarschijnlijk collega's van je. Die van mij zitten op de derde rij. Ze weten dat ik ze aankijk. Niemand reageert.

Dat begrijp ik.

Mijn ouders en Denise zitten links van me. Denise heeft haar hand op mijn knie gelegd. Ze huilt heel zachtjes. Ik durf me niet te bewegen. De uitdrukking op haar gezicht is de reflectie van mijn gevoel. Die wil ik niet zien.

Jouw lichaamstaal zegt evenveel als woorden. Je bent bijna aan het einde van de afscheidsrede en je Latijn. Helemaal op, volkomen leeg.

Ik moet mezelf dwingen om daadwerkelijk te doen wat ik me zo heb voorgenomen. Geen drama, dus. Geen huilende moeder die zich vastklampt aan de kist met daarin de dode lichamen van haar kinderen. Geen gebroken vrouw die zich moet laten ondersteunen.

'Naast het voetballen hielden onze jongens van muziek. Bepaalde cd's draaiden ze grijs... zongen... mee...'

Hou vol, je bent er bijna. Ooit zal de muziek die ons nu verstilt ons hart verwarmen. Dan zijn ze weer bij ons. Voelen we sterk hun aanwezigheid. Op lange winteravonden, tijdens warme zomernachten. Ooit zal dat gebeuren. Ooit.

'Het nummer *Hocus Spocus* was hun favoriet. Hoewel het liedje over een geest gaat die kan toveren, wilden Chantal en ik het nu toch draaien. Wij weten zeker dat Max en Dennis dit zo gewild zouden hebben. Wij danken u voor uw aanwezigheid.'

Ik zie je wankelen. Kom bij me. Neem me bij de hand. Laten we samen door die gitzwarte tunnel gaan. Ergens moet licht gloren. Eens, zullen we het zien. Kom alsjeblieft bij me.

Jij bent het enige wat ik nog heb.

Augustus

8

Het heldere licht van een zomerse dag vond minuscule openingen in de gesloten luxaflex. Een diffuus schijnsel gaf enkele contouren in en van de slaapkamer prijs.

Chantal lag met halfgeopende ogen in bed. Ze helemaal openen wilde ze niet. Dan werd de wereld veel te helder, te groot, te boosaardig. Zelfs in deze schemerige en vertrouwde omgeving. Ook sluiten lukte niet. Daar waren de medicijnen verantwoordelijk voor.

Er waren nachten dat slapen uitkomst bood. Even dan. Als een vlucht in een doodlopende tunnel of cirkel. Uiteindelijk kwam je weer terug bij het beginpunt. In die droomloze perioden werd het verterende gevoel dat aan haar ziel knaagde heel even het zwijgen opgelegd.

Na de begrafenis was ze slechts een paar maal buiten geweest. Een bezoek aan haar huisarts en de apotheek. De diagnose en de medicatie waren wat haar betrof twee zaken onder dezelfde noemer. Dat kwam doordat vrijwel alles wat de dokter had gezegd langs haar was afgegleden en ze van de medicijnen niets begreep. Niets wilde begrijpen was meer waarheidsgetrouw. Zonder de pillen kon ze niet verder, terwijl die troep in haar lichaam ook geen uitkomst bood.

Ze slikte ze, net zoals ze haar tanden poetste, dagelijks een douche nam en de boodschappen bij de deur afrekende. Ze leefde al enkele weken in een trance. Een sinistere schijnwereld die haar dagelijkse leven had omfloerst. Van emotie of toekomstperspectief was geen sprake meer. Hetzelfde gold voor tranen. Van de ene op de andere dag was deze bron opgedroogd. De tranen bleven tijdens het huilen ineens weg. Zomaar, zonder enige waarschuwing vooraf. Een straf, wist ze. Vanboven af, of vanuit de brandende hel diep onder haar. Dat laatste leek het waarschijnlijkst. Mocht er zoiets als een hemel bestaan, dan zouden de poorten hermetisch voor haar gesloten blijven. Slechte moeders wilden ze daar niet.

Ze draaide haar hoofd naar rechts en keek naar de rode, digitale cijfers van de wekkerradio die op het nachtkastje stond. 14.12 uur was een tijdsaanduiding, meer niet. Het kon haar geen barst schelen hoe laat het was. Tijd had namelijk geen betekenis meer. Ze keek om het kijken, vanwege de simpele cijfertjes, omdat ze nieuwsgierig was, terwijl ze dit juist niet was. Ze keek omdat ze niet wilde kijken.

Haar gedachten waren mistflarden. Ze verdrong ze, vocht ertegen en riep ze even later weer op. Zelfkastijding. Het enige loon dat ze verdiende en zichzelf dus in royale mate uitbetaalde.

Dennis en Max, Max en Dennis. Dennis en Max. Max en Dennis.

Lachende koppies op hun derde verjaardag. De eerste schooldag. Fietsen met zijwieltjes. Afzwemmen...

De laatste flard was een pijnlijke steek die ze schijnbaar emotieloos incasseerde. Enkel in haar bruine ogen glinsterde een flits van herkenning. Een schicht die haar ziel de zoveelste stroomstoot toediende. Kunstmatige elektrocutie was enkel een kwestie van tijd. Een moment dat ze zonder enige vrees tegemoetzag. Slechter kon het toch niet worden.

Haar bleke gezicht behoorde eerder toe aan een terminale patiënt dan aan een vrouw in de bloei van haar leven. Haar huid was grauw, de wangen ingevallen en het leven in haar ogen was een fragiel waakvlammetje dat elk moment kon doven.

Langs de lijn bij het voetballen, huiswerk, ravotten in de tuin, spetteren in bad...

Weer was er een flits. Pijnlijk en onverzoenlijk. Doordringend in het diepste van haar wezen om daar het eventuele restant aan zelfrespect en hoop te vernietigen.

Ze liet het gelaten toe.

Ze kon niet anders.

Het was haar straf.

Het was ergens halverwege de ochtend, en vanaf het moment dat ze waren opgestaan hadden ze nauwelijks een woord met elkaar gewisseld. In de woonkamer hing een drukkende stilte. Diep in hun hart wilden ze wel met elkaar praten, maar barrières van zelfverwijt en lethargie lieten dit niet toe.

Het gerinkel van de telefoon klonk onevenredig hard in de woonkamer waar het enige geluid dat van hun ademhaling was. Ze keken elkaar aan en dachten hetzelfde: pak jij maar op. Zonder daarbij iets van zijn apathische houding te verliezen, stond Jeroen op van de bank. De vier passen naar het bijzettafeltje zeiden meer dan woorden konden doen. De loop van een gebroken man. Hij sleepte zich meer voort dan hij liep. Zijn bovenlichaam was licht gebogen. De afhangende schouders en de doffe oogopslag in het afgetobde gezicht waren de opvallendste kenmerken.

'Ja?' zei hij ongeïnteresseerd in de hoorn.

Chantal had geen flauw idee wie er belde, aangezien er in de houding van Jeroen geen enkele verandering optrad. Hij luisterde enkel. Zijn nietszeggende blik was gericht op een filmposter aan de wand. *Taxi Driver* met Robert De Niro.

'Wat bedoel je nou precies?' hoorde ze hem plotseling op een dwingende toon vragen. Binnen een paar seconden had zijn lichaamstaal een transformatie doorgemaakt. Jeroens houding was ineens kaarsrecht, terwijl er een spiertje in zijn linkerwang opzichtig klopte. De blik in zijn bruine ogen was intens te noemen. Van het ene op het andere moment was het aangeschoten wild veranderd in een heuse jager die zich vastbeet in zijn prooi. 'Ben je soms gek geworden!' Het volume van zijn stem was zodanig gestegen dat het tegen schreeuwen aan zat. Zijn ogen waren wijd opengesperd. De spieren en aders in zijn nek zwollen op en de vingers van zijn linkerhand waren tot een vuist gebald. 'Waag het nooit meer om ook maar één stap in mijn huis te zetten, smerig stuk vreten dat je bent!'

Chantal had het tot op dat ogenblik afstandelijk bekeken. Net als haar echtgenoot vertoefde ze gedurende bijna de hele dag in haar eigen hel. Wie er belde maakte weinig uit. Een naam die bij een stem paste. Onbelangrijk, zoals eigenlijk niets er meer toe deed. Geen enkele stem kon haar kinderen terugbrengen, hoe lief de telefoontjes ook bedoeld waren. Dit gesprek viel echter in een andere categorie. Heel even stapte ze uit haar roes en keek Jeroen indringend aan.

'Val toch dood, ellendeling,' gromde deze en hij smeet de hoorn op de haak. Met grote stappen beende hij naar de bank en plofte neer. 'Kun je dat nou geloven?' Hij begroef een aantal seconden zijn gezicht in zijn handen. Hij slaakte een diepe zucht. Op zijn gelaat stond een uitdrukking waaruit voornamelijk walging was af te lezen. 'Die klootzak van een Sander vroeg me of ik nog over een aanklacht had nagedacht.'

'Wát?'

Jeroen schudde heftig met zijn hoofd om aan te geven dat hij het telefoongesprek van zojuist nog nauwelijks kon bevatten.

'Na de begrafenis had hij al in bedekte termen gemeld dat wij het er niet bij moesten laten zitten. Dat er iemand moest bloeden voor de fouten die er waren gemaakt.'

Chantal keek hem niet-begrijpend aan. Voordat ze de kans kreeg hierop door te gaan, maakte Jeroen een wegwerpgebaar. 'Alsof ik daar mijn kinderen mee terugkrijg, verdomme nog aan toe!'

Hierna stond hij op en liep naar de keuken. Chantal hoorde dat hij een glas pakte en dit volschonk. Omdat het geluid van een lopende kraan en de koelkast die open- en dichtging uitbleef, concludeerde ze dat hij wat sterkers had ingeschonken. Met een halfvol limonadeglas kwam Jeroen de kamer weer binnen. Aan de kleur te zien was het whisky, wat Chantal verbaasde. Hij dronk zelden, in elk geval nooit overdag.

'En Evelien was het helemaal met hem eens, zei die galbak. Nou vraag ik je, mijn eigen zus kiest gewoon partij voor die slijmerd.'

Chantal zweeg en wachtte af. Jeroen had in vloeken en tieren zijn uitlaatklep gevonden. Eigenlijk had hij altijd tegen Sander opgekeken. De geslaagde zakenman die de wereld in zijn zak had zitten en mensen om zijn vinger wond. En met zijn zus kon hij prima opschieten. Al vanaf hun kindertijd was er een goede band tussen hen geweest. Letterlijk als broer en zus. Ja, deze ruzie voelde bij hem aan als een mes in zijn rug, wist ze.

'Het is gewoonweg niet te geloven,' zei Jeroen tussen zijn opeengeklemde kaken door. Hierna nam hij twee grote slokken en trok heel even een vies gezicht.

Ineens stond hij op en begon door de kamer te ijsberen. Terwijl hij heen en weer liep, zag ze hoe Jeroen in korte tijd tien jaar ouder was geworden. Ze schrok en huiverde tegelijk. Na de begrafenis hadden ze volslagen langs elkaar heen geleefd. De steun die ze vroeger bij elkaar vonden, deed nu geen opgeld meer. Het verdriet was te intens geweest. Ieder voor zich droegen ze hun leed mee. De wereld was enkelvoud. In deze kleinst mogelijke ruimte woedde het gevecht met een allesomvattende tegenstander. Verdriet, schuldgevoel en wanhoop waren wapens waartegen een gesloopte en gepijnigde geest bij voorbaat kansloos was. 'Ze willen dat ik geld verdien over de rug van mijn kinderen, Tal. Over de rug van mijn gestorven kinderen...' In het voorbijgaan griste hij het glas van de tafel en dronk het in één teug leeg. Hij zette het glas weer neer en keek zijn vrouw uitdagend aan. 'Whisky, ja. Als jij er wat op tegen hebt moet je het nu zeggen.' Een vileine grimas volgde. 'Niet dat het ook maar ene donder interesseert, hoor. Als ik vandaag de hele fles leeg wil zuipen dan doe ik dat gewoon, weet je wel.'

Zonder op haar antwoord te wachten, pakte hij het glas van de tafel en liep ermee naar de keuken. 'En dat is precies wat ik nu ga doen, verdomme,' hoorde zij hem in zichzelf mompelen.

Chantal voelde een koude rilling langs haar rug trekken. Hoewel het een nare gewaarwording was, zat er ook een goede kant aan deze lichamelijke reactie. Er was ineens die tinteling, waardoor haar zenuwen die schijnbaar lamgelegd waren weer wakker werden. Voor de eerste keer na het ongeluk wilde ze ergens dieper op ingaan. Zich laten gelden. Steun bieden, een schouder zijn om op uit te huilen. De pijn met haar man delen.

Ze hoorde Jeroen gulzig drinken. Een onsmakelijk geluid. Hij klokte de whisky werkelijk naar binnen.

'De enige die het verdient dat er een rechtszaak tegen hem wordt begonnen, ben ikzelf,' zei hij grimmig. 'Ik heb godverdomme mijn eigen kinderen vermoord!'

Na deze woorden stond Chantal op. Angst maakte zich van haar meester. Het was duidelijk dat vanwege de heftige emotie en het medicijngebruik de drank minstens dubbel zo hard bij Jeroen aankwam. Aangezien hij helemaal geen drinker was, had ze geen flauw vermoeden hoe hij hierop zou reageren. Als de afgelopen minuten een voorbode waren geweest van hetgeen er nog moest komen, dan zag zij het zwaar in. Een stemmetje vertelde haar dat zij de whisky te pakken moest krijgen voordat het helemaal uit de hand liep.

Toen ze de keuken binnenstapte, dronk Jeroen met een paar forse teugen zijn glas leeg. Zijn blik was wazig en hij deed een poging kwaadaardig te grijnzen. Het viel Chantal op dat zijn vreemde gedrag heel even het jongensachtige in hem naar boven bracht. Dit kwam hoofdzakelijk door de schaapachtige gezichtuitdrukking. 'Daar staan we dan, Tal.' Hij haalde zijn schouders op. 'Duo Mislukt, gespecialiseerd in begrafenissen en rouwmissen.' Een traan ontsnapte uit zijn linkerooghoek.

Ondanks de miserabele situatie waarin ze zich bevonden voelde Chantal een kracht in haar opwellen die sterker en omvattender was dan alle negatieve gevoelens die hen volledig van elkaar vervreemd hadden. Er stroomde opeens liefde door haar heen. Liefde voor de man met wie ze al zo lang haar leven deelde. Ze strekte haar armen uit. Meer dan ooit wilde ze hem nu tegen zich aan voelen. Hem troosten, hem vertellen dat het ooit allemaal goed zou komen.

In plaats van haar in zijn armen te nemen, zette Jeroen zijn glas hardhandig op het aanrecht neer. Hij draaide zich om, en in een flits zag Chantal dat de lege blik in zijn ogen weer was teruggekeerd.

'Ik ga een stukje lopen. Als ik hier blijf word ik stapelgek.'

Hij liep resoluut de gang in, opende de voordeur en verdween uit haar beeld. De warme gloed die zojuist in het diepst van haar ziel was ontsprongen, versprokkelde tot minuscule deeltjes die moeiteloos door de aanstormende leegte werden opgeslokt.

Ze was weer terug bij af.

9

De zware ademhaling van Jeroen irriteerde haar geenszins. Ze was opgelucht dat hij naast haar lag, in plaats van ergens in een stinkende sloot of ranzige portiek. De rest van de ochtend en bijna de hele middag had ze zich met dit soort doemscenario's beziggehouden. Er waren zelfs momenten geweest dat ze had overwogen om de politie in te schakelen. Gelukkig was het hierbij gebleven. Achteraf realiseerde ze zich dat er hoogstwaarschijnlijk een sussend, enigszins lacherig antwoord op haar paniekerige belletje was gevolgd. 'Ach, uw man komt straks wel weer thuis, mevrouw.' In gedachten hoorde ze het de dienstdoende agent zeggen.

En hij was inderdaad thuisgekomen. Vier uur later. Nuchter.

'Ik heb wat door de weilanden gestruind,' luidde zijn korte verklaring. 'Die koeien zeggen weinig terug, weet je. Een verademing.'

In andere omstandigheden had ze hierom wellicht kunnen glimlachen. Na het voorafgaande was dit echter niet aan de orde. Een cocktail van angst, opluchting en woede stroomde door haar aderen. Zijn verschijning zorgde ervoor dat de woeste rivieren van verschillende gemoedstoestanden in een kabbelend beekje veranderden. Dat haar bezorgdheid hierdoor verdween, wilde nog niet zeggen dat ze begripvol moest zijn. Integendeel, zijn opwelling om opeens een paar uur te verdwijnen had haar teruggeworpen in de kuil waaruit ze probeerde te ontsnappen. Maar toen ze eindelijk, al was het maar voor even, houvast voelde en probeerde op te krabbelen, was de reikende hand uitgebleven. De broze grond was onder haar voeten vandaan geslagen, waarna de onvermijdelijke val volgde.

De middag en avond waren op dezelfde wijze als alle middagen en avonden na de begrafenis verlopen. Een broodmaaltijd, zappen naar actualiteitenprogramma's en vroeg naar bed. De conversatie beperkte zich tot 'Mag ik de boter even?' 'Wil je wat drinken?' en 'Welterusten'.

De ruzie met Sander en de greep naar de fles waren uitspattingen geweest. Nadat hij was thuisgekomen, hadden ze hun ellendige leven weer opgepakt. Het omhulsel van zelfdestructie had zich weer rondom hen gesloten. Als er ooit een sprankje hoop was geweest om de totale lethargie te doorbreken, dan was dit door het spook van volslagen dieptriestheid direct tot een illusie verklaard.

Terwijl ze naar het plafond staarde, dacht ze aan dat ene moment waarop haar geest tegenstand had geboden. Een kortstondigheid die als opmaat voor een doorbraak had moeten dienen. En het was me gelukt, dacht ze. Het was me gelukt als die sufferd niet zo impulsief had gereageerd. Als hij zijn armen om me heen had geslagen. Als...

Als telt niet. Als jij niet zo nodig de mannequin uit had moeten hangen... Het zoveelste verwijt vanuit een vicieuze cirkel waarin ze ronddoolde.

'Als mijn tante een pikkie had gehad, was zij mijn oom geweest.' De woorden waren eruit voordat Chantal er überhaupt erg in had. Drie hartslagen bleef zij roerloos liggen, zichzelf verwonderend over de zin die ze had gefluisterd. Een opwelling had vanuit het niets de weg naar haar lippen gevonden. Een volkse uitdrukking die hier en nu zowel banaal als hemels klonk.

Hoop. De idiote zin van daarnet gaf aan dat het ergens diep in haar nog aanwezig was. Breekbaar, maar aan kracht winnend. Wachtend op het juiste moment om het juk dat haar geest in een ijzeren greep hield met open vizier te bestrijden.

Er verscheen een dunne glimlach op haar gezicht. De eerste overwinning op zichzelf was een feit. Ze draaide haar hoofd naar links. Jeroen bevond zich in comateuze toestand en zijn zware ademhaling was overgegaan in een licht gesnurk. Naweeën van de drank, wist ze. De sporadische keren dat hij dronk, snurkte hij 's avonds. Gelukkig zaagde Jeroen geen hele wouden om. Als ze de verhalen hierover van andere vrouwen mocht geloven, scheen dit iets verschrikkelijks te zijn.

Ze speelde met de krullen achter in zijn nek. Het eerste lichamelijke contact sinds dagen. Het voelde prettig aan. Alsof ze iets dierbaars had teruggevonden en dit aan haar borst drukte.

Naast de hoop groeide er nog iets. Zelfrespect. De afgelopen periode had haar duidelijk gemaakt dat een leven waarin de eerbied voor jezelf ontbrak geen leven was. Dan was je hersendood, terwijl je lichaam zelf nog naar behoren functioneerde.

De krullen gleden tussen haar vingers. Ze deed een poging om in het zwarte gat van haar geheugen beelden op te diepen. Voor de eerste keer sinds die verschrikkelijke dag voelde ze haar krachten toenemen. Zou dit het benodigde opstapje zijn om het donkere filmpje in haar geest van kleur te voorzien?

Ze sloot haar ogen en concentreerde zich. Het zwarte gat was blauw, kristalblauw. Helder, zonder dat er van transparantie sprake was. Aanlokkelijk, ondanks de pertinente en permanente weigering van een invitatie. Sprankelend en verfrissend, hoewel zij na een droom die hier betrekking op had steevast badend in het zweet wakker werd.

Mislukt.

Zij opende haar ogen en slaakte een zucht van onmacht en irritatie. Haar geheugen gaf niet mee. Een bepaald stuk verleden bleef in blauwe nevelen gehuld.

'Rustig nou,' mompelde ze. 'Niet in paniek raken.'

Ondanks het teleurstellende resultaat voelde ze zich niet direct uit het veld geslagen. Een hele vooruitgang in vergelijking met andere dagen waarin ze een poging had gewaagd. Toen mondde de deceptie steevast uit in volslagen lamlendigheid.

'Begin bij het begin. Misschien dat je onderweg iets te binnen schiet.' Dat ze wederom haar ogen sloot om het te proberen, was de tweede overwinning in een kort tijdsbestek. Ze ademde diep in en keerde in gedachte terug naar de vreselijkste dag van haar leven.

Het gezicht van de dokter was een blinde vlek. Ze hoorde hem in de verte in gebroken Engels zeggen: 'Het spijt me, uw kinderen zijn overleden.' Het klinische ziekenhuis veranderde in een vliegtuig waarin ze 24 uur later zaten. Max en Dennis vlogen ook mee. In het laadruim.

Vervolgens diende de begrafenis zich aan. Naast de beelden ving ze nu eveneens geluiden op. Familieleden, vrienden en kennissen huilden. Haar geest stapte over naar de aula van het uitvaartcentrum waar koffie werd gedronken. Jeroen zei: 'De komende tijd willen we met rust gelaten worden. Dit verlies moeten we met z'n tweeën verwerken.' Knikkende hoofden en strakke gezichten alom.

Haar geest schroefde het tempo op. De beelden schoten over haar netvlies. De thuiskomst, de onuitgesproken verwijten, de lange dagen waarin nauwelijks een woord werd gewisseld, de huilbuien, de ruzie van Jeroen met Sander, haar ongerustheid nadat Jeroen overstuur van huis was gegaan, de slaapkamer, de zachte krullen.

Hoewel de cirkel rond was, hield Chantal haar ogen gesloten. Het verschil met de vorige pogingen was dat zij er deze keer geen genoegen mee nam. Er ontbraken enkele schakels. Cruciale verbindingen waarin antwoorden verborgen lagen.

'Kom op.' Ze sprak de twee woorden fel uit. Peptalk.

Ineens stond ze weer op de catwalk. In de verte schreeuwde iemand iets onverstaanbaars, waarna de animator in beeld verscheen. De naam van deze vrouw wilde haar niet te binnen schieten. Marjon, Mieke, Maaike? Ineens renden ze door het hotel.

Ongemerkt ging Chantal zwaarder ademen. Ze was op het juiste pad beland. Haar geheugen begon dingen prijs te geven, zonder dat zij echt diep hoefde te graven. Eindelijk kreeg ze het idee dat ze greep op de situatie kreeg in plaats van omgekeerd.

De tuin flitste voorbij. Daarna een haag mensen waardoor ze zich een weg baanden. Op de gezichten stond voornamelijk ontzetting te lezen. De weg werd hen versperd door een bewaker die enkele tellen later vrij baan maakte. Nu moet het gebeuren, dacht Chantal. Maar haar geheugen gaf niet meer thuis. Met veel pijn en moeite was ze de afgelopen dagen tot aan dit moment gekomen. Nu moest ze door...

Het gezicht van Jeroen vulde het beeld. Zijn ogen waren donkere kolen waarin het levensvuur was gedoofd. Zijn gezicht was een masker van afgrijzen. Hij schreeuwde en jammerde als een man in wiens geest enkel waanzin huisde.

Ze beval zichzelf naar rechts te kijken. In haar hoofd ontstond echter kortsluiting. Het beeld bleef op Jeroen gericht. Terwijl ze haar geest aanspoorde om meer informatie prijs te geven, voelde Chantal zweetdruppels in haar nek. Ze negeerde het.

'Kom op, verdomme,' zei ze. Het beeld zwenkte traag. Personeelsleden van het hotel zaten op hun knieën. Kindervoetjes. Zwemvliezen.

Het beeld werd blauw. Kristalblauw.

Chantal opende haar ogen en zuchtte. Haar geheugen stokte altijd na de aanblik van de zwemvliezen. Haar enige winst was de manier waarop het die avond was gegaan. In tegenstelling tot andere avonden vrij relaxed. Dit kon een voorbode zijn dat haar geest zich langzamerhand de wil van de enige eigenares op liet leggen. Wellicht dat de progressie zich doorzette.

'We zullen het daar maar op houden.' Ze draaide zich op haar linkerzij en boog naar voren. Hierna drukte ze een kus op Jeroens rechterwang. 'Ik hou van je. We gaan hier samen uit komen.'

Vijf minuten later viel ze in een droomloze slaap. De demonen in haar hoofd hadden een nachtje vrijaf genomen.

10

Behoedzaam liep Chantal met het boodschappenkarretje langs de stellingen. Wat voorheen als een automatisme gold, was nu een hele onderneming op zich. Af en toe hield ze halt om artikelen van de schappen te pakken. Dit was meer voor de show dan dat het echt noodzakelijk was. Enkel haar aanwezigheid in de supermarkt was voor haar al een hele stap. Helemaal in haar eentje in het wild.

Ze pakte een willekeurig artikel, tandpasta, en legde het in haar karretje. Hierna liep ze ogenschijnlijk op haar gemak door. Het viel haar nu pas op hoeveel verschillende dingen er te koop waren. Iets waar ze voorheen nog nooit bij stil had gestaan. Vroeger racete ze met haar boodschappenbriefje in haar hand door de winkel. Hoogstens een kwartier later stond ze dan weer buiten.

Hoe vaak was ze hier met de tweeling geweest? Tientallen keren? Nee, dat liep in de honderden. En elke keer was er wel iets aan de hand. 'Mama, mogen we chips? Mama, ik pak een Mars.' Meestal hield ze haar poot stijf. Ook als ze hun laatste troef uitspeelden. 'Maar we betalen het van ons eigen geld, hoor!'

Ze voelde een glimlach om haar mondhoeken. Vreemd genoeg bleef de pijn weg die synoniem stond aan herinneringen waarbij de jongens een hoofdrol speelden. Haar blik dwaalde langs de schappen. Zonder het te beseffen was ze naar een plek gegaan waar haar kinderen de nodige voetstappen hadden liggen. Of had iets in haar het onbewuste aangestuurd? Was hier soms sprake van verwerking?

Ze schudde licht met haar hoofd. Een gewoontegebaar waarmee ze nare gedachten wilde verdrijven. Inefficiënt, maar voornamelijk overbodig. Er waren namelijk geen nare gedachten. De duivels die haar overal van beschuldigden waren verdwenen of speelden stommetje.

Ze wilde diep door haar neus inademen, maar kon zichzelf op het laatste moment beheersen. Ook zo'n gewoontegebaar dat je maakte als het even tegenzat, wist ze. Een nutteloze handeling, vooral als het niet tegenzat. Zoals nu. Want er waren geen begeleidende verwijten bij de beelden die ze nu voor zich zag.

Max en Dennis liepen door de supermarkt. Ze lachten, smoesden, bedachten welk artikel ze wilden hebben. Rakkers op oorlogspad. De film speelde zich zonder negatieve geluidseffecten op haar netvlies af. Ze keek geboeid toe en het was goed. Haar hoofd voelde licht aan. Wellicht was ergens onderweg onwelkome ballast afgeworpen.

De film stopte opeens. Gangen en schappen. De jongens waren weg. De pijnscheut waarop ze zich voorbereidde bleef uit. Er lag nog steeds een glimlach op haar lippen. Lichtelijk verbaasd keek ze om zich heen.

Tot Jeroens zichtbare verontwaardiging had ze die ochtend de telefoon gepakt en haar zus Denise gebeld. Voor het eerst na de hel van Turkije voelde ze de behoefte om met een familielid te praten. Haar zus was daar de aangewezen persoon voor. Natuurlijk had ze er al eerder uitgebreid over willen spreken, maar haar bewustzijn gaf deze emotie gewoonweg geen toegang tot haar dagelijkse gedachtegang.

Denise was opgelucht dat ze eindelijk belde. Met veel pijn en moeite had ze zich aan hun verzoek gehouden om geen contact op te nemen, vertelde ze. Aangezien enig levensteken van hun kant uitbleef, werd ze met de dag ongeruster over hun welzijn. Ze hielden het gesprek redelijk kort en spraken af dat Denise de volgende dag in de loop van de middag langs zou komen.

De woedende blikken die Jeroen haar tijdens en na het telefoongesprek toezond, had ze openlijk genegeerd. Zij had haar plan getrokken en liet zich daar niet van afbrengen. Hoeveel ze ook van hem hield.

Aansluitend zocht ze contact met haar ouders. Ze vertelde hun dat het nu wat beter ging en ze wellicht volgende week bij hen langs zou komen. Ze wilde eerst met Denise een aantal dingen op een rijtje zetten. Tot haar grote opluchting toonden haar ouders hier alle begrip voor en meldden zij tevens dat ze altijd voor haar klaarstonden wanneer dit nodig mocht zijn. Met een brok in haar keel nam Chantal afscheid. Het was een geschenk om over zulke ouders te beschikken, realiseerde zij zich op dat moment heel sterk.

Na dit telefoongesprek trok Jeroen zich nog verder in zijn schulp van afzondering terug. Hij keek stuurs voor zich uit en maakte haar met enkele handgebaren duidelijk dat hij geen enkele behoefte aan conversatie had. Toen zij daaropvolgend meldde dat ze boodschappen ging doen, doofde het opstandige vuur in zijn ogen terstond en verwaterde tot een wazige blik waarin slechts een vleugje leven zwom.

Deze plotselinge verandering deed haar pijn. De goedlachse, altijd vrolijke Jeroen was in een menselijk wrak veranderd. In niets herinnerde hij haar meer aan de man met wie ze jarenlang lief en leed had gedeeld. Voornamelijk lief, hetgeen wellicht de oorzaak van zijn mentale en fysieke instorting was. Tijdens hun huwelijk hadden ze eigenlijk nooit tegenslagen gekend. De eerste dreun die ze kregen was er gelijk eentje uit de buitencategorie geweest. 'Het wordt met de dag duurder, kind,' zei een dame op leeftijd tegen haar. Chantal knikte en zei: 'Die prijzen blijven maar de pan uit rijzen, mevrouw.' Het obligate antwoord was het eerste wat haar te binnen schoot. Ze knikte de vrouw beleefd toe en duwde haar karretje voor zich uit. Het drong nu pas tot haar door dat ze tijdens haar overdenkingen stil had gestaan en hoogstwaarschijnlijk wezenloos naar het een of andere artikel had gestaard. Vandaar de opmerking van de vrouw.

'Even je kop erbij houden,' fluisterde Chantal zichzelf toe. Het was de bedoeling dat ze op haar manier onder de mensen was. Een eerste stap buiten de wanhopige wereld die Jeroen en zij voor zichzelf gecreëerd hadden. Dit was een experiment. Rondlopen, willekeurige spulletjes pakken, afrekenen en wegwezen. Missie geslaagd. Op naar de volgende uitdaging op de nog lange weg die uiteindelijk tot een enigszins normaal leven moest leiden. Stukje bij beetje. Conversaties met volslagen vreemden zaten niet in dit vreemdsoortige basispakket voor herintreders.

De eerste echte bedreiging van deze proef bevond zich vijf meter links van haar. Carla van Dam stond met haar kar naast een pallet cola die volgens de schreeuwende teksten erboven in de aanbieding was. Chantal draaide haar hoofd naar rechts. Te laat. Terwijl ze midden in deze beweging zat, zag ze hoe de uitdrukking op het gezicht van Carla veranderde. Uit elk rimpeltje op haar alledaagse gelaat sprak opeens medelijden. Ze liet de kar en de aanbiedingen voor wat deze waren en kwam naar haar toe gelopen. 'Chantal,' fluisterde ze toen er minder dan een halve meter ruimte tussen hen bestond. Ze pakte Chantal zachtjes bij haar bovenarmen en trok haar naar zich toe. 'O, Chantal. We leven allemaal zó met jullie mee.' Ze schudde ongelovig met haar hoofd. 'Verschrikkelijk, afschuwelijk, ik heb er geen woorden voor. Tijdens de begrafenis heb ik de longen uit mijn lijf gehuild.'

Chantal wist niet hoe ze moest reageren. Van de gevoelens die door haar heen raasden, was opgelatenheid de sterkste. Bewust was ze naar de grote supermarkt gegaan omdat daar de kans op anonimiteit het grootst was. De mogelijkheid dat ze hier een moeder van een klasgenootje van Dennis en Max tegen het lijf kon lopen, had ze niet ingecalculeerd.

Gedurende de drukbezochte begrafenis was ze uitsluitend met haar eigen gevoelens bezig geweest. Wat er om haar heen gebeurde was min of meer langs haar heen gegaan. Dat er in die mensenmassa ouders aanwezig waren van kinderen die bij de tweeling in de klas zaten, kwam toen geeneens in haar op.

'Toen Jeroen begon te spreken hád ik het niet meer. Zo emotioneel, zo echt, zo recht uit het hart.' Ze sloeg haar ogen ten hemel en slaakte een diepe zucht. 'Als ik er nu weer over nadenk, lopen de rillingen over mijn rug.'

Chantal knikte. Tot meer was ze niet in staat. Ze moest hier weg. Heel snel. In haar hoofd vochten een aantal smoezen om voorrang. Doordat het er zoveel waren, was het lastig kiezen.

'Bedankt voor de steun,' zei ze opeens. 'Ik moet opschieten, want Jeroen wacht op me.'

Carla van Dam plooide haar gezicht. De uitdrukking die nu verscheen was overgoten met begrip. Chantal kreeg sterk het idee dat zij grossierde in gelaatstrekken en deze tijdens elk willekeurig gesprek eenvoudig op kon roepen. Ze wist dat deze redenatie tegen het onredelijke aan hing. Dit kon haar echter niets schelen.

'Natuurlijk, meid, ga maar snel. Als ik iets voor je kan doen moet je direct bellen, hoor.' Hierna drukte de uiterlijk zo betrokken vrouw een vluchtige kus op haar rechterwang.

Chantal zei: 'Bedankt, Carla.' Snel duwde ze haar karretje naar voren. Weg, weg, weg, zei het stemmetje in haar hoofd dat voor de verandering eens aan haar kant stond. Ze nam direct het pad naar links en sloeg vijf meter verder rechts af.

Ketchup, curry, mosterd, mayonaise.

Ze bleef staan en suggereerde tweestrijd. Pinda- of knoflooksaus bij de frika-dellen? Terwijl haar blik over de flessen, potten en emmers gleed, dacht ze na over de ontmoeting van zojuist. Carla van Dam was heus de beroerdste niet. Een gescheiden vrouw met een zoon van tien en een jongere dochter. Hoe oud het meisje precies was, wist ze niet. Was nu onbelangrijk. Wat er wel degelijk toe deed, was het gegeven dat ze in plaats van Carla ook iemand anders tegen het lijf had kunnen lopen. Een of andere vage kennis die haar publiekelijk onder een spervuur van vragen bedolf. Of een van de buren die zowel verbaasd als verwijtend keken omdat ze wel in de supermarkt liep maar categorisch weigerde om met degenen die naast haar woonden contact te zoeken.

'Ho nou maar,' fluisterde ze nauwelijks hoorbaar maar bijzonder gedeci-deerd. 'Je draaft door.' Ze pakte een fles met knoflooksaus en legde deze non-chalant in het karretje. Hierna liep ze in de richting van de kassa. Terwijl ze daar op haar beurt wachtte, verdrong optimisme het wrange onderbuikgevoel dat daarnet de kop had opgestoken. Haar eerste optreden in de grote, boze, enge wereld was redelijk succesvol geweest. Spontane huilbuien, wegtrekkers of andere ongemakken waren uitgebleven.

Een voorzichtige glimlach kreeg houvast op haar lippen. Eigenlijk was het boven verwachting goed gegaan. Ook tijdens het gesprek met Carla was ze geen seconde in paniek geraakt. Oké, ze mocht dan enigszins verrast zijn door de spontane actie van Carla; erdoor uit het veld geslagen was ze beslist niet geweest. Ze had normaal gereageerd, op een nette manier een eind aan het gesprek gemaakt, en was doorgegaan met de dingen waarvoor ze hier zogenaamd rondliep.

Met een glimlach die aan kracht won, betaalde ze de dame achter de kassa. Op weg naar huis was haar tred standvastiger dan op de heenweg. De linnen tas met daarin de boodschappen voelde zo licht aan als een veertje.

De eerste ronde zit erop, meid, dacht ze. En je hebt je kranig geweerd. Op naar de tweede.

Ze was al ruim een halfuur thuis toen Jeroen binnenkwam. Zonder iets te zeggen ging hij op de bank zitten en pakte de afstandsbediening. Neurotisch zapte hij van de ene naar de andere zender. 'Het is toch godgeklaagd,' bromde hij voor zich uit. 'Belspelletjes en herhalingen van series die minstens tien jaar oud zijn. In deze maatschappij draait het enkel om de werkenden. Voor werklozen, gedetineerden en sloebers zoals ik zijn er programma's waar je broek van je reet afzakt. Het zijn een stelletje achterlijken, daar in Hilversum.' Chantal hoorde zijn klaagzang onbewogen aan. Eerst een hoop gefoeter, wist ze. Daarna zouden ongetwijfeld lange stiltes hun intrede doen.

Nadat Jeroen was binnengekomen, had er een vertrouwde lucht in haar neusgaten gehangen. Een lucht die ze vroeger heerlijk had gevonden, maar sinds zeven jaar verafschuwde. Als voormalig rookster had ze de geur direct herkend. 'Waar ben jij geweest?' vroeg ze uiteindelijk zo neutraal mogelijk.

'Een pakje sigaretten halen. In tegenstelling tot het bekende verhaal, ben ik wel teruggekomen.' Hij grijnsde om zijn eigen grap. Om zijn verhaal kracht bij te zetten, haalde hij een pakje Marlboro uit het borstzakje van zijn overhemd en stak er een op. Hij inhaleerde de rook en keek Chantal uitdagend aan.

'Waar ben jij in godsnaam mee bezig?'

Blijkbaar zag Jeroen er de humor wel van in, aangezien de grijns om zijn mondhoeken bleef spelen. 'Vanaf 2010 is kanker doodsoorzaak nummer één. Voornamelijk long- en darmkanker.' Hij nam nog een forse trek. 'Omdat ik de afgelopen zeven jaar schematisch gezien een behoorlijke achterstand heb opgelopen, ben ik vandaag weer begonnen.' Een hoestbui volgde. 'Zie je wel dat het werkt? Die dingen doen precies wat er op het pakje staat aangegeven. Killers zijn het.'

Chantal schudde met haar hoofd. Hierna opende ze haar mond, maar Jeroen was haar te vlug af. 'Geef me twee minuten.'

Hij stond op en liep naar de keuken. Enkele seconden later hoorde ze dat een glas wat gehaast werd volgeschonken. Met een sigaret in zijn linker-, en een glas whisky in zijn rechterhand kwam Jeroen de huiskamer weer binnen-lopen. 'Zo, nu is het feest helemaal compleet. De orgie kan wat mij betreft beginnen.' De afkeurende blik van zijn vrouw negerend, ging hij weer op zijn favoriete plek zitten. Hij wierp een blik op de televisie en trok direct een vro-lijk gezicht. 'Ha, mijn lievelingsblondje gaat aanwijzingen geven. O, wat spannend allemaal. Eens even kijken, een handeling die je in de keuken tij-dens etenstijd doet. Vijf letters, waarvan tweemaal de K en het woord eindigt op de letters E en N.' Zijn fronsende wenkbrauwen en serieuze blik veinsden opperste concentratie. 'Dit is een lastige.'

'Jeroen.'

'Eigenlijk is het belachelijk dat ze om dit soort oplossingen tijdens een mid-daguitzending vragen, nietwaar? Stel, je kinderen zitten te kijken. Die breken daar hun hersens over. Nou maakt het hier toevallig niets uit, want die van ons zijn toch dood.'

'Jeroen!'

Hij keek haar met een meewarige blik aan. Van het ene op het andere moment was zijn lichaamstaal compleet veranderd. Het cynische had plaats-gemaakt voor hulpeloosheid. Chantal beet op haar lip. De plotselinge gedragsverwisselingen die Jeroen de laatste dagen onderging maakten haar doodsbang.

'We moeten praten,' zei ze zo neutraal mogelijk. Dit leek haar het beste, omdat ze eerst moest peilen op welke manier Jeroen het best te benaderen viel.

'Er valt niets te praten, Tal. Dat heb ik je nou al honderd keer gezegd.'

'Maar jouw wil is geen wet. Ik zit met een aantal vragen die door mijn hoofd spoken. Als we erover praten komen er wellicht wat antwoorden bovendrij-ven.' Een fractie nadat de laatste zin eruit was, realiseerde ze zich de verkeer-de woordkeuze.

Een korte twinkeling in Jeroens ogen verraadde dat het hem niet ontgaan was. In plaats van het te becommentariëren, zuchtte hij diep en nam een flin-ke slok van zijn whisky. 'Zeg het maar.'

Chantal ging naast hem op de bank zitten. Ze had zijn nonchalante houding opgemerkt, maar negeerde deze. Er zouden hoogstwaarschijnlijk nog meerdere wisselingen van stemmingen volgen. Ze nam zich voor om enkel gas terug te nemen wanneer hij agressief mocht worden. 'Er zit een gat in mijn geheugen. Vanaf het moment dat ik bij het zwembad aankwam tot aan het ziekenhuis.' Ze maakte met beide handen een hulpeloos gebaar. 'Het is gewoonweg verdwenen.'

Jeroen keek naar de televisie zonder dat de beelden ervan daadwerkelijk tot hem doordrongen. Met zijn rechterhand liet hij de whisky kolkjes draaien. 'We zijn in een taxi gestapt en naar het ziekenhuis gereden,' zei hij kortaf. 'Daar meldde een dokter ons dat de kinderen waren overleden.' Zijn gelaatstrekken verstrakten. Het spiertje in zijn linkerwang speelde weer op en zijn handen trilden licht. Uit zijn hele houding sprak dat het gesprek hiermee ten einde was.

'Oké, de taxi en het ziekenhuis, daar kom ik al iets verder mee. Maar wat is er gebeurd voordat ik bij het zwembad arriveerde? Ik bedoel, jij was er eerder. Heb jij nog iets opgevangen, of zo? Van mensen die er eerder dan jij waren?'

Hij draaide zijn gezicht naar links toe en keek haar strak aan. De blik die hij haar toewierp behoorde aan een vreemdeling toe. Dit is niet de man met wie ik al twaalf jaar getrouwd ben, schoot het door haar heen. Voor de eerste keer sinds zij hem kende, joeg hij haar angst aan.

'Toen ik bij de zwembadrand aankwam, liepen er direct enkele mensen op mij af. In geuren en kleuren vertelden ze hoe ze onze kinderen hadden zien verdrinken. En niemand had een poot uitgestoken. Vreemd verhaal, hè?'

Chantal drukte de nagels van haar linkerhand in de palm van haar rechterhand. Hoewel het een hele opgave was om tegenover zoveel onwil normaal te blijven reageren, bleef haar stem neutraal. 'Jeroen, toe. Op deze manier komen we geen stap verder.'

Hij haalde zijn schouders op. 'De trein waarin wij zitten rijdt niet verder, Tal. Het eindstation is al bereikt.' Hij drukte zijn sigaret uit en ging weer voor zich uit zitten staren. Gevangen in de kleinst mogelijke wereld.

Chantal opende haar mond om iets te zeggen. De woorden bleven echter onuitgesproken. Het had geen enkele zin, wist ze. Het was simpelweg te vroeg voor hem.

11

'Jezus, wat doet ie nou?' Denise keek haar verbaasd aan.

'Sinds een paar dagen rookt hij weer.'

Denise schudde een paar maal met haar hoofd, maar onthield zich van commentaar.

'Dat roken is nog tot daaraan toe,' zei Chantal. 'Over het drinken maak ik me meer zorgen. Hij slaat elke dag minimaal een halve fles whisky achterover.' Ze zuchtte. 'Hij zit onder de medicijnen, verdomme nog aan toe. Je moet er toch niet aan denken wat die combinatie kan aanrichten.'

Ze beet op haar lip om de opkomende emoties te onderdrukken. Het roze vlees voelde aan als gummi, als snoep, maar dan zonder smaak en kleurstoffen. Na dit moment van afwezigheid voelde ze de vingers van de linkerhand van haar zus op haar rechteronderarm.

'Hij heeft het ontzettend moeilijk, Tal. Hier kunnen jullie alleen met z'n tweetjes uit komen. Alleen gaat het gewoonweg niet.'

'Probeer hem dát maar eens duidelijk te maken,' zei Chantal fel. Ze vocht tegen de tranen die graag wilden stromen. Om tegenspel te bieden knipperde ze enkele malen met haar ogen en haalde haar neus op.

'Ik zie dat hij compleet in zijn eigen wereld leeft,' fluisterde Denise. 'En weet je, ik kan dat goed begrijpen. Voor datgene wat jullie hebben meegemaakt, moeten ze nog woorden uitvinden.'

Ze keek Chantal recht in haar bruine ogen en zag dat deze vochtig waren. Het verdriet van haar zus raakte haar diep. De pijn die zij voelde was daarentegen slechts een fractie van het verdriet dat haar zus met zich meedroeg, wist ze. Met moeite slikte ze het brok in haar keel weg.

'Het lukt me niet om tot hem door te dringen.' Met haar linkerwijsvinger wreef Chantal een traan weg die door haar broze verdediging was gebroken. 'Elke nieuwe dag drijft ons verder uit elkaar.'

Zwijgend keken ze naar Jeroen die in de tuin stond te roken. Momenten van volslagen apathie wisselden zich af met korte periodes waarin hij driftig op en neer liep.

'Zijn familie?'

Chantals mondhoeken bereikten een dieptepunt toen ze het verhaal van

Jeroens ruzie met Sander vertelde. Tweemaal moest ze haar relaas onderbreken om haar waterige ogen met het zakdoekje te deppen dat Denise haar aanreikte.

'Hij voelt zich verraden door zijn eigen familie,' zei ze half snotterend. 'Ik weet eigenlijk wel zeker dat hij diep in zijn hart had gehoopt dat zijn moeder hem tegen de afspraken in zou bellen. Om hem een hart onder de riem te steken, hulp aan te bieden, of iets dergelijks.'

Denise fronste licht haar wenkbrauwen. 'Maar het idee om voorlopig afstand te houden kwam toch van jullie kant? Of moet ik zeggen van Jeroens kant?'

'Daarom juist, hoe gek dat ook mag klinken,' antwoordde Chantal direct. 'Volgens hem was het beter om een paar weken geïsoleerd van de buitenwereld te leven. Dan konden wij ons verlies samen verwerken, zonder daarbij met meningen en adviezen van anderen te worden geconfronteerd. Op dat moment leek het mij een goede beslissing en stemde ik er dus mee in. Nu weet ik dat wij er fout aan hebben gedaan. Maar ja, dat is weer van dat typische achteraf geklets, nietwaar?'

'Klopt,' zei Denise. Ze ging er bewust niet verder op door, aangezien ze een aan zekerheid grenzend vermoeden had dat haar zus dit enkel als een opmaat gebruikte.

'Vanaf de dag dat wij van de begrafenis thuiskwamen is hij bezig een muur om zijn gevoelens heen te bouwen,' ging Chantal verder. 'Met de dag werd die muur dikker. We spreken nauwelijks nog. En als we dan met veel pijn en moeite tot een conversatie kwamen, ontweek hij direct onderwerpen die met de dood van de jongens te maken hadden.'

Ze ademde diep in door haar neus. Hierna sloot ze haar ogen en zocht naar woorden. 'De vervelende stiltes werden opgevolgd door wisselende stemmingen.' Ze knikte vaag in de richting van de tuin waarin Jeroen nog steeds verwoed stond te roken. 'Dat hoofdstuk is nog in volle gang.'

Denise knikte traag. 'Uit die wisselende stemmingen concludeer jij dat hij zijn familie niet meer wil zien, maar ze tegelijkertijd mist. Dat de ruzie hem niets kan schelen, terwijl hij zich gelijktijdig verraden voelt. Een lichte vorm van schizofrenie, dus.'

'Ik weet niet of dat nu wel het juiste woord is, Denise.'

'Sorry, Tal. Ik ben slechts een gesjeesde studente kunstgeschiedenis die precies op het verkeerde moment de bijdehante psychologe uit wil hangen.'

In de ongemakkelijke stilte die er in de kamer hing, keken zij beiden met afwezige blik naar de rug van Jeroen. Hoewel hij al een tijdje in deze houding stond, leek het er verdacht veel op dat hij hen bewust de rug toekeerde. Uit protest, wellicht als provocatie of gewoon omdat hij hen niet wilde zien.

'Het stomme is dat ik steeds meer het gevoel krijg dat hij niet uit zijn dal wíl klimmen. Dat hij het zo wel prima vindt. Wentelen in zijn eigen ellende.'

'Nu ga je te ver, Tal. En dat weet jij zelf donders goed.'

'Probeer eens een dag met hem te leven, zou ik zeggen. Wedden dat jij me daarna smeekt om een enkeltje Amsterdam?' Direct nadat de woorden haar lippen verlieten, had Chantal er al spijt van. Het was lullig, gemeen en gechargeerd. Bovenal was het respectloos. Zo sprak je niet over je man. Zelfs niet tegen je zus. 'Dat sloeg nergens op, Denise. Zelfs...'

Haar zin bleef onuitgesproken, aangezien Jeroen een onverwachte beweging maakte. Hij draaide zich abrupt om en beende met grote passen naar de keukendeur. Hij trok deze bruusk open en liep de huiskamer binnen. 'Laat het gesprek vooral niet stagneren, dames,' zei hij op spottende toon. 'Ga maar lekker door met kletsen over dingen waar niemand, uitgezonderd jullie dan, zich voor interesseert.' Hij hief zijn rechterhand op. Wat door moest gaan voor een groet had meer weg van een hatelijk gebaar. 'Ik ga sigaretten halen. Fijne dag nog, Denise. Als ik straks terugkom, ben jij ongetwijfeld vertrokken. Tot ziens.' Hierna draaide hij zich om, liep naar de gang, pakte zijn jas van de kapstok en verliet het huis.

Chantal hield haar gezicht in de plooi. Het was zo gemakkelijk scoren om nu een uitdrukking tevoorschijn te toveren die 'Zie je nu wel?' suggereerde. Ze keek Denise aan en zag dat haar zus begreep waarom zij op deze schijnbaar onverschillige manier reageerde.

Na een halve minuut stilte die een halfuur leek te duren, stond Denise op. Ze deed een stap opzij, boog zich voorover en omarmde Chantal. 'Jij bent mijn enige zus en ik hou van je. Ik wil alles, maar dan ook alles doen om jou hier doorheen te slepen.' Ze drukte Chantal nog steviger tegen zich aan. 'Laat me je alsjeblieft helpen, Tal. Samen komen wij eruit, heus.'

De tranen waartegen zij beiden zo manmoedig hadden gevochten, stroomden volop. Onmacht regeerde.

Denise droogde als eerste haar tranen, snoot haar neus en haalde diep adem. 'Oké, Tal. Dat is eruit. Laten we nu in 's hemelsnaam positief gaan denken. We moeten oplossingen zien te vinden.'

Chantal knikte loom. Tot meer was ze even niet in staat. Het nasnotteren irriteerde haar danig, maar ook dat was een lichamelijke reactie waar ze geen vat op had. Haar blik volgde haar jongere zus, die naar de keuken liep. Toen Denise terugkwam met twee glazen water had ze het snikken bijna in bedwang en ontstonden er al wat gaatjes in het vochtige waas dat voor haar ogen hing.

Denise zette de glazen op tafel, nam weer plaats en tikte met de palm van haar rechterhand tweemaal op de tafel. 'We hebben de tijd aan onszelf, dus we moeten bij het begin beginnen.'

12

Het autorijden was lastiger dan ze vooraf had ingeschat. Sinds hun vakantie in Turkije was dit de tweede keer dat ze met de Toyota op pad ging. Twee dagen geleden had ze haar eerste tripje sinds lange tijd gemaakt. Een rit naar haar ouders, die uiteindelijk was meegevallen.

Deze keer lag het toch anders. Waarschijnlijk viel het tegen vanwege haar betrekkelijke onbevangenheid, dacht Chantal toen ze een vrachtwagen inhaalde. Na deze manoeuvre realiseerde ze zich de absurdheid van deze manier van denken. Het was namelijk stom om overal direct een stempel op te drukken. Alles te moeten verklaren. Sommige zaken kon je niet beredeneren, die overkwamen je gewoon. Het autorijden was daar een voorbeeld van. Het ging niet naar haar zin. Dit kwam echter niet doordat zij slecht had ontbeten of vergeten was het licht in de badkamer uit te doen. Nee, het kwam helemaal nergens door. Het gebeurde gewoon, punt uit. Geen verdere gedachten aan vuilmaken, dus. Want dan kletste je jezelf geluidloos dieper en dieper in de put.

'Een eigen huis, een plek onder de zon,' zong ze met de radio mee. 'En altijd iemand in de buurt die van je houden kon.'

Voordat haar geest de kans kreeg de woorden negatief te interpreteren, glimlachte ze om deze tekst. Positief denken, daar draaide het allemaal om. Dat was haar nu wel duidelijk. Enkel positivisme kon de negatieve spiraal doorbreken waarin haar leven verkeerde. 'Ons leven,' verbeterde ze hardop.

Het lange gesprek met Denise had veel opgeleverd. Het resultaat ervan was echter pas later tot haar doorgedrongen. Tijdens hun samenzijn had ze voornamelijk geluisterd, af en toe gesnotterd en veel, heel veel, ja geknikt. Hoewel de onderwerpen niet bepaald vrolijk waren, had ze tijdens het gesprek een behaaglijk gevoel gekregen. Ze had genoten van het simpele feit dat haar zusje gewoonweg naast haar zat. Intens met haar sprak, alles uit de kast haalde om haar uit het diepe dal te halen.

Al deze dingen bij elkaar waren op dat moment ontzettend belangrijk voor haar geweest. De zaken waarover Denise daadwerkelijk had gesproken, waren toen eigenlijk bijzaak. Ze luisterde wel, maar sloeg het ergens in haar geheugen op zonder er verder bij na te denken. Ze wilde het moment koesteren. Zichzelf verwarmen met de liefde die eruit sprak.

's Avonds in bed waren de woorden van Denise pas echt tot haar doorgedrongen. Terwijl ze naar het plafond lag te staren en zich ergerde aan het onregelmatige gesnurk van Jeroen, waarvan elke uithaal gepaard ging met een whiskywalm, sloeg ergens in haar geest een palletje om. Het was zoals bij Domino Day, als de eerste steen maar eenmaal was gevallen, volgde de rest vanzelf.

Er rustte een zware verantwoording op haar schouders, die conclusie was gerechtvaardigd. Voor de eerste keer sinds hun samenzijn diende zij het voortouw te nemen. De rollen waren omgedraaid. Niet Jeroen, maar zij was de sterkste partij. Het draaide nu vooral om zwart-wit denken. Chargeren was geen optie, maar een opdracht.

De woorden van Denise waren niet zozeer van deze strekking geweest. Minder scherp, meer gemoedelijk. Een gemaskeerde stelling die pas later in haar geest boven was komen drijven. Terwijl Jeroen onverstoorbaar doorronkte begreep ze wat haar zus met een omweg had beweerd.

'Toch wilde ik dat ik net iets vaker, iets vaker simpelweg gelukkig was.'

De tik die Jeroen na het overlijden van Dennis en Max had gekregen, was een geestelijke mokerslag geweest. Hij was volledig uit balans en deed dingen waarvan hij vroeg gegruwd zou hebben. De sigaretten en de whisky waren daar duidelijke voorbeelden van. Zijn vreemde, cynische manier van discussiëren en de wisselende stemmingen gaven aan dat hij volledig met zichzelf in de knoop zat. Medicijnen hielpen niet of nauwelijks. Sterker nog, in combinatie met de drank zorgden ze voor een verslechtering van zijn ziektebeeld. Want ziek was hij, doodziek zelfs.

Aan een psychiater of andere geestelijke bijstandsinstellingen hoefden ze geeneens te denken, wist Chantal zeker. Als zij, of wie dan ook, dit voorstelde, zou Jeroen er enkel keihard om moeten lachen. Zover was hij inmiddels al heen.

Hoewel zij dezelfde verschrikkelijke klap had gekregen, was ze nog geheel bij de tijd en wist de zaken om haar heen op de juiste waarde in te schatten. Haar hart mocht dan verscheurd zijn, haar hersens functioneerden nog prima. Ook wilde zij proberen zelfs nu nog wat van haar leven te maken, iets wat van Jeroen niet gezegd kon worden. Als het huis in de fik vloog, nam hij waarschijnlijk niet eens de moeite om de brandweer te bellen.

Zij had nu het heft in handen. Jeroen kon slechts toekijken vanaf de zijlijn. Mismoedig en obstinaat, omdat zelfs een simpele handeling als initiatief nemen te veel van hem was gevraagd.

Door alleen naar de supermarkt te gaan, had zij hem onbewust verder van zich vervreemd. Verder in de hoek gedrukt waar de klappen vielen. Zij deed iets wat hij niet kon, en hierdoor daalde zijn eigenwaarde. Het was even simpel als het leek. Het was namelijk voor Jeroen onmogelijk te doen wat zij deed. Elk initiatief van haar kant werd door hem als een doodsteek ervaren. En toch moest zij het voortouw blijven nemen. Dit was de enige manier om uit de huidige puinhoop een fundament op te bouwen. Ze moest de door haar ingeslagen weg in rap tempo blijven vervolgen. De geestelijke hobbels die ze de komende dagen, weken, maanden ongetwijfeld op haar pad zou vinden, waren onvermijdelijke obstakels. Het was aannemelijk dat het gedrag van Jeroen meer en meer onhebbelijk zou worden. Een zure appel waar ze doorheen moest bijten. Het was namelijk de opmaat die leidde tot de ommekeer.

Ondanks stil protest van Jeroen was ze eergisteren bij haar ouders op bezoek geweest. Een hereniging die bol stond van emoties. Geheel in de ban van haar eigen verdriet had ze er nauwelijks bij stilgestaan dat er buiten haar en Jeroen om ook anderen het verschrikkelijk moeilijk met het ondraaglijke verlies hadden. Dennis en Max waren de kleinkinderen van haar ouders geweest! Ook hun leven stond op z'n kop. Ze hadden elkaar stevig vastgehouden en gehuild totdat alle tranen gewoonweg op waren. Toen ze afscheid nam had ze weer een sprankje hoop in hun ogen gezien. Een korte twinkeling die hopelijk een vervolg kreeg. Er werd afgesproken dat ze volgende week weer langs zou komen. En dat ze vooral Jeroen sterkte moest wensen.

De afslag Utrecht Centrum was over 500 meter een feit, meldden de witte letters op het blauwe bord. Ze sorteerde voor en verliet de A27. De drukte die er heerste op de verkeersader die naar het hart van de domstad leidde, benauwde haar. Ze nam zichzelf dan ook direct voor om haar gedachten te beteugelen, waardoor ze de verkeerssituaties beter kon inschatten.

Ze stopte voor een oranje verkeerslicht. Uit de boxen schalde 'Ik heb hier een brief voor mijn moeder.' Chantal haalde diep adem en slikte. Haar wijsvinger ging naar de aan-uitknop, maar bleef tien centimeter voor het compacte paneel hangen.

'Niet uitzetten,' fluisterde ze gedecideerd. Ze legde haar hand weer op het stuur en gaf gas toen het licht op groen sprong. De stem van André Hazes drong tot op zekere hoogte tot haar door; de woorden daarentegen niet. Hoewel ze de laatste dagen goed bezig was, realiseerde ze zich terdege dat er slechts een paar passen waren gezet. Er volgde nog een lange weg. Vol met venijnige, onverwachte hindernissen, waarvan dit liedje een voorbeeld was.

Het was eveneens een soort test. Ze kende de tekst bijna uit haar hoofd, maar gaf door het typerende geluid van Hazes niet écht de kans om haar te raken. Die emoties en pijn kon ze niet aan. Nu nog niet.

Opeens schoot het door haar heen dat Jeroen zich een tijdje geleden groen en geel had zitten ergeren aan de manier waarop Hazes werd herdacht. De Amsterdamse volkszanger was op die bewuste dag één jaar daarvoor overleden. Er werd een standbeeld van hem onthuld, er was een herdenkingsconcert en tien vuurpijlen met daarin zijn as werden de lucht in geschoten. Alles live op televisie.

'Ik word hier misselijk van, Tal. Wat een lijkenpikkerij!' Ze hoorde het hem nog zó zeggen. Precies op het moment dat Rachel, de weduwe van Hazes, haar mond vol had over een door haar geschreven boek waarin het leven van haar overleden echtgenoot centraal stond.

'Vol met onthullingen, omdat Dré het zo wilde.' Een stem met een Rotterdams accent. Vol emotie. Oprecht of gespeeld, daar durfde zij geen uitspraak over te doen. Het Nederlandse volk deed het de daaropvolgende dagen wél. De meesten waren het met Jeroen eens geweest.

Twee jongens op een brommer haalden Chantal in of ze stilstond. Een korte blik op de snelheidsmeter vertelde haar dat ze toch echt vijfenvijftig reed. Stelletje idioten.

Terwijl ze over de Catharijnesingel reed, dwaalden haar gedachten toch weer af naar Jeroen. Toen zij hem die ochtend had verteld dat zij een middagje in Utrecht ging winkelen, waren zijn ogen van verbazing bijna uit hun kassen gerold. Bij wijze van spreken dan, want hij had zijn verbouwereerdheid goed kunnen camoufleren. Tenminste, daar was hijzelf van overtuigd geweest, zo bleek uit zijn zogenaamd ongeïnteresseerde houding. Zij had de onderhuidse verwondering echter opgemerkt. En dat was niet meer dan logisch als je al zo lang lief en leed met elkaar deelde.

Een voorzichtige glimlach brak door. Het was een timide uiting van zowel trots als onzekerheid. Aan de ene kant was ze verguld over haar doortastende optreden van gisteren, aan de andere kant twijfelde ze wel degelijk over de juistheid van de beslissingen.

Na de gesprekken met haar zus en ouders had ze de knoop doorgehakt. Om hun leven weer enigszins op orde te krijgen, diende zij als katalysator te fungeren. Besluiten nemen en ze daadwerkelijk uitvoeren. Toen Jeroen de dag ervoor de deur uit ging om een pakje sigaretten te kopen, was zij direct aan de slag gegaan. Als eerste had ze hun huisarts gebeld voor een afspraak. Als zij eenmaal met Jeroen tegenover hem zat, zou ze vrijuit over diens drankprobleem praten. Om Jeroen niet helemaal op stang te jagen, moest ze bena-drukken dat ze zich ongerust over zijn gezondheid maakte. Het zou een ver-re van prettig gesprek worden, dat was niet zo moeilijk te voorspellen. Toch geloofde zij in een goede afloop, aangezien hun huisarts een redelijke man was voor wie Jeroen veel respect had. Als iemand met een medische achter-grond haar man op de feiten drukte, kon dit, wat betreft het drinken, de ommekeer betekenen. Daar hoopte ze op.

Direct nadat ze de afspraak had gemaakt, draaide ze het nummer van de makelaardij waar ze de laatste jaren op parttimebasis werkte. Haar baas, Hugo Vermeulen, was hoorbaar verrast dat zij meldde weer aan de slag te willen. Tot haar opluchting stelde hij geen lastige vragen, maar mompelde enkel: 'Oké.'

Ze reed de parkeergarage van Hoog Catharijne in en vond een plekje op de derde verdieping. Shoppen, gevoelsmatig was het een leven lang geleden dat ze zich hier vol overgave op had gestort. Ze wilde proberen om een paar uur-tjes alle ellende van zich af te schudden door ongecompliceerd te gaan win-kelen. Een momentopname waarvan ze moest proberen te genieten, reali-seerde Chantal zich donders goed. In Almere zouden de problemen namelijk weer als metgezel fungeren.

13

Chantal nam nog een slok van haar thee, pakte haar bord en liep ermee naar de keuken. 'Ik fris me boven nog even op en ga dan naar mijn werk,' zei ze op een zo achteloos mogelijke toon. Alsof het de normaalste zaak van de wereld was. Ze spoelde het bord en het kopje met de Franse slag af en telde daarna in gedachten af. Bij de derde tel was het al zover.
'Chantal?'
'Ja?'
'Wil je even hier komen?'
Daar gaan we, dacht ze. Terwijl ze zich omdraaide en naar de huiskamer terugliep, nam ze zichzelf een heleboel dingen voor. Voet bij stuk houden, was daarvan de belangrijkste. Met een zelfverzekerde gezichtsuitdrukking keek ze Jeroen aan. 'Wat is er, schat?' Hoewel de woorden er vloeiend uitkwamen, voelde haar keel opeens als schuurpapier aan. Dit kwam hoofdzakelijk door de onverzoenlijke blik die Jeroen haar direct bij binnenkomst had geschonken. Sterk zijn, schoot het door haar heen. Sterk zijn, verdomme!
'Dat zijn geen leuke geintjes, Tal. Doe eens een beetje volwassen, oké?'
Chantal voelde de woede vanuit haar binnenste naar haar hoofd stijgen. Dit was echt de omgekeerde wereld. En dan die blik die hij haar zond! Onverzoenlijkheid was veranderd in hooghartigheid. Hij, en niemand anders, had de wijsheid in pacht. Niet te geloven. De stem der redelijkheid in haar hoofd zei haar dat ze zich vooral billijk op moest blijven stellen en rustig blijven. 'Ik ben gisteren toch duidelijk geweest, Jeroen? Vandaag ga ik het een paar uurtjes proberen. Lukt het niet, dan vertrek ik gewoon eerder.'
Jeroen frommelde nerveus met de vingers van zijn rechterhand in het linkerborstzakje van zijn overhemd. Hij viste er een pakje sigaretten uit en stak er eentje op. Hij inhaleerde diep. 'Dus jij gaat vandaag weer aan het werk?' sprak hij op een toontje dat suggereerde dat hij tegen een kind sprak dat eens flink de les moest worden gelezen. 'En denk jij nou werkelijk dat ik het toesta dat jij jezelf in de komende uren onsterfelijk belachelijk gaat maken, Tal? Werken is volstrekt niet aan de orde. Wij zitten nog volop in een rouwproces, weet je wel? Als jij nu naar je werk gaat, dan beledig jij onze kinderen, mij, en bovenal jezelf.'

Ze ademde diep in door haar neus en blies geluidloos uit door haar mond. Alle goede voornemens leken uit protest tegen zoveel onredelijkheid uit haar poriën te vloeien. Elke zenuw in haar lichaam trok samen. Een inwendig spanningsveld bouwde zich in een razend tempo op. Klaar en gewillig om tot een gigantische verbale uitbarsting te komen die de tegenstander in één klap elke lust tot verdere discussie zou ontnemen. 'De enige die hier van beledigen een sport heeft gemaakt ben jij, Jeroen.' Ze verwonderde zich over zowel de milde tekst als de kalme manier waarop ze de zin uitsprak. De automatische piloot die de woorden had verstuurd, beschikte over stalen zenuwen.

'Uit jouw reactie blijkt ook dat jij mij niet serieus neemt,' ging Chantal verder. 'Gisteravond heb ik je toch verteld dat ik vandaag weer aan het werk ging, nietwaar? Blijkbaar had jij het te druk met jouw boezemvriend Johnny Walker.'

Aan de reactie van Jeroen zag Chantal dat ze een gevoelige snaar had geraakt. De bekende zenuwtic onder zijn linkeroog speelde op en zijn handen begonnen licht te trillen. In stilte vervloekte ze zichzelf. Dit was geen eerlijke woordenwisseling. Enkel fysiek gezien waren er twee partijen. Mentaal was het twee tegen één. Jeroen was eveneens tegenstander van zichzelf.

'Ah, ik zie dat de feministe in jou is opgestaan,' snauwde Jeroen. Hij keek opeens fel uit zijn ogen en drukte zijn sigaret venijnig in de asbak uit. Hierna balde hij zijn rechterhand tot een vuist. 'Nu moet jij eens heel goed naar mij luisteren, Chantal. Jij gaat niet naar je werk. Vandaag niet, morgen niet en ook volgende week niet. Wij zitten nog midden in een rouwproces. Aangezien jij daarbij geen passende verantwoordingen wilt nemen, dien ik nu op mijn strepen te gaan staan.' Hij keek haar aan met gloeiende ogen die door een mysterieuze koorts leken bevangen. 'Jij blijft vandaag gewoon thuis. Ik beveel het je.'

Enkele seconden heerste er in de huiskamer een stilte waarop een hoog voltage rustte. Uiterlijk onbewogen beantwoordde Chantal zijn bezeten blik. Tot aan de laatste zin had ze haar zelfbeheersing kunnen bewaren. De krachten die er nu echter vrijkwamen kon ze niet meer beteugelen. 'Dus jij beveelt mij, Jeroen?' zei ze met afgeknepen stem. 'Laat ik jou dan voor eens en voor altijd duidelijk maken dat ik mij door niemand laat bevelen. En zeker niet door een waardeloze vent die zichzelf uitermate zielig vindt en daardoor zijn verdriet de godganse dag verdrinkt.'

Uit de blik die zij hem toezond sprak voornamelijk minachting. Haar wijsvinger priemde beschuldigend in zijn richting. Alle opgekropte woede en frustraties zochten en vonden een uitweg. Fysiek en verbaal. 'De pijn en het

93

schuldgevoel zullen nooit verdwijnen, Jeroen. Het zal hooguit met de loop der jaren minder worden. Dat betekent dus eigenlijk dat het rouwproces ons hele leven lang door zal gaan. Er is namelijk geen uur op de dag dat je niet aan je kinderen denkt.'

Ze haalde diep adem. 'Het gaat er nu om hoe wij ons leven in gaan vullen. Proberen wij er nog iets van te maken, of gaan we de hele dag zielig doen en categorisch elk contact met de buitenwereld weigeren? Ik wil in elk geval het eerste. Dat ben ik namelijk aan Dennis en Max verschuldigd. Als ze ons in deze staat zouden zien, dan schaamden ze zich vast en zeker dood.'

Jeroen reageerde als door een adder gebeten. Hij stond razendsnel op en was met drie grote passen bij haar. Vlak voordat zij elkaar zouden raken, hield hij zijn pas abrupt in. Chantal schrok zichtbaar van zijn agressieve gedrag. Was het haar houding of de foute formulering van haar laatste zin die hem opeens zo razend maakte? vroeg ze zich in een halve seconde af. Voor een antwoord ontbrak de tijd, aangezien Jeroen ongegeneerd tegen haar ging schreeuwen. 'Waag het niet om ooit nog op die manier over mijn kinderen te spreken, pokkenwijf!' Dreigend hief hij zijn rechterhand op. 'En nou opgesodemieterd, jij!'

Chantal reageerde instinctief. Ze schoot met een snelle beweging langs haar echtgenoot heen. Zonder verder om te kijken graaide ze haar handtas van de salontafel en opende de deur naar de gang. Toen ze de haar jas van de kapstok pakte hoorde ze Jeroen vanuit de woonkamer tieren. 'Ga maar gauw naar die makelaarsvriendjes van je. Probeer daar dan gelijk een slaapplaats voor vanavond te regelen, want hier kom jij er niet meer in. Misschien moet je er wel je benen wijd voor doen, maar ja, wat kan jou dat nou schelen. Iemand die zijn gezin kan verraden, kan ook de hoer spelen, nietwaar? Teringwijf dat jij d'r bent!'

Om de verschrikkelijke woorden een halt toe te roepen, smeet Chantal de voordeur achter zich dicht. Terwijl ze naar haar auto liep, vocht ze tegen de opkomende tranen. Ze voelde zich gelijktijdig slachtoffer en dader. Deze escalatie had ze niet voorzien en zeker niet gewild. Toch was het volledig uit de hand gelopen. Een stommiteit die ze geheel op haar eigen conto kon schrijven, aangezien Jeroens geestestoestand tegen ontoerekeningsvatbaar aan zat. In de hoop dat hij de komende uren af zou koelen, startte ze de auto en reed weg.

Ruim vier uur na de hoogoplopende ruzie met haar man verliet Chantal met een voorzichtige glimlach op haar gezicht de makelaardij. De ochtend die zo slecht was begonnen, had een geweldig vervolg gekend. Vanaf het moment dat ze was binnengestapt, hadden haar collega's haar fantastisch opgevangen.

Toen ze bij haar auto aankwam, draaide Chantal zich om en zwaaide naar Annemieke. De receptioniste zei haar met een brede armzwaai gedag en greep vervolgens naar de telefoon. Annemieke was de enige die zij vanaf de parkeerplaats kon zien. De burelen van de rest van haar collega's bevonden zich aan de achterzijde van het pand.

Chantal stapte in en reed weg. De radio liet ze bewust uit. Omdat ze zich gelijktijdig opgelucht en vrolijk voelde, kwam de muziek vanuit haar binnenste. Tijdens het rijden neuriede ze het deuntje van het eerste liedje dat haar te binnen schoot.

Terwijl ze op een relaxte manier achter het stuur zat, liet ze het prettige gedeelte van deze ochtend passeren. Reeds vanaf het moment dat zij, best wel zenuwachtig, het pand was binnengekomen, hadden haar collega's haar het gevoel gegeven dat ze nooit was weggeweest. Iedereen deed normaal, er werd gelachen en... niemand stelde vragen waarbij zij zich weleens ongemakkelijk zou kunnen voelen.

Natuurlijk werd de vraag 'Hoe is het ermee?' gesteld. Dit gebeurde echter terloops en fatsoenshalve. Haar antwoord was dat ook, waarmee de kous direct af was. Niemand ging er verder op door.

Het werk op zich was een makkie. Dossiers updaten, dingen die ze bij wijze van spreken met haar ogen dicht kon doen. Ze had een aan zekerheid grenzend vermoeden dat haar taken voor deze morgen door haar collega's in scène waren gezet. Geen taart, bloemen en emotionele toestanden, maar gemakkelijk werk zodat ze rustig haar parttimejob weer op kon pakken. Dit hadden ze precies goed ingeschat, dacht Chantal. Klasse.

De omschakeling van werk naar de huiselijke situatie was lastig. De vriendelijke gezichten van kantoor moesten nu wijken voor het stuurse gelaat van Jeroen. Als hij tenminste thuis was. Het woord 'als' kwam enkele malen nadrukkelijk in een andere context bij haar op.

Ze parkeerde haar auto voor hun huis. Ze opende de voordeur en hing haar jas weg. Doordat het verder doodstil in huis was, hoorde ze hoe boven het water uit de douche stroomde. Op weg naar de keuken hield ze even stil bij het trapgat. 'Ik ben thuis!' Omdat er na enkele seconden geen reactie volgde, probeerde ze het nogmaals. 'Jeroen?'

Chantal haalde haar schouders op. Misschien voelde Jeroen zich na zijn belachelijke gedrag van die morgen zo bezwaard dat hij nu fris en monter voor haar wilde verschijnen. 'Ik hoop dat hij zijn mond met groene zeep heeft uit-gespoeld,' zei ze grijnzend tegen de inhoud van de koelkast. Hierna pakte ze een pak appelsap en schonk wat voor zichzelf in. Met het halfvolle glas in haar rechterhand liep ze direct door naar de woonkamer.

Om dit tijdstip was RTL 7 haar favoriete zender. Behalve het financiële nieuws kwamen er eveneens andere onderwerpen aan de beurt. Het balkje met de beursnoteringen dat onder aan het scherm liep nam ze voor lief. Van aande-len wist ze niets.

Met interesse keek ze naar de afschuwelijke beelden van een walvisjacht. Er werd gefilmd vanuit een helikopter, wat het geheel zowel authentieker als luguberder maakte. De voice-over meldde dat het hier om een illegale jacht ging van een Zuid-Koreaanse walvisvaarder. Helemaal spannend werd het toen een bemanningslid op de helikopter schoot. De piloot zwenkte het toe-stel, wat het einde van dit item betekende.

Toen de presentator overschakelde naar een gehucht in de provincie Gronin-gen waar een wilde staking onder het personeel van een machinefabriek was uitgebroken, schudde Chantal met haar hoofd en klakte verontwaardigd met haar tong. De beelden van de weerzinwekkende walvisjacht stonden nog vers op haar netvlies.

Mensen zijn erger dan beesten, dacht ze. Ze doen echt alles voor geld, het is te walgelijk voor woorden. Ze dronk haar glas leeg en stond op om het bij te vullen. Ze vroeg zich af of die dorst soms door de kantoorlucht kwam. Ze haalde haar schouders op. De komende dagen zouden het uitwijzen, vroeger had zij er in elk geval nooit last van gehad. En mocht zij opeens door de lucht van de airco dorst krijgen, dan was dat niet meer dan jammer. De afwisseling op kantoor was haar namelijk prima bevallen. De droge lucht van een airco weerhield haar er echt niet van om de volgende dag weer naar het werk te gaan. O, nee. Al moest ze bij wijze van spreken kruipen: gaan deed ze.

Op het moment dat zij zich op de bank wilde laten ploffen, realiseerde Chan-tal zich dat zij geen gestommel op de bovenverdieping hoorde. Ze zette haar glas neer en liep naar het trapgat. In de tussenliggende seconden bedacht ze dat het toch wel een vreemd tijdstip was om te douchen. En nog wel zo lang... 'Jeroen!'

Ze pakte de afstandsbediening en zette de televisie zachter. Vaag hoorde ze hoe in de badkamer de stralen tegen de kunststofbodem van de douche klet-terden. Terwijl ze op het punt stond zich om te draaien en weer televisie te gaan kijken, kronkelde een onbehaaglijk gevoel door haar maag.

Waarom reageerde Jeroen niet? Was hij nog boos op haar?

Het nare gevoel veranderde in lichte paniek.

Misschien was hij uitgegleden en lag hij bewusteloos op de grond. Een elektrische schok gierde langs haar rug. Ze zag haar man in gedachten liggen. Hulpeloos, het water stroomde zijn mond binnen. Hij kreeg geen adem meer.

'Nee!'

Er bestond opeens geen twijfel meer. Het was mis. Ze rende naar boven. Elke stap bracht haar twee treden dichter bij de overloop waaraan de badkamer lag. Zonder haar pas in te houden smeet Chantal de deur hiervan open.

'Jeroen!'

Het silhouet achter de douchecabine voldeed aan het ergste scenario wat er sinds enkele tellen door haar hoofd spookte. Met een snelle ruk trok ze de harmonicadeur opzij. Twee hartslagen verder stokte haar adem. Wat zij voor zich zag vervulde haar met een mengelmoes van opluchting en ontreddering. Welke van de twee aan het langste eind zou trekken, was nu nog onduidelijk. Daarvoor was de eerste aanblik te heftig.

Jeroen was volledig gekleed en zat met opgetrokken knieën in de douchecabine. Hij neuriede zachtjes. Waarschijnlijk een liedje, al was dat moeilijk vast te stellen omdat de melodie ervan nogal onsamenhangend klonk. Zijn ogen waren wijd opengesperd. Hij keek recht voor zich uit, maar leek geen flauw benul van zijn omgeving te hebben.

'Mijn god... Jeroen.' Chantal was de schrik te boven en draaide de douchekraan dicht. Hoewel haar hart nog steeds sneller dan normaal klopte, voelde zij een bepaalde rust in haar lichaam en geest terugkeren.

Toen de straal ophield, ging zij op haar knieën tegenover haar man zitten. Terwijl Jeroen apathisch voor zich uit bleef staren, aaide ze zijn gezicht. 'Het komt allemaal goed,' fluisterde ze. 'Dat beloof ik je.'

Een teken van herkenning bleef uit.

14

Chantal zag hoe haar zus gejaagd de hoofdingang van het Flevoziekenhuis binnenkwam. Ze aarzelde geen moment en liep naar haar toe. Hoewel het een komen en gaan van mensen was, merkte Denise haar enkele seconden later al op. 'Chantal.' Ze strekte haar armen half uit om haar oudere zus op te vangen. Chantal liep zacht tegen haar aan en liet zich omarmen.

'Rustig maar, lieverd,' suste Denise. Terwijl ze dit zei, keek ze om zich heen. Ergens moesten zich stoelen bevinden. Dat hoorde gewoonweg bij de ontvangsthal van een ziekenhuis... toch? Ze aaide geruststellend over de bruine haren van Chantal. In haar ooghoek zag ze hoe een ouder echtpaar van een bankje opstond. 'Kom op,' fluisterde ze. 'We gaan even zitten. Dan kunnen we er rustig over praten.'

In plaats van zich gedwee mee te laten leiden, schudde Chantal heftig met haar hoofd. 'Nee, ik wil niet zitten. Ik wil hier weg. Naar buiten, lopen, frisse lucht.'

Denise voelde aan dat het onverstandig was om tegen de stroom in te roeien. Chantal was behoorlijk over haar toeren en als ze per se naar buiten wilde, dan moest dat maar. Ze pakte Chantals hoofd tussen beide handen en drukte een kus op het puntje van haar neus. 'Kom op, dan gaan we een stukje lopen.'

Chantal probeerde een glimlach te produceren. Het werd een flauw aftreksel, aangezien andere emoties nog vrij spel hadden.

Ze liepen naar buiten. Het regende licht. Ze lieten hun jas open en de kraag naar beneden. De ontelbare speldenprikjes voelden verfrissend aan. Een echte nazomerse dag in de voormalige polder.

'Ik begrijp dat je van streek bent,' zei Denise nadat ze een paar minuten stilzwijgend naast elkaar liepen. 'Maar probeer bij het begin te beginnen. Dat scheelt misverstanden en onbenullige vragen achteraf.'

Chantal knikte en zuchtte gelijktijdig. De beelden van de totaal ontredderde Jeroen stonden nog vers op haar netvlies. Terwijl ze naar woorden zocht, keerde ze in gedachten terug naar de badkamer. De daaropvolgende zinnen klonken afgebeten. Als van een voorgeprogrammeerde robot, of van een gehersenspoelde gevangene tijdens het zoveelste verhoor.

Denise hield plotseling haar pas in en legde een arm om de schouder van haar zus. 'Doe eens rustig aan, meid. Je lijkt wel een volslagen vreemde die een versje opdreunt.'

Een vluchtige glimlach gleed over het gespannen gezicht van Chantal. 'Ik breng het er niet best van af, hè?'

'Je doet het prima, joh. Alleen je gedachten zijn ergens anders. Daarom komt het allemaal een beetje afstandelijk over.'

Chantal haalde haar schouders op en schudde met haar hoofd. 'Sorry.'

Denise drukte haar steviger tegen zich aan. 'Ben je gek. Ga maar gewoon verder met je verhaal en probeer de akelige dingen die door je hoofd spelen te negeren.' Ze stak haar hand omhoog en sloeg haar ogen ten hemel. 'Ja, ja, ik heb makkelijk praten.'

Het waren niet de woorden, maar de toon waarop haar zus sprak. De zelfspot kon de warmte die erin doorklonk niet verbloemen.

Chantal pakte de draad van haar verhaal weer op. 'Nadat ik Jeroen in de douchecel aantrof, draaide ik meteen de kraan dicht. Een natuurlijke reactie. Daarna probeerde ik om contact met hem te krijgen. Ik weet dat het stom klinkt, maar...' Ze slikte de emotionele prop in haar keel weg. 'Alleen qua uiterlijk was het Jeroen. De binnenkant deed niet meer mee. De blik in zijn ogen was leeg. Hij reageerde nergens op. Zat voor zich uit te staren en te neuriën.'

Ze laste een korte stilte in. Zelfs tegenover haar zus was het lastig om te beschrijven wat ze had meegemaakt. Toch wilde ze haar verhaal afmaken. De weegschaal naar de goede kant door laten slaan. Een ingetogen houding of openheid was de tegenstrijdigheid die aan haar vrat. Ze wilde haar waardigheid behouden, terwijl het vertellen van de akelige details toch opluchtte. Ze moest het aan iemand kwijt. Dat was nu een prioriteit. Ze had in de afgelopen weken al te veel opgekropt. Die 'iemand' bij wie ze haar hart uitstortte kon het best haar zus zijn. Een van de weinige mensen die ze onvoorwaardelijk vertrouwde. 'Na enkele minuten gaf ik het op,' ging Chantal verder. 'Ik sprak tegen een zombie met het uiterlijk van mijn man. Ik nam de gok om hem enkele ogenblikken alleen te laten en rende naar de telefoon. De ambulance was er hooguit tien minuten later.'

'Dan heb je geluk gehad,' reageerde Denise meteen. 'Ik heb verhalen gehoord van mensen met een slagaderlijke bloeding die een halfuur moesten wachten.' Direct na deze woorden vervloekte ze haar spontaniteit die op momenten als deze een heuse tegenstander was. 'Dan bedoel ik natuurlijk dat er al iemand in de buurt was die hielp,' zei ze snel om haar vreemde reactie enigszins recht te breien. 'Iemand met een medische achtergrond, die precies wist waar het drukpunt zich bevond.' Dat laatste was nog blijven hangen van de verplichte EHBO-cursus die ze voor haar werk had moeten volgen.

'De ambulance was toevallig in de buurt,' reageerde Chantal droog. 'Anders had ik veel langer moeten wachten. Het was technisch gezien namelijk geen levensbedreigende situatie.' Ze haalde haar schouders op. 'Dat vertelden ze me later pas.'

Opeens bleef ze staan en knikte met haar hoofd in de richting van de ingang van het Flevoziekenhuis. 'We kunnen maar beter teruggaan. Ik wil niet te ver uit de buurt van Jeroen zijn.'

'Dat begrijp ik,' zei Denise.

In een rustig tempo liepen ze terug. De regen bleef gestaag vallen. Een passend decor voor hun gemoedsrust.

'Ik mocht niet mee in de ambulance. Waarschijnlijk de regels. Heb daar verder niet over geklaagd, maar ben in de auto gesprongen. Leek me het verstandigst. Eenmaal in het ziekenhuis werd ik naar de afdeling psychiatrie verwezen.'

Geheel tegen haar natuur in telde Denise in stilte tot drie. Hierna formuleerde zij haar antwoord. 'Ik heb er eigenlijk nooit bij stilgestaan dat een ziekenhuis een psychiatrische afdeling heeft. Dat associeer je eerder met een inrichting ergens in de bossen. Of zeg ik nu iets stoms?'

Er verscheen kortstondig een meewarige glimlach op het gezicht van Chantal. 'Ik begrijp wat je bedoelt. Toen ik werd doorverwezen schoot iets dergelijks ook door mijn hoofd.'

De afstand tot de ingang bedroeg nog een kleine vijftig meter. Denise wist dat bij elke meter dat de deuren van het ziekenhuis naderden, haar zus het moeilijker kreeg. Logischerwijze wilde zij dicht bij haar man zijn. Aan de andere kant was het zo dat niemand voor de lol een ziekenhuis binnenging. Elke keer was er weer die drempel. Zelfs als je op bezoek ging bij een collega die een paar dagen daarvoor aan een blindedarmontsteking was geopereerd. Op het moment dat je het ziekenhuis verliet, slaakte je altijd die onhoorbare zucht. De zin 'gelukkig is het een collega en niet iemand van de naaste familie' zat verpakt in de ontsnappende lucht.

'Heb jij Jeroen nog gezien?' Denise wilde het stilvallende gesprek op gang houden. 'In het ziekenhuis, bedoel ik.'

Chantal schudde ontkennend met haar hoofd. 'Ongeveer een kwartier nadat ik op de afdeling was aangekomen, stelde een arts zich aan mij voor. Dokter De Boer. Een bijzonder vriendelijke man. Hij vertelde me dat hij zich goed voor kon stellen dat ik behoorlijk was geschrokken. Het ging inmiddels beter met Jeroen. Tenminste, dat begreep ik uit zijn woorden. Hij gebruikte meerdere malen het woord "stabiel".

Denise fronste haar wenkbrauwen. 'Waarom mocht je er dan niet bij? Hij was toch stabiel?'

'Omdat ze rust om hem heen wilden,' antwoordde Chantal. 'Tevens moesten er een paar onderzoeken gebeuren.'

Denise keek haar verwonderd aan.

'Wat precies weet ik niet,' zei Chantal. 'Daar ging die arts verder niet op door.'

Ze liepen de hal van het Flevoziekenhuis binnen. Van het ene op het andere moment bevonden ze zich weer in de georganiseerde mierenhoop in mensengedaanten.

'Na jouw telefoontje heb ik meteen pa en ma gebeld,' zei Chantal terwijl ze in de richting van de liften liepen. 'En daarna Sander.' Ze keek op haar horloge. 'Het kan nooit lang meer duren voordat ze er zijn.'

'Dat ligt eraan,' zei Denise. 'Tegenwoordig heb je op de gekste tijden files.' Omdat een reactie uitbleef, hield ze haar pas in. Tot haar verwondering liep Chantal niet meer naast haar. Ze keerde zich om en zag dat haar zus ruim twee meter achter haar stilstond. Haar blik was strak op de balie gericht.

Twee tellen later zag Denise waarop de oogopslag van haar zus was gefocust. Schoonmoeder Dorien sprak met een baliemedewerkster. Of deelde deze iets mee. Haar karakter kennende, kon dit best het geval zijn. Zoals gewoonlijk zag zij er weer uit alsof ze rechtstreeks van zowel de kapper als een luxe boetiek kwam. Haar kapsel was onberispelijk. Ze kon er zo mee in een trendy modeblad. De zwarte mantel zat haar als gegoten en diende als luxueus omhulsel voor het getailleerde mantelpakje dat zij er ongetwijfeld onder droeg. Vanwege haar sterke uitstraling en natuurlijke charme leek het alsof de drukte volledig langs haar heen ging. Een onbeduidend detail waaraan zij geeneens aandacht schonk. Zelfs hier in dit ziekenhuis, waar lief en vooral leed het hoofdbestanddeel van de dag vormden, hing er een aura van onschendbaarheid en onwereldse zelfverzekerdheid om haar heen. Zij, Dorien van der Schaaf, was het onbetwiste middelpunt van het universum. En degene die dit wilde betwisten, kwam van een koude kermis thuis. Haar hele voorkomen straalde dit uit. Daar had ze geen woorden voor nodig.

'Gaat het, Chantal?' vroeg Denise voorzichtig. Hoewel ze het niet liet blijken, schrok ze van de metamorfose die haar oudere zus in enkele seconden had ondergaan. Haar gezicht werd zichtbaar bleker en de onzekerheid kreeg vaste grip op haar houding. De invloed van Dorien reikte blijkbaar ver, ging het door Denise heen. Helemaal wanneer iemand een moeilijke periode beleefde, naar balans zocht. Zo iemand als Chantal, wist ze.

Naast Dorien stonden Sander en Evelien. Schoonzoon en dochter, trouwe chauffeur en diens volgzame ondergeschikte. Voor zover Denise het van deze afstand kon bekijken, zag ze iets in Eveliens blik wat eventueel op ongerustheid zou kunnen duiden. Bij Sander was dit geenszins het geval. Hij leunde nonchalant tegen de balie en glimlachte charmant tegen de medewerkster van het ziekenhuis. Zo op het eerste gezicht had zijn houding meer weg van iemand die bij een vijfsterrenhotel incheckt.

Aangezien het drietal voornamelijk met zichzelf bezig was, bleef hun aanwezigheid nog onopgemerkt. Denise wist dat dit een uitgelezen moment was waarop ze haar zus zowel fysiek als mentaal moest ondersteunen. Ze gaf Chantal een arm. 'Had ik je al verteld dat ik een tijdje bij jou kom logeren?' zei ze op luchtige toon. De guitige uitdrukking op haar gezicht was gespeeld, maar bereikte wel het beoogde effect.

Even snel als de starre blik in Chantals ogen was verschenen, verdween deze. Er verscheen zelfs een voorzichtige glimlach om haar mondhoeken. 'Echt waar?'

'Zeker weten.'

'Maar je werk dan?'

Denise maakte een wegwerpgebaar. 'Wat kan mij dat nou toch schelen. Jij bent honderdduizend maal belangrijker.'

Hierna kruisten hun blikken elkaar. Een speciaal moment, wat de toenemende drukte om hen heen niet kon verstoren. Twee zussen met een sterke band die tegen elkaar spraken zonder dat er woorden aan te pas kwamen.

'Laten we hen maar gaan begroeten,' zei Denise, de onderlinge stilte doorbrekend.

Samen liepen ze naar de balie toe.

September

15

Haar hand gleed over het onderlaken. Sommige dingen kon je domweg niet voorkomen. Ook niet als je jezelf had geïnstrueerd om van die specifieke plek weg te blijven. Daar kwam enkel onnodig zeer van. En van dat laatste had ze haar portie wel gehad. In tweevoud, elke keer onevenredig veel.

Slapen ging niet. De demonen in haar hoofd vierden feest. Haar geest was een vergaarbak van ellende waarin deze wezens goed gedijen. Verwijten werden over en weer geslingerd, verdriet luidkeels aangemoedigd en schuldgevoel tot een hoofditem opgewaardeerd. Het was een dolle boel in de hel.

Plotseling zat Chantal rechtop in bed. Ze hield beide handen tegen haar oren geklemd. Als een verwend kind dat weigert nog langer naar haar ouders te luisteren.

De stemmen maakten haar gek. Een mengelmoes van berispingen, ontkenningen en verwensingen die zowel fluisterend als luidkeels werden uitgesproken. Ze kneep haar ogen zo hard dicht dat het pijn deed. Haar handen drukten tegen beide slapen. Het waren tevergeefse handelingen. De ontelbare duivels lieten zich niet van hun eigen feestje wegsturen.

Ze stapte uit bed en glipte in een badjas. Dit ging niet langer, ze moest weg uit de slaapkamer. Wellicht zouden de gedrochten in haar hoofd een andere omgeving als vijandelijk beschouwen en de wijk nemen. Een broze veronderstelling, maar ze moest toch wat ondernemen. Elke seconde die ze nog langer in de slaapkamer bleef, bracht haar dichter bij het punt van ontluikende krankzinnigheid.

Chantal keek zorgvuldig waar ze haar voeten neerzette. Hoewel het huis nog geen tien jaar geleden was opgeleverd, had het al typische kenmerken. Dingen die enkel de vaste bewoners wisten. De derde tree van boven die kraakte, een bobbel in het tapijt van de overloop die een vreemd geluid maakte als je er met je volle gewicht op ging staan, het middenstuk van de trapleuning dat piepte als je het te veel belastte. Tijdens de complete stilte die er nu in huis hing, konden deze geluiden als kanonschoten klinken, wist ze uit ervaring.

Het laatste wat ze wilde was Denise wakker maken. Na de opname van Jeroen was ze bij haar ingetrokken. Ze had buitengewoon verlof gekregen van haar werk en de logeerkamer diende nu als tijdelijk onderkomen. Sinds dat moment had haar jongere zus zich als een moeder over haar ontfermd. Alles had ze haar uit handen genomen. Snel iets afwassen, een vuilniszak buiten zetten of een nieuwe rol wc-papier ophangen. Denise deed het. De keerzijde van de vrolijke flapuit die maling aan de hele wereld had, was nog nooit zo duidelijk aan het licht gekomen.

Chantal liep voorzichtig naar de keuken. Ze schonk zichzelf een glas appelsap in en wandelde op haar tenen de huiskamer binnen. Ze vermeed de punten die het parket gemeen lieten kraken. Het enige geluid was het onregelmatige getik van de regen op de ramen. Dat wilde ze zo houden.

De comfortabele bank voelde aan als een houten bank. De stilte in de huiskamer was beklemmend en haar blote voeten waren net ijsklompen. Een rilling trok over haar rug. Dat kon ook door de appelsap komen, dacht ze. Die kwam tenslotte rechtstreeks uit de koelkast.

Het lawaai in haar hoofd was minder geworden. De storm was afgenomen tot een bries. Een flinke, dat wel. De stemmen waren er nog steeds, maar ergens onderweg van de slaapkamer naar de bank had haar geest enigszins houvast op haar eigen domein kunnen krijgen. Meerdere zaken tegelijk overdenken was echter nog een utopie. Ze moest zich nu focussen op één enkel onderwerp. Wellicht dat ze dan via de weg der geleidelijkheid de grip op haar eigen brein kon terugkrijgen. In elk geval vergroten.

Dat Dorien dit onderwerp moest zijn, stond vast. Dan kon ze zich in stilte verwonderen over de politiek die haar schoonmoeder voerde. Wellicht zou ze zich te buiten gaan aan een zeldzame emotie: haat. In plaats van zichzelf schuldig aan zo'n beetje alles te voelen, was het nu haar beurt om in gedachten eens ongecensureerd te foeteren. Om Dorien helemaal de huid vol te schelden, haar te beschuldigen van de vreselijkste dingen. Heel misschien zou ze zich dan beter voelen.

Chantal ademde een paar maal diep in door haar neus en blies krachtig door haar mond uit. Terwijl ze dit deed, daalden haar mondhoeken en wenkbrauwen. Beide ogen kneep ze iets samen. Hierdoor kreeg haar gezicht een boosaardige uitdrukking. Het was tijd voor een privéoorlogje. Zij was er klaar voor.

Door de vijandigheid die ze vanuit haar binnenste opwekte, verdween de kou die haar daarnet nog had doen rillen. Het denkbeeldige vuur verwarmde haar dusdanig dat ze de ceintuur van haar kamerjas losmaakte. Hierna lieten de duim en wijsvinger van haar rechterhand de bovenkant van haar pyjama flink wapperen. Hierdoor gleed er frisse lucht langs haar huid die ineens als verkoelend in plaats van koud aanvoelde.

Terwijl haar blik naar het zwarte scherm van de televisie trok, waren haar gedachten weer in het Flevoziekenhuis toen Jeroen was opgenomen. Ze liep met Denise naar de balie om haar schoonfamilie te begroeten. De kilte die ze voelde toen ze recht tegenover Dorien stond was angstaanjagend. De kus die Dorien op haar wang gaf was er een zonder warmte. Haar lippen voelden koud aan. Doods. De zuinige glimlach was enkel een farce, waarmee ze haar ware gevoelens en gedachten maskeerde.

Toch kon ze hier wel mee leven, dacht Chantal. Ze wist hoe haar schoonmoeder in elkaar zat. Het was een illusie om te veronderstellen dat na het overlijden van Max en Dennis en de psychische ineenstorting van haar enige zoon bij deze vrouw menselijke trekjes boven zouden komen drijven. Nee, dat was even onwaarschijnlijk als een liefdesverklaring van de paus aan het communisme. Hoewel ze zich rot voelde, glimlachte Chantal om deze vreemde vergelijking. Hoe kon ze zoiets absurds op dit tijdstip bedenken?

Het prettige gevoel tijdens dit korte intermezzo verdween direct toen ze weer samen met Denise en haar schoonfamilie in de lift van het Flevoziekenhuis stond. Het toeval wilde dat er geen buitenstaanders waren ingestapt. Een gegeven dat normaliter tot een gesprek of op zijn minst een aantal vragen van de kant van haar schoonfamilie had moeten leiden. Tot haar grote verwondering hield iedereen stevig de kaken op elkaar! En dat terwijl Jeroen met een zenuwinzinking was opgenomen! Geen woord, geen vraag, niets. Ze negeerden haar en Denise alsof zij lucht waren. Verontreinigde, waar je maar beter niet mee in aanraking kon komen.

Terwijl ze langs de verschillende afdelingen zweefden kwam het nog even in haar op dat de hele schoonfamiliekliek gewoon bezorgd en dus gespannen was. Het kon dus zijn dat ze het zich verbeeldde. Eenmaal op de psychiatrische afdeling aangekomen, bleek dat deze veronderstelling geen hout sneed. De ongeïnteresseerde, bijna vijandige houding van het drietal naar hen toe bleef geheel intact. 'Het is verdorie toch ongelooflijk,' fluisterde Chantal terwijl de beelden helder aan haar voorbijtrokken.

'Ik ben Dorien van der Schaaf, de moeder van Jeroen van der Schaaf die vandaag is opgenomen,' hoorde ze haar schoonmoeder zeggen tegen de eerste de beste verpleegster die zij tegenkwam. 'Ik zou graag de dienstdoende arts spreken.' Een mededeling, geen verzoek. Op een charmante manier uitgesproken. Vriendelijk, doch beslist.

De verpleegster bleek echter een ervaren vrouw die niet warm of koud werd van Doriens benadering. Ze glimlachte meegaand en vroeg of ze plaats wilden nemen. Zo gauw de arts tijd had, zou hij naar hen toe komen.

'Fijn dat u zo vriendelijk bent om dit snel te regelen,' had Dorien geantwoord. Om haar lippen speelde eveneens een gefingeerde glimlach. De verpleegster mocht dan een koele kikker zijn, zo snel liet de geraffineerde Dorien zich niet uit het veld slaan. Het sussende 'rustig maar, ma,' van Sander toen de verpleegster was verdwenen, wimpelde zij met een pittig handgebaar af. Dorien liet zich door niemand de les lezen. Dit gold eveneens voor adviezen. Of deze goed bedoeld waren deed niet ter zake.

Tot aan het moment dat de arts zich bij hen meldde, werd er geen woord gesproken. De tien minuten die dokter De Boer op zich liet wachten, duurden gevoelsmatig een uur. Toen hij op hen afstapte, was er direct de herkenning. 'Dag, mevrouw Van der Schaaf. Waarmee kan ik u van dienst zijn?' Hij gaf haar kort een hand.

Verder had Dorien het niet laten komen. Ze had haar direct verbaal opzijgeschoven, alsof zij het zielige, geestelijk onvolwaardige lid van de familie was. En zij had het laten gebeuren. Dat was eigenlijk nog het ergste ervan.

'Ik ben Dorien van der Schaaf,' gonsde het nu in haar hoofd. 'U begrijpt dat mijn schoondochter een moeilijke periode doormaakt. Wij willen haar steunen en zo veel mogelijk taken uit handen nemen.' Hierna gaf ze dokter De Boer hartelijk een hand en won hem voor zich. Binnen een minuut draaide alles om Dorien en bevond zij zich ergens op de achtergrond. Het sufferdje van de familie die geholpen diende te worden omdat zij het niet meer aankon...

Chantal kneep beide ogen stevig dicht. Haar handpalm omklemde haar voorhoofd. Ze voelde kleine zweetdruppeltjes, uitvloeisels van het vuur dat binnenin haar oplaaide. Ze klemde haar kaken op elkaar. 'Rotwijf', zei ze. Door de intensiteit in haar stem klonk het scheldwoord in de doodstille kamer als een regelrechte bedreiging. Het was tevens een uiting van onmacht. Ze had zich als een klein kind opzij laten zetten. Hoe had zij dit in 's hemelsnaam kunnen laten gebeuren? Waarom was zij niet naar voren gestapt om het initiatief over te nemen?

Haar woede verloor het van de vele vragen die verwoed in haar bovenkamer vochten om als eerste gesteld te worden. Chantal nam nog een slok appelsap. Hierna probeerde ze de wanorde enigszins te ordenen. Ze kneep wederom haar ogen stijf dicht en maakte in gedachten een lijstje waarop de vragen in keurige volgorde stonden geschreven. Enkele seconden later werd het haar al duidelijk dat deze korte missie kansloos was. De vragen lieten zich niet de wet voorschrijven. Ze kwamen gewoon wanneer ze zin hadden. De volgorde bepaalden ze blijkbaar zelf.

Hoe doortrapt was Dorien eigenlijk? Zou ze de psychische instorting van Jeroen misbruiken om hem te beïnvloeden? Om hem tegen haar op te zetten, waardoor het uiteindelijk op een scheiding uit zou draaien? Dan kon hij weer bij zijn moeder intrekken...

Chantal schudde met haar hoofd om de boel daarboven eens flink door elkaar te husselen. Ze was de greep op haar eigen gedachten volledig kwijt. De vragen en voorbarige conclusies stroomden als een woeste rivier. Onbeheerst en overvloedig. Hoewel ze technisch gezien zélf de vragensteller was, had ze sterk het gevoel niet meer dan een toehoorder te zijn.

Chantal balde haar vuist. Ze ging het gevecht met zichzelf aan. 'Jij stelt de vragen,' fluisterde ze. 'Er is niemand anders in jouw hoofd. Jij stelt de vragen zelf, demonen bestaan niet. Jij bent jouw eigen demon. Wees sterk, blijf vechten. Verliezen van jezelf is de grootste zwakte die er bestaat.'

Hiervan werd haar geest rustiger. In het stadium waarin zij zich bevond, was elke overwinning er een. Hoe klein en onbeduidend die ook mocht zijn.

Het typerende gekraak van de derde traptrede van boven onderbrak de vraag die zij zojuist had geselecteerd en aan zichzelf wilde stellen. Deze korte onderbreking zorgde ervoor dat ze weer terug bij af was. Allerlei vragen drongen zich aan haar op. Welke ze zojuist had willen stellen, was haar een raadsel. Dit had alles te maken met de onverwachte situatie die nu ontstond. Binnen enkele seconden zou Denise namelijk de huiskamer in komen lopen.

'Tal?' Denise liep op haar blote voeten rechtstreeks naar de bank toe. Hoewel het in de kamer schemerde, zag Chantal dat ze een slobberig nachthemd droeg. Uit de contouren kon ze eveneens afleiden dat de haardos van haar zus op zijn minst verwilderd te noemen was. Het stond werkelijk alle kanten uit. In een andere situatie dan deze had ze er waarschijnlijk hard om moeten lachen.

'Wat doe je nou?' fluisterde Denise. Ze ging naast Chantal zitten en legde meteen een arm om haar schouder.

'Ik kon niet slapen.'

Denise knikte begrijpend. 'Dit hoort er allemaal bij. Tenminste... dat denk ik.' Ze realiseerde zich dat ze in herhaling verviel. De afgelopen dagen had ze regelmatig woorden gebruikt met dezelfde strekking. Het was zeggen om het zeggen. Praten om de stilte te verdrijven. Die was namelijk triester en onpersoonlijker dan woorden ooit konden zijn.

Chantal schudde ontkennend met haar hoofd. 'Dit hoort er niet bij. Dat is onmogelijk. In plaats van te bedenken hoe Jeroen er weer snel bovenop komt, zit ik me hier druk te maken over mijn schoonmoeder.' Ze zuchtte hardop en voegde er 'dat kreng' aan toe.

Denise wist intuïtief dat het zinloos was om een dialoog aan te gaan. Haar zus zat er compleet doorheen. Ze greep Chantal steviger beet en drukte een tedere kus op haar voorhoofd.

Het daaropvolgende uur luisterden ze naar de regen, die afwisselend op de ramen tikte en kletterde.

God had ook Zijn buien. Vannacht huilde Hij met hen mee.

16

De herfst kondigde zich aan. In de adem van de frisse wind vlogen bladeren in plaats van talloze insecten. De natuur veranderde langzaam van kleur. Het frisse groen begon op verschillende plaatsen het onderspit te delven. Licht- en donkerbruin als voorlopers van onvermijdelijk kaal.

Het Decemberpad was altijd haar favoriete weggetje geweest. Hoewel het officieel een fietspad was, hadden veel mensen het in hun vaste wandelroute opgenomen. Voor sommigen een ideale plek om de hond uit te laten, anderen genoten simpelweg van de rust die deze plek uitstraalde.

Vanwege de omgeving die bijna voor landelijk door kon gaan, had ze het Decemberpad genomen. Natuurlijk had ze ook hier de nodige voetstappen liggen, hetgeen emoties op kon roepen. Maar gold dat niet voor elke plek? De tuin, de straat, het winkelcentrum of de snelweg. Overal kleefden herinneringen aan. Bijna altijd waren het aangename.

Hoewel Denise aandrong om mee te gaan, had ze dit resoluut afgewezen. Ze wilde alleen zijn en een poging doen om haar verdriet een plaats te geven. Dat mocht ook een plaatsje zijn, als ze er maar aan begon. Janken en apathisch voor je uit staren schoot niet op. Dat was het resultaat van de eerste golf van ellende die over je heen spoelde. Daarna moest je door. Anders verdronk je in je eigen misère.

Chantal negeerde de duivels in haar hoofd die om de woordkeus gniffelden. Ze had zich sterk voorgenomen zich niet meer door de foute kant van haar eigen gevoelens te laten manipuleren. Het gevecht van zichzelf winnen was haar eerste prioriteit. Nadat deze klus was geklaard, werd het een stuk gemakkelijker om haar leven weer op orde te brengen. Daar ging ze dan maar van uit. Ergens moest ze namelijk een houvast hebben. Een geestelijk anker dat voorkwam dat ze in een donker gat werd gezogen.

Naast het fietspad liep een sloot. Hoewel de meeste bewoners van de omliggende wijken het meestal als 'kanaal' aanduidden, vertikte zij het de strook water zo te definiëren. Dat had vermoedelijk met haar jeugd te maken. Als klein meisje was ze regelmatig met haar vader meegegaan als hij ging vissen. Vaak zochten ze dan een plekje langs het Amsterdam-Rijnkanaal waarop papa zijn hengel uitgooide. Dat was pas een kanaal. In haar belevenis waren de langsvarende boten immens groot geweest en de golven die zij veroorzaakten reusachtig. In het gras deed ze haar turnoefeningen. Het schoot haar opeens te binnen dat het toen nog gymnastiek heette.

Hoe oud zal ik geweest zijn? vroeg ze zich af. Zeven, acht? Koprollen en een voorzichtige radslag. Heel spannend allemaal. En papa keek met een schuin oog toe. Het andere was gericht op de dobber.

Met een hoofd vol onverwachte herinneringen liep ze de houten brug op die het Decemberpad met de Stedenwijk verbond. In het midden bleef ze staan. Ze draaide naar rechts en keek recht op de Seizoenenbuurt. De wijk waar ze zowat een decennium heerlijke tijden hadden beleefd.

Op het pad waar ze zojuist had gelopen, was het redelijk druk. Een groepje schoolgaande jeugd fietste er op zijn gemak en maakte onderling pret. Ze hielden keurig rekening met een jonge moeder die achter een kinderwagen liep. Met een wijde boog fietsten de tieners om haar heen.

Ergens in de verte liet een man zijn hond uit. Achter hem liep een echtpaar dat waarschijnlijk op leeftijd was. Dit was een schatting, aangezien de afstand waarop zij zich ten opzichte van Chantal bevonden zo'n honderd meter was. Pal achter het echtpaar liep eveneens iemand. Vanaf de positie waarin Chantal zich bevond, was het vrijwel onmogelijk om te constateren of het hier om een man of een vrouw ging. Het kon haar ook niets schelen. Het ging om het plaatje op zich. Dat was rustgevend.

Haar blik dwaalde af naar het troebele water onder haar. De kleur was een vale mengelmoes van lichtbruin, okergeel en groen. Doordat het riet langs de oevers op een professionele manier was onderhouden, oogde het slordig en onstuimig. Precies zoals in een natuurlijk landschap waarin de mens nauwelijks zeggenschap had.

Door haar oogopslag in staren uit te laten monden, wist Chantal dat ze een risico nam. Ze negeerde het onheilspellende gevoel dat haar bekroop en zette door. Dit was de eerste echte beproeving die dag. De directe confrontatie met water.

Tot haar grote opluchting bleef haar blik scherp. De vertroebeling waarin langzamerhand waanvoorstellingen steeds nadrukkelijker werden, bleef uit. Een nuchtere sloot in Almere-Buiten, in plaats van een artificiële Nijl in de tuin van een hotelcomplex aan de zuidkust van Turkije. Er zwommen eendjes, geen krokodillen van plastic. De rietstengels waren weerbarstig en ruig. Een wereld van verschil met de buigzaamheid van tropische palmen.

Op de rechteroever lagen twee blikjes cola. Waarschijnlijk weggeworpen door de plaatselijke jeugd. Het rood stak fel af tegen de aardse kleuren. Hoewel ergens in haar achterhoofd een couppoging plaatsvond, bleef Chantal baas over haar eigen waarnemingsvermogen. Zo nuchter als op dat moment mogelijk was, concludeerde ze dat de twee blikjes in de verste verten niet op zwemvliezen leken.

Ze knikte loom en fluisterde in zichzelf gekeerd: 'Goed zo.'

Hierna wierp ze nog een blik op de sloot. Een dunne glimlach lag op haar lippen. Kanaal. Tja, als je driehoog achter in de Kinkerbuurt in Amsterdam was opgegroeid, kon dit watertje wel voor een volwassen kanaal doorgaan.

Chantal liep het Decemberpad weer op en vervolgde haar wandeling in de richting van de Stedenwijk. Een zucht van opluchting ontsnapte aan haar longen. Voor de eerste opdracht van die dag was ze geslaagd. Het begin was er.

Terwijl ze haar weg met een iets kwiekere trend dan zojuist vervolgde, werd ze van een afstand nauwlettend in de gaten gehouden. Een paar groene ogen hield al haar bewegingen in een waakzame blik gevangen.

17

De nacht was haar wederom onvriendelijk gezind. Slapen bleek een voorrecht dat haar niet werd gegund. Op het moment dat ze beide ogen sloot, kwamen de beelden. Rampzalige fragmenten maakten pijnlijk duidelijk dat haar optreden van die middag op de brug niet eens een pyrrusoverwinning mocht heten. Het was een toevallige oprisping geweest, meer niet.

Ondanks de kilte binnenin stond elke porie open. Zelfs op plekken waarvan ze niet eens wist dat er zich poriën bevonden, was haar huid nat.

Chantal stapte uit bed. De ochtendjas waar ze met een driftige beweging in schoot voelde aan als een extra deken op een zwoele zomernacht. Op haar tenen liep ze naar de badkamer. Ze opende de deur, waarna haar hand op de tast de knop op de spiegelwand van het toiletkastje vond. Ze opende het deurtje en haalde er een klein potje uit. Haar vingers omklemden de medicijnen alsof het een heus kleinood betrof.

Ze liep naar de deur van Denises slaapkamer en luisterde aandachtig. Niets wees erop dat haar zus wakker was. Geen geritsel van gewoel of een flinterdun lichtstreepje dat onder de deurpost door scheen. Beter, dacht ze. Denise had haar slaap hard nodig.

Ze ontweek opnieuw alle punten die voor rumoer in het doodstille huis konden zorgen. Het parket voelde onder haar voeten onnatuurlijk koud aan. Ze moest zichzelf bedwingen om geen kort sprintje naar de bank te trekken.

In de woonkamer was het even donker als in haar hoofd. Om de zwarte atmosfeer wat tegenspel te bieden deed ze de schemerlamp naast de televisie aan. Hoewel de duisternis direct verdween, werd het er nauwelijks beter op. Van zwart naar spookachtig.

Ze zette het potje recht voor haar op de tafel. Heel voorzichtig, bijna op een eerbiedige manier. Haar ogen werden vochtig. Met haar wijsvinger veegde ze een traan weg die uit haar ooghoek ontsnapte.

'Is er een antwoord?' fluisterde ze. De woorden kwamen vanzelf. Ze hoefde er niet eens over na te denken. Haar spraak werd gestuurd. Door wie of wat wist ze niet. Wilde ze ook niet weten. Het was eenvoudigweg sterker dan haar eigen wil.

'Is er een antwoord?' Waarom waren Max en Dennis gestorven? Hoe had dit kunnen gebeuren? Kerngezonde kinderen. Nooit ziek. Verdronken. Omdat hun vader en moeder druk bezig waren met andere dingen.

Gebiologeerd keek ze naar de inhoud van het potje.

'Is er een antwoord?'

Had Dorien gelijk? Was zij een slechte moeder? Ze knikte om deze vreselijke stelling te bevestigen. Natuurlijk was zij een slechte moeder. Als zij geen modeshow had gelopen, waren haar kinderen nog in leven geweest. Zo simpel lag het. Hetzelfde gold voor Jeroen. Als hij niet in slaap was gevallen, dan...

Een symfonie van noten vulde haar hoofd waarbij de een nog valser klonk dan de ander. Zij was niet bij machte om de kakofonie te orkestreren. In plaats van soeverein te dirigeren, maakte ze deel uit van het pandemonium. Jeroen kon niet meer met de schande leven. Na die verschrikkelijke dag was er een door hemzelf gecreëerd virus zijn gedachtegoed binnengekropen. In een kort tijdsbestek had de oude Jeroen de slag van deze nieuwe identiteit verloren. Hij kon gewoonweg niet meer verder. Zijn leven was zinloos geworden. Mede door deze constatering waren zijn hersens op hol geslagen. Had hij zich teruggetrokken in een wereld waarvan alleen hij het bestaan kende. Hoewel de artsen van de psychiatrische afdeling er alles aan deden om hem weer terug te brengen, was men afhankelijk van zijn medewerking. Zolang hij onaanspreekbaar bleef, waren ze in principe kansloos, wist haar nuchtere verstand. En voorlopig verbleef Jeroen in zijn eigen wereld. Blijkbaar was hij er nog niet aan toe om met de realiteit geconfronteerd te worden.

'Hoe kon je mij dit aandoen?' zei ze snikkend. 'Begrijp je niet dat ik er nu helemaal alleen voorsta?'

Het desolate gevoel dreef haar langzaam maar zeker naar een afgrond waarvan ze weg wilde blijven. Gelijktijdig leek de sprong naar eeuwige duisternis garant te staan voor een definitieve oplossing. Opluchting, verlossing, rust. De contradictie zocht naar haar zwakke plek om meer tweedracht te zaaien. Ze draaide de deksel van het potje en pakte er een crèmekleurige capsule uit. Ze draaide het medicijn tussen haar vingers en keek er gebiologeerd naar.

Was dit er mede de oorzaak van dat Jeroen zo in de war was geraakt? Had hij er te veel genomen? Of was de combinatie met alcohol verantwoordelijk voor zijn huidige toestand?

De neerslachtigheid kreeg minder vat op haar. Een verklaring hiervoor kon ze niet bedenken. Het waren van die dingen die je gewoon overkwamen. Zaken waar je geen grip op had, hoezeer je ook je best deed om psychisch houvast te vinden. Terwijl zij hier in het halfdonker naar capsules zat te staren, trokken de donkere depressies langzamerhand uit haar geest weg. Opgelucht liet ze het gebeuren.

Het woord 'troep' kwam bovendrijven. Gevolgd door 'rotzooi'. Ze nam de capsule in haar rechterhand en goot het potje leeg zodat haar handpalm zich vulde met crèmekleurige gelatinebolletjes. Haar mondhoeken kwamen traag omhoog. Op haar gezicht lag nu de glimlach van een twijfelaar. Ze wilde het idee dat zojuist in haar was opgekomen graag uitvoeren, maar miste de innerlijke overredingskracht om het ook daadwerkelijk te doen. Onzekerheid, besluiteloosheid, twijfel: de verschillende namen kwamen allemaal op hetzelfde neer. Het dilemma op zich was het dilemma van haar leven.

Haar rechterhand ging nu snel op en neer. Zoals een ontspannen huisvader dat op een reguliere zaterdagavond met de borrelnoten deed. Biertje en snacks onder handbereik. De capsules klotsten in haar hand. Ze schatte de afstand in. Het was een symbolisch gebaar, meer niet. De spontaniteit die het voor de verandering van de twijfel won. Een simpele handeling die voor haar echter consequenties zou hebben, dacht ze. Hoopte ze, lag dichter bij de waarheid. Haar hand was nu vlak bij haar gezicht. Doe het. Doe het.

'Ik dacht het niet, Tal.'

Door de schrikreactie kneep zij haar vingers samen, in plaats van ze te ontspannen. 'Denise? Ik...'

'Hoorde je niet aankomen? Klopt, de derde tree van boven was de laatste op mijn lijstje. De andere piep- en kraakgeluiden weet ik inmiddels te omzeilen.' Verbaasd door de logica van haar zus bleef ze in dezelfde houding zitten. De palm van haar hand ging door de capsules zweten. Hoewel er allerlei woorden door haar hoofd schoten, lukte het haar niet om te reageren. Ze voelde zich betrapt. Hoe onlogisch en kinderlijk dit ook klonk.

'Waar ben jij in 's hemelsnaam mee bezig, Tal?' Door de complete stilte die er in de woonkamer hing klonken de woorden onevenredig beschuldigend, bemoederend en vooral luid.

'Het is niet wat jij denkt.'

Denise pakte het pillendoosje van de tafel. Haar blik gleed over de inhoud, waarna ze haar hand met de handpalm naar boven opende. Een veelzeggend gebaar dat woorden overbodig maakte.

Chantal opende haar hand en liet de pillen in de handpalm van haar zus vallen. Sommige capsules waren vochtig en bleven plakken. Met de vingertoppen van haar andere hand verwijderde ze deze.

'Het is niet wat jij denkt, Denise,' herhaalde ze fluisterend. 'Geloof me, alsjeblieft.'

Met een zorgelijke uitdrukking stopte Denise de tranquillizers terug. Ze zette het potje weer op de tafel en keek haar zus recht aan. Chantal zag direct dat haar gezichtsuitdrukking een farce was. Haar ogen huilden zonder dat er tranen aan te pas kwamen. 'Wat moet ik dan geloven, Tal? Dat jij hier diep in de nacht met die rotpillen aan het knikkeren bent? Of dat jij op een brug naar het water staat te staren omdat het uitzicht zo mooi is? Is dat soms wat ik moet geloven?'

Hoewel ze hevig schrok van het feit dat Denise haar op het Decemberpad was gevolgd, zag ze toch dat er een traan uit de ooghoek van haar zus vloeide. Ook viel het haar op hoe teer het gezicht dat haar aankeek ineens was. Breekbaar, getekend door de omstandigheden. Ze wilde haar troosten, maar miste de kracht hiervoor.

'Ik ben zo bang dat jij jezelf iets aandoet,' ging Denise verder. 'En... en, o, wat klinkt dit belachelijk... ik zou het kunnen begrijpen. Ik zou het verdomme kunnen begrijpen.'

Samen met deze woorden verdween haar zelfverzekerde houding. Ze legde beide handen voor haar gezicht en begon te huilen. Korte snikken. Talrijke tranen liepen langs haar vingers naar beneden. 'Ik wil je niet verliezen, Tal,' zei ze snikkend. 'Daarom ben ik je vanmiddag gevolgd.' Ze veegde woest over haar wimpers. 'En daarom hield ik me ook slapende. Ik... ik ben gewoon doodsbang dat jij in elkaar klapt en iets stoms doet.'

Chantal legde haar arm om de schouders van haar zus. Hoewel ze het onbegrijpelijk vond, voelde ze opeens een grote warmte binnenin haar stromen. De eeuwige onzekerheid kreeg concurrentie van een nauwelijks te definiëren krachtbron die haar in staat stelde te handelen. Het verdriet van haar zus werkte als een katalysator op haar eigen gemoedsrust. In plaats van de weg van de minste weerstand te kiezen, rechtte ze haar schouders. Voelde ze zich weer die grote zus van weleer. Degene die een bepaalde verantwoordelijkheid voor haar jonge zusje droeg en wilde dragen. De Chantal van lang, lang geleden.

Ze boog zich naar Denise toe en kuste haar rechterwang. 'Ik blijf bij je,' zei ze zachtjes, maar zelfverzekerd. 'Wees maar niet bang.'

Hierna trok ze haar zus stevig tegen zich aan. Precies zoals een oudere zus in nare tijden behoorde te doen. Ooit zou ze Denise wel vertellen dat ze geen zelfmoordplannen had. Dat haar waarnemingen grotendeels op een misverstand berustten. Dat het, hoe gek dat ook klonk, nog niet zo slecht met haar ging.

Ze zat in een fase waar ze doorheen moest, en dit ging gepaard met ups en downs. Helaas waren de ups nog in de meerderheid. Ze had geen idee wanneer de kentering zich aan zou dienen. Wel wist ze dat haar tot aan die tijd een helse strijd stond te wachten. Een gevecht op leven en dood. Een gevecht dat ze zou winnen.

Dit waren echter bespiegelingen die minder belangrijk leken dan ze daadwerkelijk waren. Zaken die ze Denise in alle rust nog zou vertellen. Wat nu telde was het moment. Alleen het moment.

18

De kunststofstoel voelde met de minuut oncomfortabeler aan. Beurtelings haar ene been over de andere leggen was niet meer toereikend tegen de opkomende stijfheid. Ze strekte haar benen en verplaatste haar gewicht grotendeels naar rechts. Over een paar minuten was haar linkerbil aan de beurt. Irritante details die aan importantie wonnen naargelang de tijd verstreek.

Jeroen sliep. Of rustte uit, haar medische kennis was te beperkt om dit verschil te onderkennen. Waarschijnlijk het eerste, aangezien zijn ademhaling rustig en regelmatig was.

Voor de zoveelste maal liet ze haar blik door de kamer dwalen. Iets anders kwam niet in haar op. Het was ook het meest voor de hand liggende. In de drie kwartier dat ze hier nu zat had de ruimte weinig geheimen meer voor haar. De muren waren ziekenhuiswit. Om het steriele ervan enigszins te doorbreken, had men er op anderhalve meter hoogte een klein, houten kruisbeeld aan opgehangen.

Naast Jeroens bed stond een nachtkastje. Gebroken wit, twee laden met metalen handvatten. Onpersoonlijker kon haast niet. Naast een halfgevuld glas water lag zijn horloge. Een kerstcadeau van drie jaar geleden. Driehonderd euro had ze ervoor betaald. Een rib uit haar lijf. De stralende blik in zijn ogen toen hij het horloge zag, bestempelde geld tot niets meer dan een simpel betaalmiddel. Gemaakt om het uit te geven.

Het was een heerlijke kerst, herinnerde ze zich als de dag van gisteren. Met cadeautjes, slagregens en kerstliedjes. De speciale intimiteit die slechts aan een hecht gezin was voorbehouden. Een tijd waarin de tweeling er nog heilig van overtuigd was dat de kerstman bestond.

Terwijl ze naar de deur recht tegenover het bed keek, stak het gevoel van machteloosheid weer de kop op. Zeker een kwartier lang had ze hier weerstand aan kunnen bieden. Zichzelf voorgehouden dat haar aanwezigheid er wel degelijk toe deed. Dat er een gerede kans bestond dat Jeroen ineens zijn ogen open zou doen. Een moment waarop hij dan zijn vrouw zou zien zitten en begreep dat zij er voor hem was.

Naarmate de minuten verstreken, verloor dit scenario aan kracht. Jeroen sliep nog even vast, of licht, als op het moment dat zij de kamer was binnengekomen. Hoewel de drang groot was om hem wakker te maken en te vertellen dat zij elke minuut van de dag aan hem dacht en er altijd voor hem zou zijn, bleef zij bijna bewegingloos op de afschuwelijke stoel zitten. Exact zoals de dokter haar had verzocht te doen.

De eerste dag van Jeroens ziekenhuisopname had men zich beziggehouden met elementaire zaken zoals bloedafname, bloeddruk en het in kaart brengen van zijn algehele toestand. Een lichamelijke update, dus. Tenminste, dat was haar vertaling van dokter De Boers woorden.

Met deze gegevens als leidraad, had men daarna zijn geest onder de loep genomen. Hierbij werd er voornamelijk gekeken naar zijn huidige medicatie. In overleg met de medische staf zou deze eventueel worden aangepast.

Toen dit haar werd meegedeeld, had ze op haar tong moeten bijten. Het lag namelijk op haar lippen om hierover een negatief oordeel uit te spreken. Niet de medicijnen op zich, maar Jeroens geest was de boosdoener. In zijn hoofd zat een demon die met geen enkel medicijn was te bestrijden. In elk geval niet op korte termijn. Een stelling die ze gelukkig voor zich kon houden. Dit was natuurlijk veel te kort door de bocht, realiseerde zij zich achteraf.

Wellicht had dokter De Boer het kortstondige en opstandige vuur in haar ogen onderkend. Nadat hij haar had ingelicht over de medische koers die zij wilden varen, was er iets in zijn afstandelijke houding gebroken. Niet dat hij daarvoor arrogant overkwam, integendeel, hij gedroeg zich keurig en vriendelijk. Toch was er iets typisch aan hem. En dat typerende had te maken met zijn uitstraling. Er hing een soort aureool van onoverwinnelijkheid om hem heen. Hij wist precies waar hij mee bezig was en legde zijn visie uit zonder daarbij in denigrerende maniertjes of teksten te vervallen. Het prototype van een arts zoals je die in een televisieserie zag. Lang, zwart haar en blauwe ogen. Gezegend met een zowel vriendelijke als zelfverzekerde uitstraling. De air die veel medici zich hadden aangemeten was hem vreemd.

'Komt u even mee naar mijn kantoor, mevrouw Van der Schaaf?' was een uitnodiging waarin aankomende informatie doorklonk. Een juiste conclusie, bleek even later. Binnen tien minuten vertelde hij haar dat de mens Jeroen uniek was, maar zijn ziektebeeld geenszins. Hij maakte haar duidelijk dat dit een voorlopige diagnose betrof. Uitgesproken op persoonlijke titel. Van mens tot mens.

Het was duidelijk dat dokter De Boer haar enigszins op haar gemak wilde stellen. Hij had wel degelijk met Jeroen gesproken. Korte zinnen. Sommige waren duidelijk, de meeste onbegrijpelijk. Contact met hun huisarts verschafte hem meer helderheid. Het drama dat zich in Turkije had afgespeeld, was logischerwijze de basis van Jeroens ineenstorting. Je hoefde geen arts te zijn om deze conclusie te trekken, zei hij op vlakke toon.

Zonder hierbij namen te noemen, maakte hij duidelijk dat hij reeds een oppervlakkige inschatting omtrent de verhoudingen in de familie had gemaakt. Hoewel hij zich logischerwijze op de vlakte hield, liet dokter De Boer doorschemeren zich door niemand te laten inpalmen. Dat hij hiermee op Dorien doelde was duidelijk, al werd ze tijdens het korte gesprek niet bij name genoemd.

Chantal glimlachte voorzichtig om de serene uitdrukking op Jeroens gezicht. Dit was de oude Jeroen. Een zorgzame huisvader die zijn vrouw en kinderen op handen droeg. Een lieve man, geen schreeuwende, rokende en whisky drinkende echtgenoot die mensen in zijn omgeving tegen zich in het harnas joeg en volledig door het lint ging.

'Alles komt goed, lieveling,' zei ze zacht. Ze onderdrukte de opwelling om hem te strelen. Hem voorzichtig op zijn ongeschoren wang te kussen.

Haar gedachten werden onderbroken door de deur die traag werd geopend. Het bezoekuur is voorbij, was het eerste wat haar te binnen schoot. Onzin, bedacht ze toen. Het was haar namelijk toegestaan om buiten de reguliere bezoektijden naast het bed van Jeroen te zitten. Mits in het redelijke, had dokter De Boer haar gemeld. Wat hoogstwaarschijnlijk inhield dat ze niet om twee uur 's nachts naast zijn bed werd gesignaleerd.

Tot haar verbazing kwam in plaats van een verpleegkundige of dokter De Boer, Dorien binnen. Haar schoonmoeder knikte kort en produceerde een dunne glimlach. Zonder verdere plichtplegingen ging ze tegenover Chantal aan de andere kant van het bed zitten. Ze sloeg op een gedistingeerde manier haar benen over elkaar en richtte haar blik op Jeroen. 'Hoelang slaapt hij al?'

'Zolang als ik hier ben.'

'En dat is?'

'Een klein uurtje.'

Dorien pakte Jeroens hand en tilde deze enkele centimeters op. Zachtjes streelde ze de rug van haar zoons hand. Het lag op Chantals lippen om er iets van te zeggen. Dokter De Boer was hierover namelijk duidelijk geweest. Zowel geestelijk als lichamelijk was Jeroen op. Hij had zijn slaap nodig.

'Mama?' zei hij slaperig op het moment dat zij genoeg moed had verzameld om haar schoonmoeder verbaal te corrigeren. Ze perste haar lippen op elkaar en zag hoe Jeroen langzaam wakker werd. Dat het gezicht van zijn moeder als eerste in zijn blikveld verscheen deed haar pijn. Ze slikte de opborrelende woede echter weg. Het ging tenslotte om het welzijn van Jeroen. Als ze een scène maakte zou dat slechts averechts werken, wist ze.

'Hoe is het ermee, lieverd?' zei Dorien mierzoet. Haar blik boorde zich in de ogen van Jeroen. Om haar mondhoeken speelde een overwinnaarslachje.

'Mama?' zei Jeroen nog steeds slaapdronken. Hij was blijkbaar uit een diepe slaap gekomen en leek confuus.

'Mama is bij je, lieverd. Er kan niets gebeuren.'

Chantal zag hoe Jeroen langzamerhand ontwaakte. Terwijl hij met zijn ogen knipperde en zijn blik helderder werd, voerde Dorien het streeltempo op zijn hand op. Ze bleef hem strak aankijken. De glimlach leek op haar gezicht geboetseerd. Hiermee kreeg ze het voor elkaar dat haar zoon gebiologeerd naar het gelaat van zijn moeder bleef kijken en zodoende geen enkel oog voor andere zaken had. Die 'andere zaken' ben ik dus, flitste het door Chantal heen. Ze voelde de onderdrukte woede van daarnet opnieuw opborrelen.

'Ik ben zo moe,' fluisterde Jeroen. Het had er alle schijn van dat hij elk moment weer in slaap kon vallen.

'Dat geeft niet, hoor. Mannetje van me,' zei Dorien meteen. 'Alles komt goed. Als jij eenmaal een beetje op kracht bent gekomen, dan maakt mama weer net zulke ontbijtjes als vroeger voor je.'

Jeroen probeerde te glimlachen, hetgeen hem slecht afging. Slechts zijn rechtermondhoek won enkele millimeters aan hoogte. 'Lekker,' kreeg hij met moeite over zijn lippen. De woorden klonken als één lange zucht waaruit dodelijke vermoeidheid sprak.

Chantal hoorde een serie alarmbellen in haar hoofd afgaan. Ze moest nu ingrijpen. Deze belachelijke vertoning had al veel te lang geduurd. Ze vulde haar longen om in één lange ademtocht te zeggen waar het op stond. 'Het lijkt me...'

Gelijktijdig met haar woorden werd de deur geopend. Dokter De Boer stapte naar binnen. Met een strak gezicht schatte hij de situatie in.

'Dag, dokter,' zei Dorien poeslief. Ze glimlachte naar de arts en toverde de gezichtsuitdrukking tevoorschijn waarmee ze in haar leven al zoveel mensen had ingepalmd. 'Mijn zoon is wakker en voelt zich prima.'

Een aantal seconden dacht Chantal dat dokter De Boer het volgende slachtoffer van Doriens charmeoffensief zou zijn. Hij knikte haar vriendelijk toe en produceerde een dito lachje. 'Dat is prettig om te horen, mevrouw Van der Schaaf,' zei hij op een even zoetgevooisde toon. 'Wellicht is het dan een goed idee om Jeroen nu wat privacy te gunnen, zodat hij een paar woorden met zijn vrouw kan wisselen.'

Chantal voelde hoe haar hart van vreugde enkele slagen oversloeg. Dokter De Boer had de situatie perfect ingeschat. Op een keurige manier maakte hij Dorien duidelijk wie het op deze afdeling voor het zeggen had.

'Mag ik u voor een kopje koffie uitnodigen, mevrouw Van der Schaaf?' Zonder een antwoord af te wachten, deed hij een stap naar voren en pakte de stoel van Dorien beet. Zij kon niet anders meer dan opstaan, waarna hij de stoel hoffelijk naar achteren trok en een weids gebaar maakte. Dorien liep met kleine, gracieuze stapjes naar de deur. Voordat zij de afstand had overbrugd, haalde dokter De Boer haar in en opende deze galant voor haar. 'Na u.'

Op het moment dat hij aanstalten maakte om Dorien te volgen, wierp hij even een blik op Chantal. Wat zij in zijn ogen zag, beviel haar. Het was een blik van verstandhouding.

19

Chantal las de krant zonder dat het tot haar doordrong wat er precies in stond. Routinematig sloeg ze de pagina's om. Een dubbele moord in Assen, de zoveelste fraudezaak bij een Amerikaans bedrijf, een exclusief interview met de nieuwe vriend van Gerard Joling. De schreeuwende koppen drongen grotendeels tot haar door, de kleine regeltjes waren grijze strepen die als nietszeggende vulling fungeerden.

'Kopje thee, Tal?' hoorde ze Denise vragen. Hoewel haar zus in de keuken stond, leken de woorden vanuit de tuin te komen. Slechts de uitlopers ervan bereikten haar geest.

'Ja, lekker,' antwoordde ze. Haar afwezige blik bleef hierbij gericht op de wirwar van grijze lettertjes.

Geheel tegen haar verwachting in had ze die nacht redelijk tot goed geslapen. Dit kwam waarschijnlijk omdat ze de uren ervoor haar longen stuk had gehuild. De opgebouwde houding naar de buitenwereld toe was bij thuiskomst niets meer dan een harnas van papier-maché gebleken. Denise had haar opgevangen en laten janken als een klein kind in wiens ogen er een onherstelbaar onrecht had plaatsgevonden.

Toen ze eenmaal tot bedaren was gekomen, volgde de stortvloed aan woorden. Zinnen vol onbegrip en verwijt vulden de kamer. Denise luisterde en knikte. Gedurende de tirade die uitmondde in een ordinaire scheldpartij aan het adres van Dorien onderbrak zij haar niet eenmaal. Dit was de juiste strategie. Toen de golven van woede, frustratie en onmacht waren opgedroogd, bleek een simpele arm om haar schouder wonderen te verrichten.

De hele avond hadden ze gesproken. Ditmaal op een normale conversatietoon waarin de eerder geuite verwijten wederom ter sprake kwamen. Opmerkelijk hierbij was de stellingname van Denise. In plaats van de zaken vanuit haar perspectief te zien, belichtte haar zus voornamelijk 'de andere kant van het gelijk', zoals zij het gekscherend noemde. Oftewel de manier waarop Dorien tegen de situatie aan keek.

Omdat Chantal nu niet bepaald openstond voor een andere visie, liep het gesprek aanvankelijk stroef. Gaandeweg werd het haar echter duidelijk wat Denise precies bedoelde. Door in de geest van Dorien te kruipen, hoe moeilijk dit ook was, ging zij de zaken van een andere kant bekijken. Zij transformeerde van echtgenote tot de moeder die alle trucs uit het boek tevoorschijn haalde om haar enige zoon nog meer dan voorheen aan zich te binden. Een bijna ziekelijke manier van denken waarmee ze zichzelf automatisch een vrijbrief tot handelen gaf. Na de instorting van Jeroen had zich een plan in Doriens hoofd genesteld. Ze zou alles op alles zetten om dit hersenspinsel ten uitvoer te brengen. Dat Jeroen al jarenlang gelukkig getrouwd was deed niet ter zake. Hij had zijn kinderen verloren en kon enkel door zijn eigen moeder worden opgevangen en vertroeteld. Oude tijden zouden weer herleven. Met mama die voor haar kind zorgde. Mama als onvervangbare spil in het kleine gezin.

Ergens tussen middernacht en halfeen sloeg de vermoeidheid toe. Met name de geestelijke inspanningen van de dag ervoor eisten opeens hun tol. Vlak voordat ze naar bed gingen drukte Denise haar nogmaals op het hart om in sommige gevallen de gedachtegang van Dorien als leidraad te gebruiken. Dan was ze enigszins voorbereid op datgene wat er eventueel ging komen. Het verrassingselement verloor hierdoor aan kracht, zodat zij zelf sterker in haar schoenen stond.

'Zit jij soms je zonden te overdenken?' grapte Denise terwijl ze een kopje thee voor haar neerzette. Omdat ze met haar gedachten nog bij de nacht ervoor zat, verwonderde Chantal zich over de luchtige toon in de stem van haar zus. Dit contrasteerde volledig met de vrouw die haar op gedecideerde toon uitleg had gegeven over een nieuw te volgen tactiek. Toch was het een en dezelfde persoon. De zus die enorm veel van haar hield.

'Nee, joh. Beetje de krant lezen,' antwoordde ze vaag. Om haar woorden kracht bij te zetten, sloeg ze slagvaardig een pagina om en ging ze zogenaamd geïnteresseerd lezen.

'Jij neemt dus gewoon je zus in de maling,' zei Denise grinnikend. Hierna draaide ze zich om en liep weer naar de keuken.

Chantal keek nu voor het eerst echt naar de pagina's voor haar. Op de rechterpagina stond het financiële nieuws. De AEX, Euro Stoxx 50, olieprijs in US dollars per vat en de Dow-Jonesindex. Zaken die haar in het geheel niet konden boeien. Om verdere informatie over aandelen en obligaties te ontwijken, gleed haar blik over de linkerpagina. Een wirwar van kleine advertenties diende zich aan. Haast onleesbare mededelingen waren geselecteerd op categorie en geprop in een smalle kolom. Man zoekt vrouw, De paranormale wereld, Winkelpersoneel gevraagd, Oproepen... Haar blik werd getrokken door een vetgedrukte advertentie in deze laatste categorie.

WILT U EEN ALL-INCLUSIVE VAKANTIE GAAN BOEKEN? KIJK DAN EERST OP WWW.ZOWELBEDORVENVLEESALSVERROTTEVIS.NL.

Ze moest de zin drie keer lezen voor ze daadwerkelijk begreep wat er stond: zowel bedorven vlees als verrotte vis. Verbouwereerd en geïntrigeerd door deze merkwaardige advertentie voegde ze er 'punt nl' aan toe.

'Zei je wat, Tal?' riep haar zus vanuit de keuken.

Ze maakte zich er met een kwinkslag van af. 'Niks bijzonders. Zat een beetje in mezelf te praten. Krijg jij later ook.'

Terwijl ze haar zus hoorde lachen, scheurde ze de advertentie uit de krant.

20

De spanning trok vanuit haar nek naar haar schouders. Ze zat aan de computer van Jeroen. Een aantal seconden geleden had ze hem aangezet en nu lag de eindeloze weg van internet voor haar open.

Voordat ze het adres intoetste, strekte Chantal haar armen. Ze bewoog haar vingers enkele malen op en neer. De onnatuurlijke verkramping breidde zich uit en was al tot haar handen doorgedrongen. Toen ze haar hoofd langzaam van links naar rechts bewoog, verminderde het fysieke ongemak. De zeurende pijn in haar hoofd loste op tot een licht gesuis waar goed mee te leven viel. Ze fluisterde: 'www punt zowel bedorven vlees als verrotte vis punt nl.' Tegelijkertijd tikte ze het adres in. Een fractie van een seconde bleef haar wijsvinger boven het toetsenbord hangen. De twijfel deed een laatste poging. Vastbesloten drukte ze op 'enter'.

De homepage was een foto van een zandstrand met palmbomen. Stralende mensen genoten zichtbaar van de idyllische omgeving. In de verte kabbelden de golven van een azuurblauwe zee. Een afbeelding die uit elke willekeurige reisgids kon zijn overgenomen. Strak, mooi, verwachtingsvol.

Terwijl ze, enigszins teleurgesteld, naar het tropische plaatje keek, veranderde de pagina. Een zwart kruisteken dat regelmatig boven rouwberichten stond, verscheen in de golven. Een identiek symbool stond ineens op het strand. Een derde tussen de palmbomen. De tekens volgden elkaar in een rap tempo op. Het tropische paradijs veranderde in een kerkhof met onzichtbare graven.

Boven aan de pagina verschenen vijf balkjes. De tekst hierin was duidelijk: Mijn verhaal. Uw verhaal. Dossiers. Forum. Contact.

Op het scherm voor haar verdwenen de kruistekens een voor een. De vredige vakantiebestemming werd weer in ere hersteld. Wuivende palmen, heldere lucht, fluisterende golven en een uitnodigend zandstrand waarop jonge stelletjes hand in hand liepen. Godzijdank geen kinderen, ging het door haar heen. Een spontane reactie die enkel bevestigde wat zij al wist. Haar wonden lagen nog steeds open.

Ze ging met de muis naar 'Mijn verhaal' en klikte het onderwerp aan.

Op een witte achtergrond stond in het midden van de pagina die zich nu opende een stuk tekst in zwarte letters. In vergelijking met de homepage oogde het sober. In de rechterbovenhoek was een foto van een man geplaatst. Chantal schatte hem rond de dertig. Smal gezicht, donkerblond haar, grijsblauwe ogen. Een normaal iemand. Het gezicht van een vergeten achterneef of kennis van een verre vriend.

'Perry Zuidam' stond er onder de foto. Haar blik gleed naar de tekst in het midden van de pagina. Meer uit gewoonte dan uit noodzaak kneep ze haar ogen een fractie samen en begon te lezen.

Mijn naam is Perry Zuidam. In maart 2004 boekten wij (mijn vrouw Moniek en ik) voor twee weken in de maand juli een all-inclusive arrangement in de Dominicaanse Republiek. Een bestemming én manier van vakantie vieren die ons door de dame in het reisbureau overigens van harte werd aanbevolen. Aangezien wij geen avonturiers waren en de risico's daarom zo veel mogelijk uit wilden sluiten, boekten wij op de conservatieve manier. Eerst reisgidsen halen, dan thuis de bestemming bepalen, om ten slotte op het reisbureau voor de reis te betalen. Alles liep op rolletjes. Wij ontvingen de tickets en de vliegreis verliep probleemloos. Ook de transfer van het vliegveld van Santo Domingo naar onze bestemming was uitstekend geregeld. Eenmaal in het hotel keken wij onze ogen uit. Alles was even modern en het personeel blonk uit in gastvrijheid. Het zou de vakantie van ons leven worden, dachten wij toen. Achteraf gezien klopt dit wel. Op deze vakantie werd mijn vrouw namelijk vermoord.

Omdat deze laatste regel haar schokte, las Chantal deze nogmaals. Ze beet op het kootje van haar wijsvinger; ze had de eerste keer geen leesfout gemaakt. Of ze de woorden letterlijk diende te interpreteren was een tweede. Waarschijnlijk wel. Geboeid door de opening, las ze verder.

Het vooraf geschetste scenario bleek in werkelijkheid te kloppen. De hotelkamers waren van alle luxe voorzien. Dagelijks werd het beddengoed verwisseld en maakten de interieurverzorgsters de kamers schoon. De dames waren immer goedgemutst en leken hun werk echt met plezier te doen. Dit gold eveneens voor al het andere personeel. Kleine details, die van een leuke vakantie een toptijd maken. Want de twee weken die wij in resort Bahia Sol hebben gezeten, waren geweldig. De eerlijkheid gebiedt mij dit te zeggen.
Het eten was overweldigend te noemen. Op elk uur van de dag kon je iets krijgen. Buiten de reguliere ontbijt-, lunch- en dinertijden bereidde het personeel snacks voor de kleine trek tussendoor. Dit gebeurde op drie locaties die strategisch waren opgesteld. Waar je je ook in of buiten het hotel bevond, er was

altijd wel een hutje in de buurt waar een snack werd geserveerd. Uiteraard was dit bij de vooraf betaalde prijs inbegrepen.

Chantal glimlachte dunnetjes. Flitsen van hun vakantie in Turkije trokken aan haar voorbij. Volle eettafels, barretjes waarop talloze glazen stonden, de lachende gezichten van Max en Dennis...
Geschrokken knipperde ze met haar ogen. Dit was de eerste keer dat zij deze vakantie met plezier associeerde. Lol, in plaats van zwemvliezen die de grootste tragedie van haar leven aankondigden. Ze wilde dit bijzondere feit een plekje geven. Ergens in haar geheugen opslaan om het op elk gewenst moment weer op te kunnen roepen. Ze sloot haar ogen, maar wist niet wat ze nu verder moest doen. Er bestonden namelijk geen handleidingen voor dit soort zaken.

Tijdens de vliegreis huiswaarts werd mijn vrouw Moniek onwel. Ze gaf over en kreeg aanvallen van diarree. In eerste instantie wezen de symptomen op voedselvergiftiging. Deze diagnose stelde onze huisarts een dag later eveneens. Toen mijn vrouw de daaropvolgende dagen opknapte, leek het ergste leed dan ook geleden. Helaas was het pas het begin.
Na drie dagen in bed met een dieet van water, appelsap en beschuit, wilde mijn vrouw haar benen strekken. Nog slapjes van de aanslag op haar lichaam stapte ze uit bed en begon door de slaapkamer te lopen. Hierna volgden de gang en de huiskamer. Het leek de goede kant met haar op te gaan.
Deze gedachte werd gelogenstraft toen ik haar bij thuiskomst van mijn werk op de vloer aantrof. Ze was buiten bewustzijn. Om haar heen lag braaksel, de achterkant van haar nachtjapon was bevuild. De diarreeaanval had als een sluipmoordenaar in vol daglicht toegeslagen.
Moniek werd met een ambulance afgevoerd. In het ziekenhuis voerden de dokters direct allerlei tests uit. Terwijl dit gebeurde, verslechterde haar toestand drastisch. Ik zat naast haar bed en voelde en zag het leven uit haar wegtrekken. De artsen hebben alles gedaan wat in hun vermogen lag om mijn Moniek te redden. Het is hen niet gelukt. Tien uur nadat mijn geliefde werd opgenomen, stierf ze zonder nog bij kennis te zijn geweest.

Hoewel ze vanaf de eerste regel al sterk het gevoel had dat dit verhaal in een persoonlijk drama zou eindigen, trof de laatste zin haar hard. Hij sneed door haar ziel, wakkerde de altijd sluimerende pijn aan. In gedachten zag ze een jonge vrouw met gesloten ogen in een ziekenhuisbed liggen. Naast haar de man van de foto. Perry Zuidam. Machteloos, angstig, ontreddered.

Het beeld vervaagde, om plaats te maken voor een tropische tuin waarin de golven van een kunstmatige rivier lustig kabbelden. De zilte adem van de zee liet de toppen van een overdaad aan palmbomen licht buigen. Stelletjes liepen hand in hand. Kinderen speelden in de uitgestrekte rivier die fungeerde als zwembad. Een idyllisch plaatje.

Uit het blauwe water stegen twee paar zwemvliezen op. Synchroon, statig... beschuldigend. Uit vele monden klonk gegil.

'Nee!'

Chantal haalde gejaagd adem. De akelige variatie op de beelden die haar leven zo drastisch hadden veranderd, fungeerde nu als een wurgkoord. Ze voelde hoe haar keel werd dichtgeknepen. Elke ademtocht was een crime. Een gevecht met de moeilijkst denkbare tegenstander. Het gevolg van een opgelegde straf waarvan de tijdsduur nog onuitgesproken bleef.

Nadat ze haar ademhaling weer onder controle had gekregen, zweefde haar wijsvinger boven de knop waarmee de computer aan en uit werd gezet. In eerste instantie dacht ze dat haar geest bestand was tegen deze schokkende informatie. Maar de waarheid was dat het verhaal van Perry Zuidam haar erg had aangegrepen. In het kader van haar geestelijke revalidatieproces zou ze er waarschijnlijk het beste aan doen om de computer uit te zetten. Perry Zuidams relaas kende te veel raakvlakken met haar eigen historie. Nog een lijn die refereerde aan haar allergrootste verdriet kon te veel van het trieste zijn. Een mes dat haar al bloedende wonden verder openreet.

Maar geheel tegen de logica in bleef haar hand in de lucht hangen. Haar vinger weigerde domweg de simpele beweging uit te voeren. De ratio was niet bij machte om haar prikkelende nieuwsgierigheid te temperen. Terwijl ze verder las, attendeerde een duivels stemmetje fijntjes op haar zwakheden.

Na de dood van Moniek bivakkeerde ik in een zwart gat. Het leven leek zinloos en onrechtvaardig. Waarom was Moniek, een gelukkige vrouw van 27 jaar, gestorven? Iemand die nog nooit iets had misdaan. Een getrouwde vrouw in de bloei van haar leven. Waarom moest juist zíj een bacterie oplopen waartegen de moderne, medische wetenschap machteloos stond? Wat was hiervoor de reden? Of bleek alles op volstrekte willekeur te berusten? Ging je als het domweg je tijd was?

Deze, en vele andere gelijksoortige vragen, hielden mij maandenlang bezig. De antwoorden bleven echter uit. Ik meldde mij ziek, kwam nauwelijks het huis meer uit. Gleed elke dag verder in het donkere gat dat na de dood van mijn vrouw was ontstaan. Het vrijwillig beëindigen van mijn leven groeide na elke dag die er verstreek uit tot een reëlere optie. De muren van mijn huis waren inmiddels getransformeerd tot wanden van een isoleercel waarin ik de eigenhandige voltrekking van mijn doodstraf afwachtte.

Internet werd mijn redding. Het bracht mij in contact met mensen die eveneens een groot persoonlijk verlies hadden geleden. Tragedies in het algemeen. Via de chatbox sprak ik met een echtpaar wiens enig kind aan leukemie was gestorven. Een verhaal over hoop, vooral valse. Een andere moeder vertelde me hoe haar zevenjarige zoon onder een vrachtwagen was gelopen. Op slag dood. Haar twee dochters van tien en twaalf waren onder behandeling van een psychiater. Ze konden niet met het verdriet omgaan.

Deze gesprekken werden een vorm van therapie voor mij, hoe vreemd dit ook mag klinken. Ik bemerkte dat mijn lijden een enkelvoud was van de pijn die buiten de muren van mijn vesting heerste. Beetje bij beetje werd ik van een levende dode weer een mens.

Deze ontwikkeling kwam in en stroomversnelling nadat ik, ook op internet, een jonge vrouw sprak die tijdens een vakantie in Griekenland haar vriend door een tragisch ongeluk had verloren. Omdat er duidelijke parallellen tussen onze verhalen waren – ook zij hadden een all-inclusive reis geboekt naar een uitstekend hotel – kregen wij meer contact. Nadat wij details over onze tragische belevenissen hadden uitgewisseld, begon er bij mij een lampje te branden. Op dat moment niet meer dan een schemerlampje, een idee waarvan je bij voorbaat denkt dat het eerder onzinnig is dan waarheidsgetrouw.

Ik ging op onderzoek uit. Naarmate ik verder kwam, veranderde het dunne lichtstraaltje in een hemellicht dat steeds feller ging schijnen. Via internet kwam ik met meerdere personen in aanraking die tijdens hun all-inclusive vakantie een ramp hadden beleefd. Van de meeste gevallen heb ik, met toestemming, een dossier aangelegd. De verhalen zijn op deze site te lezen.

Nu, bijna twee jaar nadat mijn vrouw is overleden, durf ik te stellen dat zij is vermoord. De keiharde bewijzen waarmee ik een rechtszaak kan aanspannen tegen de verantwoordelijke hiervoor ontbreken. Het blijft bij aan zekerheid grenzende vermoedens en geringe bewijslast die ik in de afgelopen periode heb kunnen verzamelen.

Mijn vrouw Moniek is gestorven aan een tropische bacterie die zich in het voedsel van het buffet van ons all-inclusive hotel had genesteld. Deze bacterie kon overleven omdat er sprake was van opgewarmd en opnieuw geserveerd voedsel. Dit voedsel werd ook ingespoten met groeihormonen, waardoor de gasten eerder het gevoel kregen vol te zitten. Trucs die uitsluitend gebruikt werden om kostendrukkend te kunnen opereren.

De dood van mijn vrouw is, helaas, slechts één van de tientallen drama's (dit is een ruwe schatting, het echte getal ligt waarschijnlijk veel hoger) die zich de afgelopen jaren in all-inclusive resorts hebben afgespeeld. Een beknopt overzicht hiervan staat op deze site.

Zo op het eerste gezicht oogt het all-inclusive systeem als de ideale manier van vakantie vieren. De waarheid is echter dat u zich blootstelt aan een Russische roulette. Vanwege de moordende concurrentie in de reisbranche worden de geheel verzorgde vakanties aangeboden voor een bedrag dat nauwelijks boven de kostprijs ligt. Hierdoor proberen de hoteliers de kosten te drukken. Een aantal gaat hierbij tot aan de rand van het toegestane, het gros gaat er echter overheen. Dit heeft dan betrekking op het aanlengen van alcoholische drank met kraanwater, het mixen van cocktails met afgekeurde partijen limonades van een mismerk, het mondjesmaat toevoegen van chemicaliën in het water van het zwembad, hergebruik van het buffetvoedsel, sterk verlaagd gebruik van insecticiden bij muggen-, ratten- en kakkerlakkenplagen, op strategische plaatsen het aantal functionerende lampen verminderen en het achterstallig onderhoud aan de complexen uitbesteden aan incapabele, lees goedkope, krachten.

Dit zijn enkele voorbeelden die regelmatig worden gesignaleerd. Zonder enige twijfel slechts het topje van de afvalberg waaronder de onwetende reiziger zich bevindt.

Als lezer zult u zich nu ongetwijfeld afvragen hoe deze misstanden in onze moderne maatschappij in 's hemelsnaam mogelijk zijn. Het antwoord hierop is zowel simpel als beangstigend: geld. De belangen in deze branche zijn immens. Het gaat hier om multinationals die de verantwoordelijkheid over honderdduizenden werknemers hebben. De cashflow die hiermee is gemoeid, loopt in de miljarden euro's.

Ik heb u mijn verhaal verteld. Althans, een groot gedeelte ervan. Nog elke dag hou ik mij bezig met het vergaren van meer bewijs tegen het kwaad dat all-inclusive heet. Hopelijk komt het ooit zover dat de autoriteiten ingrijpen, waarna deze waanzin een halt wordt toegeroepen. Pas op die dag zal ik mijn kruistocht staken.

Op deze site treft u meerdere, schrijnende verslagen aan. Wilt u uw verhaal kwijt, aarzel dan niet. Tevens is er een forum waarop men kan chatten. De leden zijn hoofdzakelijk slachtoffers van het all-inclusive systeem of nabestaanden hiervan.

Perry Zuidam

Chantal staarde naar het scherm. De letters verzandden langzaam tot een grijze brij. Het verhaal had diepe indruk op haar gemaakt. Zo sterk, dat het onmogelijk was om haar gedachten te ordenen. Die bevonden zich in het oog van een orkaan.

Ze ademde krachtig in door haar neus en vulde haar longen totdat deze uit elkaar leken te barsten.

'Pfft.' Het geluid van een leeglopende band. Eerder van een truck dan van een fiets. Een andere band diende zich aan. Eentje om haar hoofd die met de seconde strakker werd getrokken. Haar hoofd plus de inhoud leek aan iemand anders toe te behoren.

De overige onderdelen van de site schreeuwden om door haar bezocht te worden. De simpele vakjes waren poortwachters die na een simpele klik direct toegang verschaften. Ze stuurde de muis omhoog. Het forum wachtte. De beslissende klik bleef uit. In plaats daarvan drukte haar wijsvinger onverbiddelijk op de knop rechtsboven van het toetsenbord. Het waarom was haar onduidelijk. Het beeld ging op zwart.

Toen ze een halve minuut later opstond, tolde ze op haar benen.

21

Chantal hinkte op twee gedachten. Een gevoel dat haar al tijdens het ontbijt parten speelde. Ze wilde Jeroen dolgraag zien, maar was onzeker over een eventuele ontmoeting met Dorien. Thuis, min of meer gecoacht door Denise, lagen de zaken minder gecompliceerd. Daar droeg haar zus bepaalde antwoorden aan of gaf haar de tijd om over een vraag na te denken. Tijd die ze niet kreeg als ze tegenover Dorien zat. Dan moest er adequaat worden gereageerd. En diplomatiek, een facet waarin ze niet uitblonk.

Tijdens dit gesprek moest ze goed in kunnen schatten wanneer ze haar schoonmoeder van repliek diende te geven, of juist tegenovergesteld moest reageren. In alle gevallen moest het op behoedzame wijze gebeuren. Hier had Denise herhaaldelijk op gewezen. 'Zeg de minder leuke dingen met een glimlach op je gezicht, Tal. Laat je nooit overbluffen, provoceren of in de hoek drijven.' Ze hoorde het haar zus zó zeggen. Goedbedoelde adviezen. Uitgesproken in een kamer waarin menselijke warmte de kou buitensloot. Een factor die gedurende de confrontatie met Dorien zou ontbreken. Dan regeerde de kille gereserveerdheid. Gecamoufleerd door een verraderlijke cocon van gesuggereerde vriendschap en compassie.

Ze keek op haar horloge. Een routineuze beweging uit het verleden. Uit een ander leven, waar het ertoe deed of ze vijf minuten te laat of te vroeg was. De klok tikte toen nog mee, gold als richtlijn van hun bestaan. Op tijd naar school, het werk, een kwartiertje voor de supermarkt. Ophalen van school, naar de training, huiswerk, eten maken. Uitgekiende tijdschema's. Leidraad voor een goed functionerend gezin. Ze ging wat langzamer lopen om de opdoffer te incasseren die ze reeds had zien aankomen. De pijnscheut geselde haar lichaam als vanouds. Ze incasseerde met gesloten ogen. Alles went, hield ze zich kortstondig voor. Ook het verlies van jezelf.

Met onwennige tred liep ze snel verder. De realiteit had haar ingehaald. Ze moest door. Jeroen wachtte op haar. In een vreemd bed met lakens die door onbekenden werden gewassen. Omringd door kale muren met een enkel kruis dat als decoratie diende. Hij moest zich wel een nummer voelen. Het steriele plastic naamkaartje aan het voeteneinde van zijn bed kon dit nauwelijks ontkrachten.

'Je overdrijft,' murmelde Chantal. Ze keek beschaamd voor zich uit toen een passerende verpleger zijn hoofd haar kant op draaide. Tien meter verder was de kust weer veilig. Ze bracht haar gejaagde pas terug tot een aanvaardbaar tempo in een ziekenhuis en nam zichzelf voor om niet in de valkuilen van Dorien te tuimelen.

Dit was gemakkelijker gezegd dan gedaan. Haar schoonmoeder was een sluwe vrouw met een aanzienlijk repertoire aan doortrapte trucs. Hoe en waarom Jeroens moeder in de loop der jaren in een waar loeder was veranderd, deed er niet toe. Andere besognes dan haar eigen kon ze er nu gewoon niet meer bij hebben. Gevoelens als begrip en medeleven voor haar schoonmoeder moest ze resoluut de toegang weigeren. Hierover was Denise stellig geweest. Als ze die gevoelens toestond, dan zou Dorien onverbiddelijk toeslaan. Zij was een ervaren tegenstandster die onzekerheid op een afstand rook en daar onmiddellijk gebruik van maakte.

Haar aanwezigheid de ochtend ervoor in het ziekenhuis was onderdeel van een door haar uitgedachte strategie. Hiermee had ze bewust de plannen van haar schoondochter doorkruist. Denise was hierover heel stellig geweest. Het was namelijk niet meer dan logisch dat Dorien 's middags langskwam. Hoewel er geen directe afspraken over waren gemaakt, lag dit in de lijn der verwachtingen. Precies daarom deed Dorien het tegenovergestelde. Ze wist dat Chantal 's morgens bij Jeroen langsging, in de middag haar boodschappen en huishoudelijk werk deed, om daarna het graf van de tweeling te bezoeken. In de vooravond volgde wederom een bezoek aan Jeroen.

'Door 's morgens te komen ontregelt ze jouw plannen en jullie privacy,' zei Denise. 'Dat zorgt voor irritatie en spanningen, hoezeer je ook je best doet om dit te voorkomen. Voor Dorien een ideale situatie om te stoken en gelijktijdig haar eigen ideeën te promoten.'

Het 'waarom' van dit absurde gedrag was volgens Denise niet relevant. Daarvoor moest je in de huid van Dorien kruipen. Een zinloze opdracht. Daarvoor was haar schoonmoeder al te ver heen. Het geestelijke pantser dat zij zich in de loop der jaren had aangemeten, was ondoordringbaar.

Het ging er nu alleen om de idiote voornemens van Dorien een halt toe te roepen. Een zware klus, aangezien zij zich volkomen gefixeerd had op dat ene onderwerp: haar zoon weer thuis krijgen. De schade en het verdriet die ze daarmee aan derden bezorgde waren compleet ondergeschikt. Alles draaide om haar belangen. Afbreken contra opbouwen. Kwaad tegen goed. Een verschrikkelijke conclusie, helemaal als het om de moeder van je man ging. Wilde Chantal echter een kans maken om deze oorlog te winnen, dan moest ze deze slotsom constant in haar achterhoofd houden. Vreselijk, maar waar. 'Kom maar op,' gromde ze. 'Ik kan je hebben.'

De afstand naar de deur van Jeroens kamer bedroeg minder dan tien meter. Ze hield wederom haar pas in. Ditmaal om zichzelf op de goede manier op te peppen. Het negativisme had zich de afgelopen minuten een hoofdrol in haar bovenkamer toegeëigend. Ze sloeg door. Richtte zich te veel op de tegennatuurlijke krachten die er door de aan haar toebedachte rol vrij zouden komen. Te veel van het slechte, dus. Hierdoor sloeg de balans onverbiddelijk naar één kant door. De zijde die het verst van haar af stond. Als ze zich hiertoe verder liet verleiden, was ze eveneens bij voorbaat kansloos. Dan streed ze als een surrogaat van zichzelf.

Ze zuchtte hardop. De licht opgetrokken wenkbrauwen van een langslopende verpleger nam ze voor lief. De twijfel. Altijd weer die verdraaide onzekerheid. Waarom bestond daar geen medicijn tegen?

Ze balde haar vuist. Onmacht, wist ze. Dorien ging haar met huid en haar opvreten.

Concentreer je. Loop jezelf niet zo op te naaien! Op de beslissende momenten sta jij er gewoon. Hoor je me? Dit gaat over Jeroen, over jou, over jullie leven. Dennis en Max zijn er niet meer. Jeroen wel. Door niets of niemand laat jij je man afpakken. Door niets of niemand! Hoor je me, Chantal? Hoor je wat ik zeg?

Ondanks de peptalk voelde ze de onzekerheid knagen. Een onaangenaam besef dat niet uitsluitend vanwege de aanstaande confrontatie met haar schoonmoeder aan haar vrat. Dorien mocht in haar huidige belevingswereld als een soort naargeestige spil fungeren, de essentie lag wel degelijk ergens anders. Dat was nog steeds Jeroen. Of liever gezegd de toestand waarin hij verkeerde. Was hij wakker? Wilde hij praten? Kon hij überhaupt wel praten? En waarover zou hun gesprek gaan? Werd het een voorzichtige, maar vooral nietszeggende conversatie met op de achtergrond Dorien die haar moment afwachtte? Of, in het onwaarschijnlijke geval dat haar schoonmoeder niet naast het bed zat, een diepgaand gesprek waarin ze een aantal van hun problemen blootlegden? Zowel het eerste als het laatste leek haar onlogisch. Eigenlijk had ze geen flauw idee wat ze kon verwachten. Speculeren om het speculeren. Het zoveelste gevolg van haar eeuwige onzekerheid.

Haar gedachten dwaalden af naar gisteren. Wat een malle vertoning was het eigenlijk geweest! Dorien die er 's morgens al zat en Jeroen als een klein kind behandelde. Echt te gek voor woorden. Gevolgd door het optreden van dokter De Boer, die op zijn manier ingreep. Die gevolgtrekking leek het meest voor de hand liggend. Wat er daarna tijdens het koffiedrinken door die twee was besproken, bleef natuurlijk gissen.

Zelf was ze tot twaalf uur bij Jeroen gebleven. Zijn aandeel aan de conversatie die zij op wilde zetten, was beperkt gebleven tot 'ja', 'nee' en 'zou kunnen'. 's Avonds was het niet veel beter. Hij was wakker, maar daar was dan ook alles mee gezegd. Van Dorien geen spoor. Die zat thuis waarschijnlijk snode plannen uit te broeden. Tenminste, dat nam ze aan. Als haar schoonmoeder in het geding was, ging zij automatisch van het slechtste uit. Naar, maar waar. De tijd had uitgewezen dat dit het dichtst bij de waarheid kwam.

Langzaam liep ze op de deur af. Naast al haar andere voornemens die inmiddels tot een ratjetoe van losse gedachten leken te vertroebelen, nam ze zich voor om haar vondst op internet niet ter sprake te brengen. Daar was het nu nog te vroeg voor. Het zou slechts tot ongewenste complicaties leiden.

Terwijl de gemengde gevoelens door haar heen raasden, opende ze de deur. Het daaropvolgende moment keek ze recht in de ogen van Jeroen. Hij zat rechtop in bed. Beide armen lagen boven op de lakens. Zijn hele houding oogde ontspannen. De stoel naast zijn bed was leeg. Chantal wist de zucht van opluchting die spontaan omhoogkwam geluidloos door haar neusgaten te laten ontsnappen. 'Dag, slaapkop,' zei ze grinnikend. Ze liep naar haar man toe en kuste hem op zijn linkerwang. 'Je ziet er stukken beter uit.' Ze meende elk woord van de zin die in ziekenhuizen honderden malen per dag werd uitgesproken.

'Zo voel ik me ook.' Een dunne glimlach verscheen om zijn mondhoeken. 'Tijden geleden dat ik zo goed heb geslapen.'

Ze streelde de rug van zijn linkerhand en nam zich voor om vooral niet te pushen. Alles wat hij wilde vertellen was meegenomen. 'Ben je allang wakker?' vroeg ze op een voorzichtige toon.

Jeroen haalde zijn schouders licht op. Het was een gebaar dat tegen nonchalance aan zat. Een vanzelfsprekende beweging die ze de oude Jeroen menigmaal had zien maken. Heel even trok een warm gevoel vanuit haar maag naar haar borstkas om daarna via haar armen uit te stralen naar haar vingertoppen. Ze begroette het gevoel in stilte. De hoop was teruggekeerd.

'Ik schat dat ik nu een uurtje of twee lig te denken,' was het verrassende antwoord. Met moeite wist Chantal haar verbazing achter een neutrale gezichtsuitdrukking te verbergen.

Gelijktijdig knikte ze begrijpend. 'Ben je er iets mee opgeschoten?' Ze realiseerde zich direct het hoge blondinegehalte van deze vraag. Om gevoelsmatig niet verder af te gaan hield ze haar gezicht keurig in de plooi.

'Eigenlijk wel, ja,' zei Jeroen op rustige toon. 'Er zijn mij enkele dingen duidelijk geworden. Goed duidelijk, mag ik wel zeggen.'

Chantal knikte wederom. Ditmaal als aanmoediging. Ze probeerde voor haar verbazing ergens een hokje te vinden om helemaal in het gesprek te blijven. De metamorfose van Jeroen was zó opmerkelijk dat ze even overwoog om in haar arm te knijpen.

'Ik... ik ben fout geweest, Tal. Voor zover je over fout kunt praten. In de war, is waarschijnlijk waarheidsgetrouwer.' Hij legde zijn hand op de hare. Zijn blik rustte op een punt ergens op de witte muur. In zijn ogen stonden tal van emoties te lezen. Zowel schuldgevoel als opluchting. Verdriet en hoop. Pijn, veel pijn.

Dat laatste was logisch, wist Chantal. Ook zij droeg dat gevoel constant met zich mee. Het besef dat er onherstelbare schade was geleden.

'Nadat de jongens...' Hij slikte moeizaam om de zichtbaar opkomende emoties te onderdrukken. 'Ik kon het niet aan. Het gat waarin ik viel werd met de dag groter. Het was onmogelijk voor me om het een plek te geven waardoor ik met mijn eigen leven door kon gaan.' In de stilte die viel sloot hij zijn ogen. Zijn ademhaling versnelde. 'Ons leven, Tal. Ons leven. Daar ben ik dus hopeloos de fout mee ingegaan.' Hij ademde stevig uit.

Chantal voelde hoe de greep op haar hand verstevigde. Een fantastisch gevoel. Het leven stroomde door haar heen. 'Ik hou van je,' fluisterde ze. 'Samen komen wij hier doorheen.'

Jeroen glimlachte breekbaar. In zijn ogen flitste een sprankje hoop.

22

Dag, lieve schatten van me. Of vinden jullie dat soms een beetje te kinderachtig? Moet ik zeggen: 'Dag, grote kerels van me?' Ach, het komt allemaal op hetzelfde neer, nietwaar? Tenslotte blijf ik altijd jullie moeder en blijven jullie altijd mijn kinderen. Mijn jongens. Mijn lieverds. Mijn kereltjes.

Ik heb vannacht van jullie gedroomd. Dat doe ik elke nacht, hoor. Maar vannacht was het toch zo'n leuke droom dat ik hem aan jullie ga vertellen. Ik weet zeker dat jullie het tof en vet cool vinden.

Papa en ik zaten op de tribune van een voetbalstadion. Eretribune, want de stoelen waren lekker zacht en wij hadden ruim plaats voor onze benen. Het was de finale van het wereldkampioenschap. Nederland tegen Brazilië. Feloranje tegen kanariegeel. De wedstrijd werd over de hele wereld uitgezonden. Overal stonden camera's.

En raad eens wie er voor Nederland speelden? Inderdaad, schatten van me. Jullie. De broertjes Van der Schaaf in oranje. O, wat stonden die shirts jullie mooi. Toen jullie het veld op kwamen moest ik even een traantje wegpinken. Doe niet zo stom, mam, zullen jullie nu wel denken. Tja, ik kon er ook niets aan doen, hoor. Het gebeurt natuurlijk niet elke dag dat mijn zoons de finale voor de wereldcup spelen.

De wedstrijd was hartstikke spannend. Tot aan de rust bleef het 0-0. Papa vertelde aan iedereen die het maar horen wilde dat jullie zijn zoons waren en een prima partij speelden. Net als mama was hij ontzettend trots op jullie.

Ergens in de tweede helft, vraag me niet welke minuut want jullie weten dat ik daar bijna nooit op let, maakte Nederland een doelpunt. Het stadion ontplofte bijna. De mensen stonden op hun stoelen en schreeuwden het uit van blijdschap. 'Het doelpunt voor Nederland werd gescoord door Dennis van der Schaaf', klonk het door de luidspeakers. Onbekende mensen vlogen papa en mij om de hals en zeiden dat ze nog nooit zo'n mooi doelpunt hadden gezien. O, Dennis, ik vond het zó geweldig dat jij had gescoord!

Toen het gejuich langzamerhand verstomde, begon Brazilië aan te vallen. Het leek wel of ze meer energie van die tegengoal hadden gekregen. Op een paar spelers na gingen ze allemaal naar voren. Jullie weten dat mama niet van nagelbijten houdt, maar tijdens die slopende minuten kon ik niet van mijn vingers afblijven!

Toch kon mijn gebijt niet voorkomen dat die donkere mannen in die gele shirts een doelpunt maakten. In een vak waarin zich uitsluitend Brazilianen bevonden was het feest. Ze dansten dat het een lieve lust was. Op onze tribune kon iedereen wel door de grond zakken.

In de resterende speeltijd ging het spel op en neer. Tot een minuut voor tijd. Toevallig weet ik dat, omdat ik even naar het scorebord keek. De gelen waren in de aanval. Papa schreeuwde zijn keel schor. 'Onderscheppen, Dennis,' hoor ik hem nu nog brullen. Dat is precies wat jij deed, Dennis. Jij pakte de bal af van een tegenstander en schoot hem direct naar voren. Max rende erachteraan en schoot de bal langs de keeper in het doel. 2-1. De mensen gilden het uit. Het stadion trilde op zijn grondvesten. Jullie liepen met z'n tweetjes triomfantelijk voor de eretribune langs en zwaaiden uitgelaten naar papa en mij. Nederland had de wereldcup gewonnen door doelpunten van Dennis en Max van der Schaaf!

Wat een verhaal, lieve schatten van me. Als ik er nu weer aan terugdenk lopen de rillingen me nog over de rug. Goh, wat een leuke droom.

Natuurlijk was het maar een droom. Toch kunnen dromen uitkomen, wisten jullie dat? Nou, ik geloof er zeker in. Als jullie hard door blijven trainen, dan gaat het misschien lukken en spelen jullie ooit de finale van de wereldcup. Of dat voor oranje is, weet ik niet. Ik heb namelijk geen flauw idee of je in de hemel ook voor je land uitkomt. Misschien is het daar wel anders geregeld.

Wat ik wel zeker weet, is dat papa en ik altijd trots op jullie zullen zijn. Of jullie nou wel of niet om de wereldcup spelen. Dat maakt namelijk niets uit. Jullie zijn onze jongens. De liefste kinderen van de wereld en alles wat zich daarbuiten bevindt. Wij denken elk moment van de dag aan jullie. Wij zijn altijd dichtbij, ook al is de afstand tussen ons groot.

Ik heb jullie al eerder verteld dat papa zich niet zo lekker voelde. Hij had het er erg moeilijk mee dat jullie naar de hemel gingen. Dat geldt natuurlijk ook voor mij en een heleboel andere mensen. Wij en zij missen jullie heel erg. Papa werd er zeer verdrietig van. Ook voelde hij zich erg moe. Daarom is hij een tijdje naar het ziekenhuis gegaan. Om een beetje bij te slapen en op krachten te komen.

Maar het gaat nu stukken beter met papa. Ik was vanmorgen bij hem en hij voelde zich weer wat beter. Met een beetje geluk komt hij snel naar huis. Dan kunnen wij samen hiernaartoe komen en met zijn allen een beetje bijpraten. Tot die tijd komt mama alleen.

Ik heb van tante Denise gehoord dat zij ook bij jullie is geweest. Hebben jullie gezellig gekletst? Je kunt behoorlijk lachen met tante Denise, nietwaar? Zij heeft een paar weekjes vrij en logeert nu bij papa en mama. Een soort vakantie. Als papa terugkomt, gaat zij weer naar haar eigen huis en aan het werk. Toen ik vanmorgen naar papa ging, zei tante Denise dat jullie de groeten van haar moesten hebben.

Mama gaat nu naar huis, lieverds. Even douchen, andere kleren aantrekken en dan weer naar papa. Morgenochtend ben ik er weer. En denk erom: geen ruziemaken, hoor! Dag, Dennis, dag, Max. Ik hou zo ontzettend veel van jullie.

Vier rijen bij Chantal vandaan stonden een vader en zijn dochter over een graf gebogen. Het meisje zat op haar hurken. Haar vingers speelden met de stelen van het bosje bloemen dat in een glazen vaasje stond. Een cadeautje voor haar moeder. Ondanks de triestheid van de omgeving sprak er uit haar houding geen verdriet. De rek van kinderlijke flexibiliteit was een fenomeen dat haar door de moeilijke maanden had gesleept. 'Praat die mevrouw ook met haar moeder, papa?'

Er verscheen een geforceerde, dunne glimlach op de lippen van haar vader. Het verlies van zijn vrouw had zijn wereld ineen doen storten. Op de puinhopen van zijn bestaan strompelde hij van steen naar steen. Enkel de liefde voor zijn dochtertje behoedde hem voor een fatale struikelpartij.

'Zij spreekt met iemand in de hemel, lieverd. Ik weet niet of het haar moeder is.' Hij richtte zijn lege blik op het meisje. Hier, op het graf van zijn vrouw, werd hij met haar spiegelbeeld geconfronteerd. Een reflectie die de pijn verdrong, hem weer de kracht gaf om door te gaan. Zijn mondhoeken gingen een fractie omhoog, waardoor de harde trekken op zijn gezicht vervaagden.

'Ik hoop dat die mevrouw wel antwoord krijgt, papa.'

Woorden van een kind dat over een maand zes jaar werd. Woorden waarmee veel vragen werden beantwoord en een veelvoud ervan werden gesteld. Een enkele zin die meer inhoud bevatte dan duizenden beschreven pagina's.

'Dat hoop ik ook, lieverd,' zei de man.

23

Voordat ze de computer aanzette wreef Chantal in haar handen. Ze waren klam. Te nat om er de toetsen mee te beroeren, te droog om naar beneden te lopen en ze te gaan wassen. Ze koos voor de gulden middenweg. Haar spijkerbroek moest morgen toch in de was.

Ze drukte op de knop rechtsboven. Een mechanisch gebrom volgde. Terwijl de computer startte, blies ze in haar handpalmen. Ze veegde het laatste beetje vocht aan haar jeans af.

Op dit moment had ze de hele dag gewacht. Of liever gezegd, op hetgeen er nu ging komen. Ze had het verdrongen, ergens weggestopt om het er pas aan het einde van de dag weer uit te halen. Ergens haatte ze zichzelf hierom. Hoewel, haten was hiervoor wel een erg zware uitdrukking. Wellicht kwam een hekel hebben dichter in de buurt.

De beginnende grijns op haar gezicht was veelzeggend. Ze wist zich eigenlijk geen raad met haar houding en gedrag. Stuurloos, terwijl er wel degelijk een koers in voorbereiding was. Ver aan de horizon was een baken zichtbaar. De grote vraag bleef echter of zij die richting wel op wilde.

De tweestrijd omtrent de internetsite van Perry Zuidam had die dag hevig in haar bovenkamer gewoed. Ondanks haar pogingen om het weg te drukken, waren de verhalen van Perry Zuidam en al die andere slachtoffers van het all-inclusive systeem steeds weer komen bovendrijven. Als een populair liedje dat de hele dag in je hoofd bleef hangen. Je werd er gek van, maar bleef het geluidloos meezingen.

Ze had zichzelf wijsgemaakt dat het hier een bijzaak betrof. Een toevalligheid waaraan zij niet te veel waarde moest hechten. Elk verhaal stond op zichzelf. Alles over één kam scheren was de grootst mogelijke onzin. De mensen konden hun droevige verhalen op deze site kwijt. Verder moest je hieraan geen conclusies verbinden. Het was een soort praatgroep op internet. Niets meer of minder. Opgezet door een man die zijn vrouw had verloren en het hotel waar zij hun vakantie doorbrachten als de schuldige aanwees. Een zonderling die vocht tegen windmolens. De hotels stonden namelijk onder strikte controle. Die zouden te allen tijde voorkomen dat er zich in hun complexen wantoestanden afspeelden zoals Perry Zuidam voorspiegelde.

De juistheid van deze stelling trok ze echter met het uur meer in twijfel. De verhalen op www.zowelbedorvenvleesalsverrottevis.nl hadden namelijk twee dingen gemeen. Ze speelden zich af in een all-inclusive resort en op het eerste gezicht was er sprake van een ongeluk of domme pech. Het eerste was een feit, terwijl het er sterk op begon te lijken dat dit bij het laatste dus niet het geval was. Ze hamerde er bij zichzelf op dat een overhaaste gevolgtrekking haar meer schade dan profijt zou brengen. Ook een lastige stelling voor iemand die twee kinderen in een all-inclusive complex had verloren...

Het beeldscherm lichtte op. Met de muis ging ze naar het internetsymbool. Twee klikken later toetste Chantal het adres van de website in.

De homepage verscheen. Ze sloot haar ogen en masseerde met haar vinger-toppen beide slapen. Haar hoofd moest nu leeg zijn. Voor zover dat mogelijk was, moest ze over de verhalen die ze zo ging lezen een helder oordeel vellen. Randzaken kon ze er nu niet bij hebben.

Ze gaf zichzelf een uitbrander. Randzaken, jezus nog aan toe. Hoe haalde ze het in haar hoofd! Het was ronduit belachelijk om Jeroen zo te betitelen. Zelfs Dorien zou ze met zo'n benaming tekortdoen. Al moest je dat natuurlijk weer in een andere context zien.

Door haar wimpers heen zag ze hoe de homepage aan zijn destructieve meta-morfose begon. Ze sloot haar ogen geheel om in het daaropvolgende rustge-vende zwart de zaken op een rijtje te zetten.

Met Jeroen ging het boven verwachting goed. Nadat ze 's middags het graf van de jongens had bezocht en daarna samen met Denise een pizza had gege-ten, was ze weer naar het Flevoziekenhuis afgereisd. Jeroen was wederom wakker en keek helder uit zijn ogen. Hij vertelde dat 's middags zijn moeder in het gezelschap van zijn zus Evelien en zwager Sander op bezoek was geweest. Het had het meeste weg van een korte mededeling. Dit onderwerp zou de rest van de avond niet meer aan de orde komen. Of ze dit nu positief of negatief moest zien, liet ze in het midden. Het had weinig zin om er verder energie in te steken. Als hij bepaalde dingen voor zichzelf wilde houden, dan diende zij dit te respecteren, hoe moeilijk dit ook was.

Hun gesprek was geladen met positieve energie. Ze spraken over koetjes en kalfjes, over onbelangrijke dingen die onderdeel van het dagelijks leven waren. Zaken die je, totdat ze er opeens niet meer waren, als vanzelfsprekend beschouwde. De tijd vloog. Het was heerlijk om in alle rust met elkaar te spreken, zelfs een enkele keer te lachen. Dat ze beiden bepaalde onderwerpen meden, was niet meer dan een licht smetje op hun samenzijn. Omdat het alle-maal nog zo broos was, maakte het nauwelijks uit dat sommige momenten wat gekunsteld overkwamen. Toen ze het ziekenhuis verliet overheerste het gevoel dat het met Jeroen de goede kant op ging. De weg was nog lang en vol met obstakels, maar hij had ergens onderweg de juiste afslag genomen. En dat was al heel wat.

Eenmaal in de auto bekroop haar een ander gevoel. Opluchting. Pure opluchting, zelfs. En dit had niets met Jeroen te maken. Toen zij Jeroens kamer was binnengekomen en constateerde dat Dorien niet naast zijn bed zat, was er een loden last van haar schouders gevallen. Gedurende de rit naar huis had zij zich afgevraagd waarom Dorien zich opeens aan regels hield die zij niet zelf had opgesteld. Ook speelde het door haar hoofd dat haar schoonmoeder bezig was haar tactiek aan te passen. Maar bovenal werd het haar duidelijk dat zij zwaar tegen een confrontatie met Dorien opzag, ondanks de peptalk van Denise en haar eigen mentale voorbereiding. Dorien was eenvoudigweg een maatje te groot. Als zij haar zinnen ergens op had gezet, dan gebeurde dit gewoon. Het was ondenkbaar dat zij zich door haar schoondochter de les zou laten lezen. Nee hoor, die vrat ze gewoon met huid en haar op.

'Prima, dat weten we dan ook weer.' Chantal opende haar ogen. De nonchalance die in haar woorden door had geklonken kwam haar vreemd voor. Dit stond namelijk haaks op haar gevoelens toen zij de zin uitsprak. Vreemd, dacht ze.

Haar rechterhand bestuurde de muis. Toen deze recht op het vakje 'Dossiers' stond, klikte ze dit onderwerp aan. Daarna begon ze te lezen.

24

Chantal liep stevig door. Ze wilde naar Jeroen om hun prettige gesprek van de avond ervoor een vervolg te geven. Mensen die haar zagen zouden misschien wel zeggen dat ze kwiek liep. Een zeldzaamheid in een ziekenhuis.

Ze negeerde de ochtenddrukte door stoïcijns in haar eigen tempo door te blijven lopen. In slalom ging ze langs slenterende patiënten en stilstaande verpleegkundigen. Mensen met een looprek zagen slechts haar achterkant. Tijdens de wandeling van de parkeerplaats naar Jeroens kamer hield ze tweemaal haar pas in. Bij de ingang van het ziekenhuis voor een luid schreeuwende vader met op zijn arm een bloedend kind, en vlak voor de lift toen er een door verpleegkundigen voortgeduwd bed met daarop iemand in narcose haar pad kruiste. Dat soort gevallen had nu eenmaal voorrang, wist ze.

Een tinteling trok door haar heen toen de deur van Jeroens kamer in zicht kwam. Ze verheugde zich erop om haar man weer te zien. Er waren nog zoveel dingen waarover ze moesten praten. Het idee dat zij samen deze crisis gingen overwinnen, maakte haar op een bepaalde manier gelukkig.

Ze nam zich voor de zoveelste keer voor om rustig aan te doen, geen onderwerpen aan te snijden die eventueel een controverse uitlokten. De weg der geleidelijkheid was nu het beste en enige pad om te bewandelen. Elk risico moest vermeden worden.

'Goedemorgen.' Gelijktijdig met dit woord klapten haar goede voornemens als een zeepbel uit elkaar en verdwenen in de atmosfeer. Terwijl de tentakels van onzekerheid door haar binnenste glibberden, stapte ze de kamer binnen. 'Hallo, Chantal,' zei Dorien op mierzoete toon. 'Fijn dat je er bent.' Hierna boog ze iets naar voren en strekte haar armen enigszins uit. Het begroetingsritueel vol geveinsde genegenheid, wist Chantal. Door direct naar Dorien te lopen, de semiomhelzing in ontvangst te nemen en haar schoonmoeder drie kussen te geven, deed ze wat haar min of meer werd opgelegd.

'Jammer dat je niet eerder kon komen,' vervolgde Dorien. 'Dan had je uit de mond van dokter De Boer het goede nieuws kunnen vernemen.'

De eerste steek onder water was uitgedeeld. Het was namelijk precies tien uur. Het personeel stelde het op prijs als bezoekers voor dit tijdstip hun neus niet lieten zien. Zij had zich daar natuurlijk aan gehouden. Voor Dorien golden blijkbaar andere regels...

'Zoals het er nu uitziet, wordt het hier vandaag mijn laatste dag,' zei Jeroen. Hij pakte haar hand en kneep er stevig in. 'Morgen mag ik naar huis, Tal.'

Chantal zette zich over de domper van Dorien heen en reageerde enthousiast. 'Wat een fantastisch nieuws. Morgen trekken we de champagne open.' Voordat de laatste zin haar lippen verliet, besefte Chantal dat ze haar schoonmoeder ongewild van munitie had voorzien. De gevreesde reactie volgde direct.

'Nou, liefje. Dat lijkt me niet zo'n goed idee. Wij weten inmiddels allemaal dat drank meer kapotmaakt dan je lief is, nietwaar? Een cliché, maar wel eentje met een hoog waarheidsgehalte.'

Jeroen maakte een onbeholpen gebaar met zijn hand. 'Ach, mam. Zo bedoelde Tal het...'

'Dat weet ik wel, jongen. De realiteit is echter dat jij de laatste tijd meer hebt gedronken dan goed voor je was. Daar had eerder op ingegrepen moeten worden. Dat had de kans dat jij hier terecht was gekomen stukken verkleind.' Een zucht van ongenoegen ontsnapte aan haar lippen. 'En dat voor een jongen die nooit alcohol dronk. In elk geval niet bij ons thuis. Je weet wat een hekel je vader daaraan had.'

Chantal keek Jeroen aan. Hij knikte in de richting van zijn moeder. Het gebaar dat hij maakte was overduidelijk om de lieve vrede te bewaren. Een vleugje hoop vergezelde haar volgende ademtocht. 'Ik ben ervan overtuigd dat de drankperiode achter hem ligt, ma,' zei ze met een stem waaruit evenwichtigheid moest blijken. 'En ik ben er ook nog. Dit was eens, maar nooit meer.'

Terwijl ze haar schoondochter aankeek, hield Dorien haar hoofd een beetje schuin. Ze kneep haar ogen enigszins toe, wat impliceerde dat ze heel goed over haar antwoord nadacht. Het viel Chantal nu pas op hoe goed gekleed haar schoonmoeder was. Ze droeg een zachtgroen, haute-couturemantelpakje dat ongetwijfeld een maandsalaris kostte. Daaronder een satijnen blouse die niet uit de schappen van H&M kwam. Naast haar stond een bijpassende handtas waarover iedere modebewuste vrouw dagdroomde. Haar make-up was nauwelijks zichtbaar, maar camoufleerde exact datgene wat van een exclusief merk werd verwacht. En dat om tien uur 's morgens in het Flevoziekenhuis van Almere.

'Nou, ik ben daar niet zo van overtuigd.' Ze sprak langzaam en articuleerde duidelijk om haar woorden van meerwaarde te voorzien. 'Jullie woonden toch in hetzelfde huis toen Jeroen meer dronk dan goed voor hem was? Waarom heeft het dan zover moeten komen? Waarom heb jij niet eerder ingegrepen?' Haar groene ogen lichtten een ogenblik fel op. Het was de schittering van een roofdier dat zijn prooi in een kansloze positie dreef.

'Ik...'

Jeroen schoot haar te hulp. 'Dat slaat echt nergens op, mam. Ik was in die periode niet voor rede vatbaar. Deed precies wat ik wilde. De pijn dreef me gewoon in de armen van al die rotzooi. Geloof me, als iemand heeft gedaan wat ze kon, dan was het Chantal wel.'

Geheel tegen de verwachting in ontspanden de gelaatstrekken van Dorien zich. Ze knikte uiterst begripvol naar haar zoon.

'Ach, dat weet ik toch, kind. Je was helemaal in de war. Logisch, na de verschrikkingen die je hebt doorgemaakt.' Ze verlegde haar blik naar Chantal. 'Die jullie hebben doorgemaakt. En ik ben er zeker van dat jij je uiterste best hebt gedaan om Jeroen voor ander onheil te behoeden, meisje.'

Chantal verbaasde zich niet meer over de woordkeus van haar schoonmoeder. Al jaren niet meer. 'Het was een moeilijke tijd, ma. Nu maar hopen dat het definitief achter ons ligt. We moeten door. Het klinkt simpel, maar eigenlijk is daar alles mee gezegd.' Een obligaat antwoord waarvoor ze zich tegenover andere mensen en in een andere omgeving wellicht geschaamd zou hebben.

'Dat is inderdaad te hopen,' reageerde Dorien op gedempte toon. Ze sloeg haar ogen neer. Als een verlegen meisje dat wanhopig naar woorden zoekt. 'Het is een vreselijke tijd geweest. Voor jullie, maar ook voor mij.' Het volume waarmee Dorien sprak, was een flauw aftreksel van haar gebruikelijke stemgeluid. Ze wendde haar blik af en richtte deze op een punt achter Jeroens hoofdkussen. Uit haar houding was de kenmerkende fierheid verdwenen. De mascara, eyeliner en rouge waren ineens ontoereikend om de diepe lijnen en onvolkomenheden in haar gezicht te maskeren. Van het ene op het andere moment zat er een oude, diep aangeslagen vrouw naast het bed van haar enige zoon. 'Elke nacht droom ik van mijn kleinkinderen. Mijn knulletjes, die uit mijn leven zijn weggerukt. Overdag probeer ik er niet aan te denken. Zoek ik afleiding. Dan luister ik naar de radio of kijk wat televisie. 's Avonds, als ik alleen in mijn bed lig, beleef ik alles opnieuw. Hun geboorte, de eerste stapjes, de eerste schooldag, hun verhalen over het voetballen. Daarna probeer ik met een glimlach op mijn gezicht te gaan slapen. Dat lukt meestal. Waar ik echter niets te zeggen over heb zijn de dromen. Bijna elke nacht word ik badend in het zweet wakker. Ik zie hun gezichtjes, hoor ze roepen, voel hun angst...'

Chantal zag hoe vochtig de ogen van haar schoonmoeder waren. Tegenstrijdige gevoelens vochten in haar geest om aandacht. Was dit mogelijk? Kon de hardvochtige vrouw die zij haar hele huwelijk al kende ineens veranderen in een zachtaardige oma die treurde om haar kleinkinderen? Had Dorien dan eindelijk het masker afgeworpen waarachter zij jarenlang haar ware gevoelens verborg?

Ze wreef met haar wijsvinger over haar wimpers. Enkele spontane tranen bleven aan de droge huid kleven. Ze haalde haar neus op en zag nu duidelijk dat er een gebroken vrouw tegenover haar zat. Het antwoord was dus ja. Dorien had eindelijk haar ware aard getoond. Onder het emotieloze pantser klopte het hart van een goed mens. Iemand die volgens een hard stramien had geleefd en nooit haar ware gevoelens had kunnen of durven tonen. Een vrouw die tot de conclusie was gekomen dat ze op deze manier niet langer verder wilde leven. Niet langer verder kón. Ze wilde deze vrouw omarmen en zeggen dat het allemaal goed kwam. Dat ze zo ontzettend trots op haar was. Dat ze begreep hoeveel moeite het haar had gekost om haar ware ik te tonen. Toch bleef ze zitten. Dit was niet het juiste moment, zei een resoluut stemmetje in haar hoofd.

'Ik wil niet dat jullie mij bemoeiziek vinden,' ging Dorien verder. De woorden kwamen langzaam en klonken bedachtzaam. Alsof het haar moeite kostte alle emoties de vrije loop te laten. 'Het is jullie leven. Maar ik blijf altijd Jeroens moeder en ik wil slechts het beste voor hem en voor jou.' Ze keek Chantal recht aan. Het was de blik van een moeder die zich oprecht zorgen maakte over haar zoon en schoondochter. Chantal wilde antwoorden. Iets aardigs zeggen. Mooie woorden waarmee een periode van achterdocht en onbegrip afgesloten kon worden. Een zin waaruit vertrouwen, opluchting en dankbaarheid sprak. Het lukte niet. Haar tong en gehemelte waren te droog. De woorden bleven ergens in haar keel steken.

'Omdat ik enkel het beste voor jullie wil, stel ik dus voor dat Jeroen morgen naar huis komt. Het huis waarin hij is opgegroeid.' Doriens blik was nu op Jeroen gericht. Hierdoor ontging het Chantal dat ze haar ogen iets toekneep. Jeroen had hier helemaal geen oog voor. Zijn blik zat tegen adoratie aan.

'Ik zal dit even uitleggen,' ging Dorien snel verder. 'Jullie hebben een vreselijke tijd achter de rug. Niets is jullie bespaard gebleven. Als Jeroen teruggaat naar Almere, dan is er absoluut een kans dat de situatie zich herhaalt.' Ze stak haar wijsvinger op. 'Hiermee wil ik niets ten nadele van Chantal suggereren. De waarheid is echter wel dat ook zij een enorme klap heeft gehad. Het is dus logisch dat zij eveneens haar rust verdient om op kracht te komen. "Aan jezelf werken" en "ergens een plekje voor vinden" zijn hiervoor geloof ik de modernere termen.'

De blik van Dorien verplaatste zich naar haar schoondochter. Op haar gezicht lag de lieftallige glimlach van een oude vrouw die het beste met iedereen voorhad. Het drong allemaal moeilijk tot Chantal door. Maar hoewel ze zich door al die mooie woorden nog in een soort van trance bevond, bemerkte Chantals onderbewustzijn dat de gezichtsuitdrukking en de oogopslag van Dorien niet met elkaar correspondeerden. De ogen straalden een andere boodschap uit dan welke haar glimlach en woorden verkondigden. 'Terwijl ik Jeroen verzorg, werk jij in alle rust aan jouw herstel, lieverd. Op de momenten dat jij je goed voelt, kom je gezellig op bezoek. Na verloop van tijd zullen alle diepe wonden herstellen en gaan jullie met z'n tweetjes aan de toekomst werken.' Ze knikte langzaam maar vastberaden. 'Heus, dit is voor iedereen de beste oplossing.'

Nog helemaal in de ban van de uitstraling van zijn moeder, reageerde Jeroen als eerste.

'Maar, mam... mijn medicijnen, ik moet terugkomen voor controles... Chantal wil...'

Dorien tikte bemoederend op de rug van zijn hand. 'Ach, kind. Dat zijn details die we in een handomdraai oplossen. Jouw medicijnen halen we bij de apotheker, ik zorg dat jij ze op tijd inneemt en Sander rijdt jou heen en weer naar het ziekenhuis. Ik heb je gebaard, verzorgd en opgevoed. Daarbij vergeleken zijn dit soort triviale zaken onbenulligheden die tussen neus en lippen door worden geregeld.'

Van een trance was geen sprake meer. Chantals hersens werkten koortsachtig. Dit was Doriens aanval waarvoor ze al zo lang had gevreesd. Ze had hem niet aan zien komen, maar godzijdank wel onderkend. Het was nu zaak om haar hoofd koel te houden en adequaat te reageren. Geen emotie, maar ratio. Wachten tot de opening zich aandiende om daarna toe te slaan. Precies zoals Denise had uitgelegd.

'Ik weet het niet, mam,' klonk het beduusd. 'Wij hadden...'

'Natuurlijk schrik jij hier in eerste instantie van, jongen. Die uitwerking hebben frisse ideeën altijd. Wat meteen aangeeft hoe goed het al met je gaat, want niets menselijks is je vreemd.'

Niemand reageerde op haar grapje. Het leek erop dat Jeroen het voorstel van zijn moeder serieus overdacht, terwijl Chantal vooral in zichzelf gekeerd oogde. Ze keek recht voor zich uit en scheen weinig aandacht voor haar omgeving te hebben.

Hoewel ze vooral afwezigheid uitstraalde, werkten haar hersens op volle toeren. Het werd met de seconde duidelijker waarom Dorien op dit tijdstip op bezoek was gekomen. Evenals personeel van andere bedrijfstakken zijn medewerkers van ziekenhuizen ook mensen, dacht Chantal. Mensen met hun gebreken en eigenaardigheden. Het kon niet anders of Dorien had de middag ervoor iets opgevangen van een arts of verpleegkundige. Een onschuldige opmerking om iemand moed in te spreken. Iets in de trend van 'wat leuk dat uw zoon overmorgen al naar huis gaat, mevrouw Van der Schaaf'.

Hierdoor was het haar duidelijk dat ze meteen toe moest slaan. Ze was extra vroeg bij Jeroen op de kamer, zodat zij als eerste het goede nieuws te horen kreeg. Dit gaf haar een psychologische voorsprong op de nietsvermoedende echtgenote die normaal gesproken de primeur kreeg. Op slinkse wijze nam ze daarna de gesprekstouwtjes in handen om hen tot marionetten van de door haar geregisseerde poppenkast te degraderen.

'Chantal?' Ergens in de verte hoorde ze Dorien haar naam roepen.

Ze knipperde een paar maal met haar ogen, waarna het waas optrok.

'Gaat het, meisje?' vroeg haar schoonmoeder poeslief. Omdat ze voelde dat haar stem dienst weigerde, knikte ze.

'Jeroen ziet wel in dat deze tijdelijke oplossing het beste voor iedereen is. Ik neem aan dat jij je er ook in kunt vinden?'

Chantal haalde diep adem. De lucht hield ze vast in haar longen. Hoe meer zuurstof, hoe beter je kon denken. Dat het onzin was, maakte haar niet uit. Als je maar ergens in geloofde... Met enkel geloof zou ze nu niet ver komen, wist ze. Dit was hét moment. Dorien verwachtte een antwoord van haar. Logica, ratio, denk aan de gesprekken met Denise, ging het door haar heen. Wat je nu gaat zeggen is bepalend. Dan is er nauwelijks meer een weg terug. Ze keek Dorien recht aan. Weer werd haar een glimlach toegeworpen die zowel wijsheid als genegenheid veinsde. Tevens was er die blik. De kilte die hieruit straalde, gaf haar het gevoel ineens naakt op de noordpool te staan.

Waarom het idee bij haar opkwam, zou altijd een raadsel blijven. Misschien wel door het woord 'logica'. Precies datgene wat Dorien van haar verwachtte. Zij had namelijk alle tijd gehad om deze coup voor te bereiden. Op elke logische reactie, ingegeven door de ratio, zou Dorien haar antwoord klaar hebben. Hoogstwaarschijnlijk had ze uren, wellicht dagenlang, geoefend om op elk denkbaar scenario direct een pasklare oplossing voorhanden te hebben.

Ze denkt te weten wat ik ga zeggen. Dat berekende loeder heeft al een scala aan antwoorden in haar hoofd. In haar voorbereiding is ze in mijn huid gekropen en heeft inmiddels op mijn eventuele bezwaren iets gevonden waarmee ze keihard van tafel kunnen worden geveegd. Ratio. 'Eh...' Haar onzekerheid vulde de kamer.

'Zeg het maar, Chantal,' sprak de zoetgevooisde stem die zij zo langzamerhand begon te haten. 'Zeg maar gewoon wat je denkt. Dat maakt toch niets uit? We blijven echt wel van je houden, hoor.'

Chantal toverde een brede glimlach tevoorschijn. Ze maakte een weids gebaar met haar handen waaruit pure blijdschap sprak. 'Ik vind het een geweldig idee, ma! Echt grandioos dat jij zo'n groot offer wilt brengen. Ik zou bijna sprakeloos van dankbaarheid worden.' Ze boog zich naar voren en legde haar hand op die van haar schoonmoeder. 'Het is een rijk gevoel om geweldige familie te hebben,' fluisterde Chantal. De oprechtheid straalde van haar glimlach. In haar ogen dansten pretlichtjes. Haar blik hield die van Dorien vast. Ze zag de verandering die de verrassing teweegbracht. Van koud naar diep onderkoeld. In de pupillen van haar schoonmoeder heerste de ijstijd.

'Maar...'

'Geen maar, ma,' reageerde Chantal zogenaamd streng, maar met een jolige ondertoon. Het eerste gedeelte van het plannetje dat ineens bij haar was opgekomen was gelukt. Dorien leek aangeslagen. Dit kon echter tijdelijk zijn, want haar tegenstandster was een door de wol geverfde vrouw die zich niet zonder slag of stoot gewonnen gaf. Zich laten verrassen was één, zich daarna het heft uit handen laten nemen was iets van een geheel andere orde. Chantal realiseerde zich dat ze nog steeds op dun ijs liep. Als ze afweek van de spontaan geplande route zou dit een nat pak kunnen betekenen. 'Ik begrijp dat jij er nu van alles aan wilt doen om jouw rol te verkleinen. Om ons te laten geloven dat jouw voorstel de normaalste zaak van de wereld is. Iets wat mensen die van elkaar houden gewoon doen zonder er verder bij na te denken. Nou, hoe lief en geweldig jij ook bent, ma... ik kan je vertellen dat dit niet zo is.' Chantal klopte zacht op Doriens hand. Een gebaar van tederheid en respect. De lieftallige glimlach die op haar lippen lag was een logisch onderdeel van de voorgewende harmonie.

Dorien opende haar mond. Chantal was haar echter voor. 'Op een paar details na is het werkelijk een briljant idee. Jeroen die door zijn moeder wordt vertroeteld, terwijl ikzelf een beetje bij kan komen van alle commotie.'

Ze haalde snel adem, waardoor Dorien geen tijd werd gegund om haar te onderbreken. 'Toch moeten we een paar dingen niet vergeten,' ging ze op dezelfde, enthousiaste toon verder. 'Hoewel ma oogt als een jonge deerne, loopt ze al aardig tegen de zestig.' Direct verzond ze een als guitig bedoelde knipoog naar haar schoonmoeder, die volgend jaar vijfenzestig werd. Het grapje bereikte het gewenste effect. Dorien glimlachte geforceerd.

'Mede daarom lijkt het mij onverstandig als Jeroen bij ma intrekt. Natuurlijk helpen Sander en Evelien een handje, maar de dagelijkse beslommeringen zoals wassen, strijken en schoonmaken blijft ze toch houden. Als hier bovenop de zorg rondom Jeroen komt, is dit te veel van het goede. Dan plegen we roofbouw op ma. Kunnen we over een paar maanden bij haar op bezoek. In het ziekenhuis, bedoel ik. En dat lijkt me toch het laatst wat we willen, nietwaar?'

De eerste klap was uitgedeeld. Hoeveel schade deze had uitgericht, moest nog blijken. Uit de houding van Dorien mocht ze in elk geval enige hoop koesteren. Haar schoonmoeder schuifelde nogal ongemakkelijk op haar stoel. Een uiting van onzekerheid waar ze normaal gesproken nooit op te betrappen viel.

'Daar komt bij dat Jeroen en ik getrouwd zijn. Nog steeds in hetzelfde huis wonen en dat in de toekomst ook van plan zijn te blijven doen. Door het verlies van Dennis en Max hebben wij een enorme knauw gehad. Een scheiding van tafel en bed, want daar komt het natuurlijk wel op neer, zou ons huwelijk meer kwaad dan goed doen.'

De gelaatstrekken van Dorien verstarden. Ze kreeg een zuinig mondje en haar neusvleugels verwijdden zich. 'Luister eens...'

'Nee, ma. Nu ben ik. Jij mag zo.' Ze verbaasde zich over de ultrasnelle reactie waarmee ze haar schoonmoeder abrupt de mond snoerde. Die morgen had ze een door haar geplaatste snedige interruptie als deze nog naar het land der fabelen verwezen. Ze stond verbaasd over haar eigen veerkracht maar wist dat ze hierbij niet stil kon blijven staan.

De ogen van Dorien spuwden nu koudvuur, en door de verbeten trek op haar gezicht oogde ze strijdvaardiger dan ooit.

'Mijn voorstel wijkt inhoudelijk bijna niets van dat van jou af, ma. Het lijkt me geweldig voor ons om jou de hele dag in de buurt te hebben. Voor Jeroen zou dat gevoel van geborgenheid best weleens belangrijk kunnen zijn. Een beetje herinneringen ophalen met zijn moeder, zich lekker door haar laten verwennen. Daar is toch niets mis mee? Een volwassen kerel die door een hel is gegaan zou hier best behoefte aan kunnen hebben.' Chantal haalde haar schouders op om aan te geven dat het wat haar betrof niet zo absurd was als het daadwerkelijk klonk. Met een uitdrukking van aanstormende verrukking op haar gezicht keek ze Dorien aan. 'En de tussenliggende tijd gebruiken wij om een beetje bij te kletsen. Als echte vriendinnen. Dan hebben wij eindelijk de tijd om aan een hechte band te werken.'

Ze zuchtte theatraal. 'Ik verheug me er enorm op om jou een tijdje bij ons te gast te hebben, ma.' Of ze te ver was gegaan moest nu blijken. Ze had haar intuïtie gevolgd en haar eigen koers uitgezet. De logica had ze gelaten voor wat die was. Een andere strategie leek opeens kansrijker. Of was dit toch wat Denise uiteindelijk had bedoeld? Nou ja, mocht het verkeerd uitpakken, dan kon ze enkel zichzelf hiervoor verantwoordelijk houden. Ze had er in elk geval vol voor gestreden, en dat was al heel wat.

'Ik ben ervan overtuigd dat jij sommige dingen niet geheel in de juiste pro-porties ziet, Chantal,' begon Dorien met een standvastige stem aan haar tegenoffensief. Elk spoor van onzekerheid was verdwenen. Haar houding was kaarsrecht en in haar ogen lag de blik van een officier van justitie die op het punt stond om keiharde bewijslast op tafel te leggen. 'Ten eerste wil...'

De tegenwerpingen die vol overgave werden uitgesproken, kwamen uit een onverwachte hoek.

'Nee, ma. Doe nou niet zo eigenwijs. Chantal heeft volkomen gelijk. Het is werkelijk een perfect idee om een paar weken bij ons te komen wonen!'

Hierna gaf hij zijn vrouw een vette knipoog. 'Sterk denkwerk, Tal.'

Chantal glimlachte breeduit. Ditmaal welgemeend. Het was ronduit prettig om Jeroen openlijk vóór haar en tégen zijn moeder te horen kiezen.

Zelfs Dorien leek van haar stuk gebracht. De nietsverhullende reactie van Jeroen had haar in allerijl bedachte reactie in duigen laten vallen. Haar gezichtsuitdrukking veranderde van bewolkt naar onweer. Net toen ze iets wilde zeggen, ging de deur open.

Dokter De Boer stapte binnen. Door zijn ervaring had hij slechts een korte oogopslag nodig om de situatie enigszins in te schatten. Een afgeknepen 'goe-demorgen' klonk door de kamer.

Chantal reageerde als eerste. Haar 'goedemorgen' werd gedragen door de ademteug die zij in afwachting van Doriens antwoord in haar longen had vastgehouden. Hierna keek ze naar haar schoonmoeder en zag waar ze in stilte op had gehoopt.

Tijdelijke berusting.

Deze slag was voor haar.

25

Dag, Chantal. Hoe is het om te slapen terwijl je dit eigenlijk niet wilt? Dat je geest het heeft moeten afleggen tegen je lichaam? Doet het pijn om toe te geven dat een helder brein kansloos is tegenover vermoeide botten en spieren? Voel je je soms verraden? Bij de neus genomen door je eigen vlees en bloed? Ik begrijp het, Chantal. Ik weet wat je doormaakt. Het is mij ook overkomen. Willen, maar niet kunnen. De pijn, het onbegrip, het machteloze. En steeds weer die vragen. Vooral die ene.

Waarom?

Als ik me wentel in medelijden voeg ik er een woord aan toe.

Waarom ik?

Dit moet jou bekend voorkomen, nietwaar? Tenslotte zijn wij allebei slachtoffer. En dit gedrag hoort bij een slachtofferrol. Omdat ons iets is afgenomen. Het kostbaarste bezit. Een leven. In jouw geval zelfs twee.

Jij hebt weer tot diep in de nacht over het verdriet van anderen gelezen. Een branderig gevoel in je ogen dwong je tot stoppen. Om maar te zwijgen over de kramp in je nek en schouders. Toch viel die pijn nog wel uit te houden, hè? Het waren die rotogen die je uiteindelijk de das omdeden, toch? Je kon ze eenvoudigweg niet meer openhouden. Hoe graag je dit ook wilde.

De verhalen van anderen. In het begin lees je ze, in de hoop dat hierdoor jouw eigen pijn vermindert. Het klinkt banaal, maar helaas is het de waarheid. Door te lezen dat meerdere mensen door een soortgelijke hel zijn gegaan, voel je hoe het denkbeeldige isolatietape van verdriet, schaamte en onmacht stukje bij beetje loslaat. Je kunt weer ademen zonder over elke teug na te denken, ervoor te werken.

Ik weet dat je je hiervoor schaamt. Je houdt jezelf voor dat jij niet zo bent. De bekende uitzondering die de regel bevestigt. Je leest de beschrijvingen op de site in eerste instantie uit compassie. Tenminste, dit maak je jezelf wijs. Het is echter medeleven met een achterliggende gedachte, Chantal. Geloof me, ik heb het meegemaakt. Ik weet waarover ik spreek.

Vannacht heb je mijn verhaal gelezen. Een vakantie op Kreta eindigde in een nachtmerrie. Ik verloor er mijn vriend. Volgens alle betrokkenen, incluis mijzelf, door een ongeluk. Te veel gedronken, een uitglijder, verdronken. In een tijdsbestek van een paar minuten werden twee levens geruïneerd. We hadden trouwplannen, weet je.

Nadat je mijn verhaal had gelezen, had je meteen je oordeel klaar. Eigen schuld, dikke bult. Als je te veel drinkt, kan dat soort dingen gebeuren. Een kwestie van verantwoordelijkheden nemen. Om het een beetje cru te stellen: jammer, maar helaas. Vat ik het zo goed samen, Chantal? Speelden deze zinnen door je hoofd?

Ja, dus.

Toen je er later nog eens over nadacht, kwam je tot de conclusie dat er tussen de dood van Teun en jouw kinderen raakvlakken bestonden. Zowel Teun als Dennis en Max zijn verdronken, en het speelde zich af in een all-inclusive hotel. Daar hield het echter mee op. Een triest toeval, elke overige parallel kon verder als onzinnig worden betiteld.

Weet je, ik kan me die redenatie best voorstellen. Zo op het eerste gezicht betrof het hier twee opzichzelfstaande 'gevallen'. Sorry als ik dit onpersoonlijke woord gebruik. Je begrijpt wel dat ik het niet zo bedoel. Ik hield heel veel van Teun, net zoals jij van jouw kinderen.

Er komt een moment dat je inziet dat het niet zo zwart-wit ligt, Chantal. Dat de locaties waar onze persoonlijke drama's zich hebben voltrokken in principe de bindende factor zijn. Na veel lees- en denkwerk zul je je realiseren dat heel veel zaken die betrekking hebben op all-inclusive vakanties in werkelijkheid niet zo zijn als ze lijken of worden voorgespiegeld. Ook zal je onderbewustzijn jou op een gegeven moment andere benamingen voor 'ongevallen' influisteren. Hiertegen zul je in eerste instantie hevig agiteren. Het fatsoensmens in je weigert dit botweg te geloven.

Het gaat echter om jouw kinderen. En er is niemand zo vasthoudend als een moeder die een spoor ruikt. Want ook dat is in jouw geval de waarheid. Daarom ben je ook naar de site gegaan. Je zoekt, Chantal. Nu nog onbewust, omdat je dit voor jezelf als een soort therapie ziet. Ergens diep binnenin je bevindt zich daarentegen het oergevoel dat na elk bezoek aan de site meer aangewakkerd zal worden. Uiteindelijk zal dit instinct als nimmer aflatende energie fungeren gedurende jouw zoektocht.

Je vraagt je nu af waarom ik, Marieke Zijlstra, jou dit vertel. Een jonge vrouw van vierentwintig die misschien wel overkomt als iemand die de wijsheid in pacht heeft. Helaas is dit laatste niet het geval, Chantal. Wel ben ik je voorgegaan in de zoektocht die voor jou nog even vers is als de littekens op je ziel. Wat ik heb ontdekt is nu nog irrelevant. Mijn bevindingen kunnen namelijk op verscheidene manieren worden uitgelegd. Pas als jij zover bent dat je de waarheid van de veronderstelde waarheid kunt onderscheiden, kom ik terug. Of niet, dat ligt aan de omstandigheden. Wellicht ben je dan, eenmaal op dat punt aangekomen, beter af zonder mijn adviezen.

Ik heb zo goed en zo kwaad als mogelijk is mijn leven weer opgepakt. Ergens moet een toekomst voor me liggen. Een leven zonder Teun. Ik sta aan het begin van een nieuwe reis. Met veel moeite heb ik de afslag gevonden die leidt naar de lange weg die ik nog te gaan heb. Ooit zal ik weer gelukkig worden, eens zal ik weer een man leren kennen met wie ik oud wil worden.

Jouw zoektocht bevindt zich daarentegen nog in het beginstadium. De mist van twijfel, nieuwsgierigheid en onmacht zal spoedig optrekken, waarna je vastberaden het voorbestemde pad zult betreden. Een zin die jou nu onwaarschijnlijk in de oren klinkt, dat begrijp ik. Over enige weken, misschien maanden, zul je echter ten strijde trekken. Met de ongekende wil van een moeder die op zoek is naar de waarheid.

Jij bent de uitverkorene, Chantal. Dat heeft het toeval nu eenmaal bepaald.

Chantal sperde haar ogen wijd open. De schrikreactie duurde drie hele seconden. De stilte in de slaapkamer was oorverdovend. Een orkaan van ondefinieerbare geluiden raasde door haar hoofd. Ze wilde terugschreeuwen dat ze haar met rust moesten laten.

Wie 'ze' waren wist ze niet. 'Het' kwam waarschijnlijk dichter in de buurt. De geluiden waren er onmenselijk genoeg voor.

Ze ging rechtop zitten. In een automatisme reikte ze naar het glas met water. Terwijl ze recht voor zich uit staarde, bracht ze het glas naar haar lippen. Het water voelde lauw aan. Er waren drie flinke slokken voor nodig om de prop in haar keel op te laten lossen.

Die stem. Er had iemand tegen haar gesproken. Een monotone stem uit de verte was haar hoofd binnengedrongen. Had haar gewezen op het all-inclusive concept. En meer...

'Marieke,' fluisterde ze. De jonge vrouw van wie de verloofde in Griekenland in een hotel was verdronken. Een achternaam wilde haar niet te binnen schieten. 'De site.'

Dit was dus het resultaat van urenlang staren op de internetsite van Perry Zuidam. Een heuse nachtmerrie met alles erop en eraan. Verteld door een vrouw over wier intense verdriet ze had gelezen. Langdurig had gelezen, omdat er een parallel bestond tussen de dood van haar vriend en de tweeling. Een toevalligheid, maar wel eentje waardoor het verhaal haar aandacht trok en ze het tweemaal achtereen las.

'Dit is foute boel, meid.'

Morgen, nee, straks al komt Jeroen thuis, ging het door haar heen. Dat is op zich al een klein wonder, want Dorien had heel andere plannen. Het is je gelukt om deze te doorkruisen. Wat niet automatisch betekent dat zij het opgeeft. Je moet dus alert zijn. Erbovenop blijven zitten. Dan kun je dit soort dingen er gewoonweg niet bij hebben.

Chantal bleef nog even voor zich uit staren. Diepzwart veranderde in donkergrijs. De contouren van de slaapkamer tekenden zich langzaam af. Nadat ze haar besluit had genomen, werden haar oogleden zwaar.

'Voorlopig geen internet meer,' prevelde ze. Hierna werd ze door de slaap overmand. Hoewel ze elk woord van haar belofte meende, zou dit een onmogelijke opgave blijken.

26

Jeroen liet zijn koffer in de gang neerploffen. Hierna liep hij direct naar de woonkamer en ging op de bank zitten. De zucht die daarop volgde klonk als een ultieme uiting van genot. 'Jeetje, Tal, wat is dit lekker. Oost west, thuis best.' Hij maakte zich breed, legde beide armen op de bovenkant van de rugkussens en schopte zijn schoenen uit. 'Ik weet dat het raar klinkt, pop, maar ik heb het gevoel heel lang weg te zijn geweest. Jarenlang, of zo. Niet normaal meer.'

Chantal ging naast hem zitten. Met haar hand wreef ze speels over zijn buik. 'Dat gevoel had ik ook. De dagen kropen voorbij. Seconden waren minuten. Over de uren wil ik het niet eens hebben.'

Hij glimlachte dunnetjes en schudde een paar maal met zijn hoofd. Met zijn hoektand beet hij op zijn lip. Chantal zag hoe de opflikkerende lichtjes in zijn ogen begonnen te doven. De emotionele oprisping beleefde een terugslag. Dit werd hoogstwaarschijnlijk veroorzaakt door de medicijnen, wist ze. Het was nu belangrijk om het positieve gevoel de boventoon te laten voeren.

'Maar je bent nu weer terug en dat is het belangrijkst, nietwaar?' Ze hoopte vurig dat haar ogen dezelfde opgewektheid uitstraalden als de brede glimlach die ze zichzelf had aangemeten.

'En laten we eerlijk zijn, je bént ook weggeweest. Geen jaren, maar toch, voor mijn gevoel duurde het ook heel lang, hoor.'

Jeroen knikte beheerst. Het leek alsof er een tweestrijd in zijn hoofd woedde. Schaamte, vanwege zijn gedrag en de daaropvolgende opname, of enorme opluchting omdat hij weer thuis op de bank zat. 'Wat zei Denise ervan?' vroeg hij aarzelend.

'Die vond het geweldig dat je weer thuiskwam,' reageerde Chantal direct. Ze deed haar uiterste best om de uitdrukking van spontaniteit en kinderlijke blijdschap op haar gezicht intact te houden. 'Nadat ik haar gisteren vertelde dat je zou worden ontslagen uit het ziekenhuis, pakte ze fluitend haar spulletjes bij elkaar.' Aan de afwachtende houding van Jeroen bemerkte ze dat hij hierover zo zijn twijfels had. 'Heus, ik maakt geen geintje. Denise was dolgelukkig. Ik heb met haar afgesproken dat ze morgen belt.' Terwijl ze haar schouders ophaalde, toverde ze opnieuw een vrolijke uitdrukking op haar gezicht.

Zijn opspelende grijns gaf haar weer energie. Ze kuste hem vluchtig op zijn linkerwang. 'Je weet toch hoe Denise is, gekkerd. Die vliegt door het leven heen en vindt het alleen maar prachtig als het goed met iedereen gaat.' Ze realiseerde zich dat ze hiermee haar jongere zus zwaar tekortdeed. Nood brak echter wetten. Denise zou het wel begrijpen.

'Denise is een geweldige meid.' De toon waarop hij dit zei gaf haar hoop. De deprimerende onderlaag leek verdwenen.

'De meeste mensen hebben een goed hart, joh,' ging ze luchtig verder. 'Als je eens wist hoeveel mensen er gebeld hebben om hun belangstelling te tonen. Mijn ouders bijvoorbeeld, die hingen wel drie keer per dag aan de lijn. Verder...'

Nog voordat hij haar onderbrak, wist Chantal dat ze te ver was gegaan. Ze wilde haar woorden terugdraaien, inslikken, uitwissen terwijl ze nog in de lucht hingen. Het onmogelijke hiervan deed haar hersens op volle toeren draaien. Ze moest iets bedenken waarmee ze deze overkill kon bagatelliseren. 'Welke mensen bedoel je in godsnaam?' reageerde Jeroen pinnig. 'Jouw ouders, verre familie, de buren, mijn collega's, de hele buurt.' Paniek welde in zijn ogen op. 'Wie weet er buiten ons kleine kringetje om dat ik in het ziekenhuis heb gelegen? Iemand heeft toch niet lopen rondbazuinen dat ik als een zombie ben afgevoerd?'

Chantal hief beide handen op en maakte een afwerend gebaar alsof ze hiermee een naderend gevaar kon afwenden. 'Nee, nee, nee. Zo bedoel ik het niet. In mijn enthousiasme generaliseerde ik een beetje.' Jeroen opende zijn mond, maar kreeg geen kans op een weerwoord. 'Een beetje boel,' raasde ze door. 'Natuurlijk hebben mijn ouders gebeld, dat lijkt me logisch. Verder spraken de buren mij aan of alles goed was. Op zich is daar niets vreemds aan, ze hebben tenslotte de ambulance voor de deur zien staan.'

'Iemand van mijn werk?'

'Job Hendriks, maar dat was niet specifiek vanwege jouw opname. Hij belde gewoon om te vragen hoe het met je ging. Dat doet hij elke week, toch?'

Jeroen knikte. Job en hij konden het goed met elkaar vinden. Ze waren collega's en vrienden. Elke twee weken gingen ze samen squashen. Daarna dronken ze een paar biertjes. Hierbij bleef het. Net als Jeroen was ook Job erg op zijn gezin gericht. Bij wie dan ook de deur platlopen druiste tegen hun natuur in.

'En verder?' De aarzeling was nadrukkelijk in zijn stem aanwezig.

'Verder niemand, Jeroen,' zei ze enigszins theatraal zuchtend. 'Ik liet me meeslepen in mijn enthousiasme. Wilde je gewoon opvrolijken.' Ze hield haar hoofd schuin en toverde haar onschuldigste gezichtsuitdrukking tevoorschijn. 'Het spijt me, lieverd.'

Hij pakte haar uitgestoken hand en drukte deze voorzichtig tegen zijn lippen. 'Sorry dat ik zo heftig reageerde.'

Chantal pakte zijn hand en stond gelijktijdig op. Hoewel hij zwaarder was dan zij, lukte het haar om zijn bovenlichaam naar zich toe te trekken. Jeroen gaf mee. Soepel kwam hij van de bank af en omarmde haar. 'Niet gek voor een oude man die dagenlang op bed heeft gelegen, nietwaar?' zei hij gekscherend. Zijn hand gleed vanaf haar rug langzaam naar beneden.

Chantal trok hem steviger tegen zich aan. Zijn bovenlichaam drukte nu tegen haar borsten. Langzaam overbrugde Jeroen de geringe afstand tussen hun lippen. De kus die volgde was lang en teder.

Jeroen tikte met zijn hand op het onderlaken. 'Kom,' zei hij hees. De toon waarop hij het zei, deed het speelse in het zojuist gemaakte gebaar geheel teniet. Nogmaals klopte hij op het onderlaken. Nu klonk het als een fragment van een opzwepende beat. Fel, ongeduldig, gepassioneerd.

Ze liet de badjas van haar schouders glijden. De witte stof vervormde tot een hoopje textiel waar ze lichtvoetig overheen stapte. De aanraking met het koele onderlaken deed haar licht huiveren. De lauwe douche die ze zojuist had genomen, was hiervan de oorzaak, wist ze. Haar huid was nog niet op de normale lichaamstemperatuur en bij het afdrogen had ze vast hier en daar een stukje overgeslagen. Dat gebeurde haar eigenlijk altijd wel.

Het dekbed en onderlaken voelden fris aan. Gelukkig had ze die morgen de tegenwoordigheid van geest gehad om ze te verschonen. Er was niets lekkerder dan bij thuiskomst in een schoon bed te stappen.

Zijn warme hand gleed over haar buik. Glad en warm waren de eerste woorden die haar gedachtegang doorbraken. Zijn vingertoppen verkenden haar tepels op een zachte, wat onbeholpen manier. Het deed haar naar adem happen.

Het harnas waarin ze de afgelopen weken haar gevoelens had geperst, begon scheuren te vertonen. Haar longen vroegen om een hoger bewegingsritme, een tinteling in haar onderbuik was een opmaat naar meer. Haar geest werd ruw losgekoppeld, hartstocht nam de controle over haar lichaam over.

Terwijl zijn vingertoppen op verkenning gingen, draaide zijn tong trage cirkels rond haar tepel. Elke stroperige seconde brokkelde haar zorgvuldig opgebouwde verdedigingslinie verder af. Het was één grote farce geweest, gierde het door haar hoofd. De angst dat ze een andere man in de huid van haar Jeroen terug zou krijgen, sloeg nergens op. Met deze gedachten had ze slechts haar enorme verlangen naar hem willen temperen. Zichzelf willen beschermen tegen wederom een teleurstelling.

Toen hij bij haar binnendrong, sloot ze haar ogen. Achter haar oogleden ontstond een ongekend kleurenspectrum dat uiteindelijk uiteen zou spatten tot een gigantische sterrenhemel.

De herinnering aan de heerlijke vrijpartij lag als een warme deken om haar heen. Omdat woorden ontoereikend waren om hun samenzijn te beschrijven, dacht ze over andere dingen na. Maar via allerlei kronkelweggetjes en sluiproutes kwam ze ongewild steeds weer bij de seks terecht. Waar het hart vol van was...

Ze glimlachte. Het hoogtepunt van de dag was er eentje geweest om niet snel te vergeten. Ze beet op haar lip om een meisjesachtig gegiechel te onderdrukken. Normaal was dit soort woordgrapjes niet aan haar besteed. Maar ja, met de beste wil van de wereld kon je deze dag niet als een normale dag bestempelen.

Die morgen had ze Jeroen uit het ziekenhuis opgehaald. Geen Dorien te bekennen, prima. Die zat thuis ongetwijfeld te kniezen en nieuwe plannen uit te broeden. Een aan zekerheid grenzende veronderstelling, aangezien Dorien de hele dag verder niets van zich liet horen.

Eenmaal thuis was er die kus geweest. Teder, maar met een overduidelijke lading. Een vreemde mix van opluchting, terughoudendheid, seksualiteit en respect. Een spanningsveld dat zich niet zozeer liet definiëren, maar er wel degelijk was.

Tijdens de daaropvolgende wandeling werden de eerste barrières geslecht. Het enigszins ingetogen gesprek kwam langzamerhand op gang, om uit te monden in een ongedwongen conversatie over alles en nog wat.

Na de lunch kletsten ze vrolijk verder. De meest uiteenlopende onderwerpen kwamen ter sprake. Behalve dat ene, natuurlijk. Daar bleven ze mijlenver vandaan. Een voorzichtige, door de ander zogenaamd niet opgemerkte blik op de familiefoto's was in dit stadium het hoogst haalbare.

De opsmuk van een uitgebreid diner was deze keer niet aan hen besteed. Drie kwartier na haar telefoontje verscheen de koerier. Tweemaal pizza Margarita, lekker simpel. Daarna waren ze tegen elkaar aangekropen op de bank. Jeroen zapte als vanouds.

Rond halfelf kreeg het onbestemde gevoel definitief vat op haar. Tot aan dat moment was het enkel een sluimerend onbehagen dat ze vrij simpel wist te onderdrukken. De contradictie van angst en verlangen. Bang dat hun intieme samenzijn in een teleurstelling zou eindigen, terwijl elke vezel in haar lijf hevig verlangde naar zijn omhelzing, zijn warme huid, zijn mannelijkheid.

Aan zijn regelmatige ademhaling hoorde ze dat Jeroen sliep. Het voelde vertrouwd aan. Hier hoorde hij, naast haar. Geborgenheid, lekker warm in huis terwijl de regen op het slaapkamerraam roffelde. Zo moest het altijd zijn.

Zo geluidloos mogelijk stapte ze uit bed en pakte ze haar badjas. Terwijl de computer de opstartprocedure uitvoerde, trilden haar neusvleugels en voelde haar keel aan als het droogste gedeelte van een woestijn. Door enkele malen achter elkaar met haar ogen te knipperen, wist ze de opkomende tranen tegen te houden. Haar wangen bleven droog, haar hart was echter een tranendal waarin emoties verdronken.

De site verscheen op afroep. Palmbomen en kruisen. Daaropvolgend 'Dossiers'. Een stemmetje in haar hoofd deed nog een poging om deze sessie af te gelasten. Hoewel ze diep in haar hart niets liever wilde, schudde Chantal nee tegen de bekende onbekende. Ze zat hier niet omdat ze het wilde. Het was simpelweg een kwestie van moeten. Dat was ze aan haar kinderen verplicht.

27

'Jij nog koffie?'
'Lekker.'
Chantal stond kwiek op van de bank en liep met een lichte tred naar de keuken. Een bewuste pose. Ze was gebroken en voelde zich minstens honderd jaar oud. Haar spieren deden bij elke beweging pijn en haar hoofd kon er elk moment afvallen of exploderen. Het gevolg van een nacht naar het beeldscherm turen.
Naast de lichamelijke ongemakken was er eveneens ruimte voor een lichtpuntje. Een rotsvast gegeven dat haar van energie voorzag. Het was niet trots waardoor haar motor aan de praat werd gehouden, dat was te veel van het goede. Het neigde meer naar opluchting, in combinatie met een fierheid waarvan ze het bestaan nauwelijks kende. Dit had alles te maken met de beslissing die ze die nacht had genomen. Een weloverwogen besluit waarvan de gevolgen nog moesten blijken. Het eeuwige twijfelaartje in haar had zowaar de knoop doorgehakt. Er was het nodige wikken en wegen aan voorafgegaan, maar oké, ze had het maar mooi gedaan! En dat helemaal in haar eentje.
'Alsjeblieft.' Ze zette de kop koffie op de tafel recht voor hem.
Jeroen gaf haar een knipoog. 'Zonder koffie is er geen fatsoenlijk leven mogelijk.'
'Drink dan maar gauw op.'
Chantal nam haar vertrouwde plekje weer in. Dit moest een ongedwongen dag worden, dacht ze. Zo'n dag waarop alles kon en niets hoefde. Beetje wandelen, televisiekijken, Chineesje pikken, in bed een roddelblad lezen. Onbewust zakte ze verder onderuit.
Het scherpe gerinkel van de telefoon sneed door haar ziel. Ze voelde hoe Jeroen verstijfde. Toen hij wilde opstaan, gaf ze hem een speelse duw. 'Laat maar, joh. Kom ik ook eens aan beweging toe.'
Tijdens de derde rinkel pakte ze de hoorn op. 'Met Chantal van der...'
'Chantal... er is iets vreselijks gebeurd!' De ontreddering klonk in elk woord door.
'Heleen?'

'Er is iets vreselijks gebeurd, Chantal. Ik... ik kan er niet meer tegen.'

Chantal voelde hoe een onzichtbare voet haar terugtrapte van de hemel naar de hel. Je hebt van het geluk mogen proeven, meisje, nu wordt het weer tijd voor een stevig stuk realisme. Welkom in de werkelijke wereld. Het gesnik aan de andere kant van de lijn maakte daar onmiskenbaar deel van uit.

'Ik... ik stop ermee. Chantal, hoor je me? Ik stop ermee!'

Het was compleet mis met Heleen Kronenberg. Ze klonk als een geknakte vrouw die op het punt staat een aanval van hysterie te krijgen. Ze had hulp nodig. En snel ook.

'Waar ben je, Heleen?' schoot haar als eerste te binnen. Wellicht een idiote vraag, maar alles was beter dan een verbouwereerde stilte waardoor Heleen zich nog meer alleen zou voelen dan ze al was.

'Ik ben er klaar mee, Chantal. Ik... ik... ik ben er he-le-maal klaar mee.'

De daaropvolgende ingesprektoon gaf aan dat Heleen Kronenberg de daad letterlijk bij het woord voegde. Een masker van bezorgdheid gleed over Chantals gezicht. Ze wierp een blik op het transparante balkje naast de hoorn. Het laatste nummer dat had gebeld was er een uit Almere. Hoewel ze het niet direct herkende, ging ze ervan uit dat dit het telefoonnummer van Heleen was. Hierna liep ze met grote stappen naar de gangdeur. In volle vaart griste ze naar haar handtas die naast de tweezitsbank stond.

'Wat is er in 's hemelsnaam aan de hand, Tal?'

'Er is iets met Heleen Kronenberg aan de hand.' Zonder op een reactie te wachten stormde ze de gang in en pakte haar jas. 'Ik bel je zogauw ik iets weet,' riep ze in alle gauwigheid. Daarna rukte ze de voordeur open en rende naar haar auto.

'Laat het loos alarm zijn,' murmelde ze. 'Laat het alsjeblieft over iets onbenulligs gaan.' Terwijl ze veel te hard door de straten van Almere-Buiten reed, doemde een veelvoud aan scenario's op. Krankzinnige beelden schoten aan haar netvlies voorbij. Heleen met opengesneden polsen in een warm bad. Het water was donkerrood. Langs de randen liepen stralen bloed. Pieter zat in een stoel voor de televisie. Zijn lippen geklemd om de loop van een geweer. De achterkant van zijn hoofd was een bloederige massa. Op zijn schoot een afscheidsbrief: *Ik heb één zaak te veel verloren.* Op de grond in de huiskamer Rogier. Zijn gezichtje paars aangelopen. Rondom hem lag het bezaaid met knikkers. Zijn keel en mond zaten er vol mee.

'Jezus, Chantal. Hou op met die narigheid!' Geschrokken van haar eigen uitval nam ze gas terug. Nog twee straten. 'Ach, leer mij Heleen kennen. Het zal ongetwijfeld over iets lulligs gaan.' De luchtigheid in haar stem was geforceerd. Dit gold ook voor de film die zich voor haar ogen afspeelde. Heleen liep met grote ogen en een verward kapsel door het huis. Het eten was aangebrand en de hond had zijn behoefte op de nieuwe pers gedaan. Vanuit haar mobiel klonk de geïrriteerde stem van Pieter die herhaaldelijk meldde dat het geld niet op zijn rug groeide. Op de achtergrond klonk harde muziek die Rogier van internet had gedownload. Heleen hield beide handen voor haar oren en schreeuwde: 'Ik kan er niet meer tegen.'

Met piepende remmen kwam de auto recht voor het huis van de familie Kronenberg tot stilstand. Het loopt allemaal wel los, maakte Chantal zichzelf wijs toen ze uitstapte. Toen schoot haar ineens iets te binnen: er was geen hond in huize Kronenberg. Op een drafje liep ze naar de voordeur.

'Doe nou eens rustig aan, Heleen. Neem je tijd. Ik heb de hele dag.' Geruststellende woorden op familiaire toon. Het eerste vereiste om iemand kalm te krijgen. Blijkbaar was deze psychologische aanpak van de koude grond ongeschikt voor warmbloedige mensen zoals Heleen, dacht Chantal. Ondanks haar pogingen om beheerst en ontspannen over te komen, kreeg de hysterie met de seconde meer vat op haar vriendin.

'Die goorlap... die schoft... ik... ik... bah!' Haar ademhaling kwam met horten en stoten. 'Jarenlang heb ik voor die klootzak gezorgd. Zijn eten gemaakt, zijn was gedraaid... vuile... vieze... smeerpijp!'

De blik in de ogen van Heleen was die van een waanzinnige die op het punt staat een gruweldaad te begaan. Haar mascara was doorgelopen. De zwarte strepen en vegen gaven haar het uiterlijk van een zangeres in een gothic band na een zinderend optreden. Terwijl ze sprak, klauwden haar vingers in de lucht. Haar gemanicuurde nagels glinsterden vervaarlijk. Wiens huid ze hiermee tot aan het bot wilde openhalen, was Chantal inmiddels wel duidelijk.

'Heleen,' zei ze vriendelijk maar met een strenge ondertoon, 'ga nu zitten en begin bij het begin, anders kan ik net zo goed naar huis gaan. Hier is echt geen touw aan vast te knopen, meid.'

Schijnbaar drongen de woorden tot haar vriendin door. Ze maakte een afwerend gebaar waaruit een soort van verontschuldiging sprak. Hierna liep ze naar de dichtstbijzijnde stoel, ging zitten en sloeg beide handen voor haar gezicht. 'Jezus, Chantal. Het spijt me zo.' Doordat ze met haar vingertoppen in haar ogen wreef, mengde de uitgelopen mascara zich met rouge. 'Ik... ik had jou nooit mogen bellen. Wat jij allemaal hebt doorgemaakt... Het spijt me zo, maar ik deed het in een opwelling. Ik... ik heb niemand anders...'

Een golf van medelijden overspoelde Chantal. Nu pas zag ze hoe kwetsbaar Heleen eigenlijk was. Recht voor haar zat een hoopje ellende. Een vrouw zonder vrienden of sociale contacten. Vrijwel alleen op de wereld. Een gouden kooi diende als luxe omhulsel om de boze wereld buiten te sluiten.

Ze liep naar Heleen toe en omhelsde haar. De band die er tussen hen nooit was geweest voelde ineens aan als iets vanzelfsprekends. Een kleinood dat enkel opgepoetst diende te worden om daarna weer als vanouds te stralen.

'Dankjewel,' fluisterde Heleen. 'Jij bent mijn enige vriendin.'

Chantal sloot even haar ogen en knikte. Ze schoof een stoel bij en ging tegenover Heleen zitten. Hoewel het moeilijk was om haar vriendin niet met vragen te bestoken, hield ze haar lippen stijf op elkaar. Heleen moest beginnen, wist ze. En zo te zien kon dit elk moment gebeuren, aangezien ze redelijk gekalmeerd was.

Heleen wapperde met haar handen om haar verhitte gezicht enigszins te verkoelen. Het schokkende was uit haar ademhaling verdwenen. Het was nog slechts een kwestie van seconden voordat haar longen weer op het regelmatige ritme over zouden schakelen.

'De laatste weken zat ik in een soort van dip,' begon ze zonder enig teken vooraf. 'Ik voelde me zo nutteloos. Ineens miste ik in mijn leven inhoud. Moeilijk uit te leggen wat ik precies bedoel, maar ik zat gewoon niet lekker in mijn vel. Voelde me een nietsnut. Iemand die opstaat en naar bed gaat. Wat daartussenin gebeurde mocht geen naam hebben. Vaak was ik het de volgende dag dan ook weer vergeten.'

Chantal bleef rustig zitten. Dat de woorden van Heleen op het gênante af waren deed haar niets. Voor haar zat een vrouw die haar hulp had ingeroepen. Iemand die haar hart wilde luchten, haar verdriet aan iemand wilde vertellen. Een vrouw die er min of meer alleen voor stond en zeker geen zus genaamd Denise had...

'Opeens kreeg ik een idee. Zoals je weet is Rogier helemaal gek van internet. Ook Pieter...' Ze hapte direct naar adem. 'Die smerige rat...'

'Heleen!'

De kreet temperde meteen de plotselinge woedeaanval. Heleen wreef zich over haar gezicht en mompelde: 'Sorry.'

'Ga door en maak je niet zo druk, oké?'

Heleen knikte kort, maar leek heel ver weg te zijn. Verwoed beet ze enkele seconden op haar duimnagel. Haar kaken haalden hierbij het tempo van een knaagdier dat vol overgave aan een noot knabbelt. 'Goed,' zei ze bedachtzaam. 'Ik kwam dus op het lumineuze idee om mezelf de grondbeginselen van de computer eigen te maken. Hiermee kon ik dan een aantal vliegen in één klap slaan. Ik zou Rogier begrijpen als hij weer over site zus en site zo begon. Gedeeltes van zijn huiswerk die hij op de computer maakt, bleven niet langer ontoegankelijk voor me. Plus het niet onbelangrijke feit dat ik door hem niet langer als het sufferdje van de buurt werd gezien als internet ter sprake kwam.'

De duimnagel ging weer in de richting van haar mond. Opeens bedacht Heleen zich en legde beide handen in haar schoot. Blijkbaar wilde ze verder met haar verhaal. 'Ook naar Pieter toe leek het me een leuke geste. Veel van zijn werk handelt hij via de computer af. Contracten, afspraken... communicatie.'

Chantal zag in haar blik dat er iets knapte. Haar ogen draaiden weg en ze haalde luidruchtig adem door haar neus. 'Hij heeft me bedrogen, Chantal! Die smeerlap heeft me bedrogen met zijn secretaresse. Ik heb hun vunzige praatjes op internet gelezen.' Het hoge woord was eruit. Heleen trilde nu over haar hele lichaam. Dikke tranen stroomden langs haar wangen. Ze deed geen enkele moeite ze tegen te houden. Haar wereld was toch opgehouden met bestaan. Wat maakte een doorweekt lichtroze Versace-shirtje meer of minder dan nog uit. 'Kun je het je voorstellen?' zei ze snikkend. 'Hij doet het met een kantoorsloerie. Pieter de geniale strafpleiter is een achterbakse hufter die op kantoorsletjes valt.'

Heleen was volkomen over de rooie. Chantal boog zich wederom voorover om haar te troosten. Hoewel ze Jeroen niet te lang alleen wilde laten, kon ze het niet maken om haar vriendin nu aan haar lot over te laten. Een lastig dilemma, waarvoor ze een oplossing moest zien te vinden.

Toen zei Heleen agressief: 'Ik pluk die rotzak helemaal kaal.' Er was weinig hoop op een spoedige wapenstilstand. Dit kon nog wel even duren, dacht Chantal mismoedig.

'Goh, wat een verhaal,' zei Jeroen. Hij strekte zijn benen en trok het dekbed een stukje omhoog tot vlak boven zijn borst. 'Het gebeurt altijd bij degene van wie je het nooit verwacht,' voegde hij er met een licht cynische ondertoon aan toe.

'Ik wist niet dat jij Pieter kende?'

'Dat hoeft ook niet. Advocaat, knappe vrouw, een kind, mooi huis en een gouden toekomst. Daarvoor hoef ik hem dus echt niet te kennen, Tal.'

'Ik vind dat je nu wel erg kort door de bocht gaat.'

Jeroen glimlachte dunnetjes. 'Ik zal eerlijk tegen je zijn. Natuurlijk vind ik het een rotstreek van die Pieter en hartstikke zielig voor Heleen. Aan de andere kant is het ook weleens prettig om te horen dat het gras bij de buren niet altijd groener is.'

Chantal zuchtte diep. 'Jezus, jij bent echt erg,' zei ze quasi geschokt.

'Soms is er niets mooier dan leedvermaak, Tal. Normaal gesproken is dat niet mijn stijl, maar op dit moment ben ik ver van mijn normale vorm verwijderd, begrijp je?'

De betekenis hiervan drong enkele seconden later pas echt tot haar door. In stilte was ze blij dat ze haar antwoord rustig had geformuleerd, in plaats van impulsief te reageren.

'En zo letterlijk bedoelde ik het niet, joh,' krabbelde Jeroen terug. Hij had de bedenkelijke uitdrukking op haar gezicht goed op waarde geschat. 'Ik wilde alleen maar zeggen dat het soms als een steuntje in de rug kan aanvoelen als een ander ook eens tegenslag heeft. Een zetje om verder te gaan. Dat alle ellende op de wereld niet alleen op jouw nek terechtkomt.' Hij klakte zacht met zijn tong. 'Ik weet dat het onzinnig klinkt. Het lukt me gewoon niet om datgene wat ik wil zeggen goed en logisch onder woorden te brengen.' Hij keek Chantal aan. 'Begrijp je een klein beetje wat ik bedoel? Met een héél klein beetje zou ik al tevreden zijn.'

Chantal knikte. Ze dacht precies te begrijpen wat hij bedoelde.

'Maakt Heleen er geen groter drama van dan het daadwerkelijk is?' ging hij verder. Hij hief direct zijn hand op om aan te geven dat ze hem niet enkel op deze woorden moest beoordelen. 'Ik bedoel... luister... Wat ik over haar weet, heb ik van jou, nietwaar? Een aardige vrouw met de herseninhoud van een cavia. Ze zit de godganse dag op haar luie reet en houdt zich hoofdzakelijk bezig met de nieuwste mode en hoe ze het geld van haar man kan uitgeven. Zoonlief heeft de status van een halfgod en krijgt alles wat zijn hartje begeert. Komen er echter essentiële dingen om de hoek kijken, zoals met het ventje gaan spelen of helpen bij zijn huiswerk, dingen die niet met geld te koop zijn, dan geeft mevrouw niet thuis. In een opwelling stapt zij in de wereld van internet. Ze koopt een dure laptop en huurt via die winkel een expert aan huis in die het spulletje aan de praat krijgt en haar snel wat foefjes leert. Helemaal in de zevende hemel vanwege de opgedane kennis, opent ze in het kantoortje van haar man naast hun slaapkamer zijn e-mail. Ze stuit op erotische correspondentie van Pieterlief met zijn secretaresse. Het huis is te klein. In plaats van Pieter ter verantwoording te roepen, belt ze jou. Een vage kennis wordt gebombardeerd tot hartsvriendin.'

Ergens verwachtte Chantal dat hij nu met een keiharde conclusie zou komen.

Hij bleef haar echter ontspannen aankijken. De pittige woorden van zonet leken ineens alweer vergeten. Om zijn lippen speelde de amusante glimlach van iemand die het leven niet zo serieus neemt. Een plotselinge verandering in zijn lichaamstaal die vreemd bij haar overkwam. 'Wat wil je nu eigenlijk zeggen, Jeroen?'

Hij haalde zijn schouders op. 'Ik ben me er heus wel van bewust dat ik warrig overkom, Tal.' Een lichte vorm van irritatie klonk in zijn stem door. 'Via een omweg wil ik duidelijk maken dat het hele verhaal nogal vreemd op mij overkomt. Op de een of andere manier klopt er iets niet aan. Wat het precies is, weet ik niet. Het is gewoon een gevoel dat ik heb.'

Chantal knikte bedachtzaam. Op het moment dat intuïtie een rol in een discussie ging spelen moest je voorzichtig zijn, wist ze uit ervaring. Dan konden zaken die onlogisch klonken tot de waarheid worden gebombardeerd, én omgekeerd. Daar kwam bij dat Jeroen herstellende was. Hoewel hij helder overkwam, was het niet meer dan logisch dat hij nog druk bezig was om in zijn eigen gedachtegang naar evenwicht te zoeken. 'We zullen wel zien,' zei ze op neutrale toon. Wat haar betrof was de discussie hierbij afgesloten. Ergens had ze spijt dat ze erover begonnen was.

Hij legde zijn hand op haar schouder. 'Ik zal het wel verkeerd zien, schat. Mijn kop is net een vergiet. Het is heel goed mogelijk dat ik bepaalde dingen anders zie dan dat ze in werkelijkheid zijn. Alvast sorry daarvoor, oké?'

Een beginnende grijns verdreef de zorgzame uitdrukking van haar gezicht. 'Ben je gek, joh. Er zijn belangrijker dingen op de wereld dan het vermeende overspel van Pieter Kronenberg, hoor.'

Een staccato gelach welde op uit Jeroens longen. Hierna trok hij Chantal dichter tegen zich aan. 'Ik hou het lekker bij mijn eigen vrouw. Dat is stukken veiliger.'

De losse gedachtedraden in haar hoofd zorgden voor een gordiaanse knoop van jewelste. In een relatief kort tijdsbestek was haar betrekkelijk rustige leven veranderd in een *ratrace* zonder eindstreep. Er kwam te veel ineens op haar af. En het categoriseren van al deze zaken ging haar slecht af. Je moest prioriteiten stellen, dat was duidelijk. Maar waarom faalde ze dan zo hopeloos op de momenten dat het er echt toe deed?

Ze sloop op haar tenen de slaapkamer uit. Jeroen was na het vrijen als een blok in slaap gevallen. Op zijn gezicht lag een uitdrukking van pure tevredenheid. Enkel van seks kon een man oprecht gelukkig worden, terwijl bij een vrouw toch echt andere factoren meespeelden, had zij ooit in een programma horen vertellen. Ze wierp nog even een blik op haar echtgenoot en onderdrukte een opkomende lach. Jeroen was dus een sprekend voorbeeld van deze stelling, dacht ze.

Ondanks de aangename temperatuur huiverde ze. Als je zelf niet lekker in je vel zit, dacht ze, is het onmogelijk om je voor de volle honderd procent voor een ander in te zetten. Dan was je veel te veel met jezelf bezig.

Twijfel. Altijd vrat die eeuwigdurende onzekerheid aan haar.

Had ze die ochtend wel naar Heleen toe moeten gaan? Jeroen was net thuis. Als er iemand om haar aandacht verlegen zat, was hij het wel. Nu ze dit expli- ciet de revue liet passeren, kon ze slechts de conclusie trekken dat het geen moment in haar opgekomen was de noodkreet van Heleen te negeren. Ze was min of meer het huis uit gerend en had Jeroen aan zijn lot overgelaten. Haar geliefde, die herstellende was van een zenuwinzinking. Voor hetzelfde geld had hij direct Dorien gebeld en was al haar werk in het ziekenhuis voor niets geweest...

'Jezus,' fluisterde ze. De waarheid kon hard, helder en bijzonder confronte- rend zijn. Wat had ik dan moeten doen? schreeuwde ze geluidloos. Het was spitsuur in haar hoofd. Een filevorming van verwijten zocht naar een gaatje. Had ik Heleen moeten laten stikken? Het komt nu niet uit, meid. Ik heb hier mijn handen vol, bel morgen maar terug. Was dat soms verstandiger geweest? Misschien wel.

Tijdens haar afwezigheid was er in elk geval niets vreemds voorgevallen. Godzijdank. Jeroen had wat televisiegekeken en minstens een halfuur met haar ouders aan de telefoon gehangen. Een dezer dagen zouden ze langsko- men, had hij op enthousiaste toon gemeld. Daarna hadden ze op de bank wat geknuffeld en was de dag geruisloos voorbijgegaan. Pas in bed was ze over Heleen begonnen. Best wel vreemd, nu ze erover nadacht. Daarvoor had Jeroen geen enkele interesse in haar plotselinge uitstapje getoond.

Ook zijn reactie was merkwaardig te noemen, dacht ze terwijl ze de compu- ter aanzette. Hij vond het een vreemd verhaal, maar wat er dan zo vreemd aan was liet hij in het midden. Ze kon er echt geen hoogte van krijgen wat hij nu precies bedoelde. Nou ja, dat gold eigenlijk ook voor alles wat betreft Jeroen zelf. Daar was hij in elk geval wel duidelijk in. Ondanks de medicijnen was hij nog steeds verward. Dingen op de juiste manier onder woorden bren- gen ging hem niet altijd even goed af. Dit was een kwestie van tijd, had de arts hun verzekerd. Langzamerhand zou er verbetering optreden. Het tijds- bestek kon variëren van enkele weken tot enkele maanden. Dat lag bij ieder- een verschillend.

Terwijl de site tot leven kwam, voelde zij zich een verrader. In plaats van aan die stomme computer te zitten hoor je naast je man te liggen, ging het door haar heen. Je doet dingen in het geniep. Geniepigheid in een relatie is zo'n beetje de ergste zonde. Wat zou jij ervan zeggen als Jeroen hetzelfde deed?

Het stille gefoeter op zichzelf was een uitlaatklep, wist ze. Haar leven was in een stroomversnelling terechtgekomen. Het gedeelte van de wildwaterbaan waarin zij met haar volle verstand was gestapt, bevond zich recht tegenover haar. Hierin wilde zij meevaren. Tot het bittere einde. Die beslissing had ze inmiddels genomen.

Op het scherm verscheen een mededeling: *Je hebt 1 nieuw bericht.*

Gulzig ademde ze in door haar neus.

Het was zover.

'Ik hou van jullie,' fluisterde ze.

28

Het dashboardklokje gaf kwart voor twee aan. Ze had nog een kwartier. Het was druk op de weg, zodat ze nauwelijks oog had voor de omgeving. Het volgen van de aangegeven route was met al dat verkeer om haar heen al lastig genoeg.

De wegwijzers met daarop 'station' leidden haar uiteindelijk naar een tweebaansweg die langs hoog opgetrokken nieuwbouw liep. Vanuit haar ooghoek zag ze oerlelijke gevels van bedrijfspanden die verder werden mismaakt door protserige naambordjes. Relatief kleine plaquettes met foute, vergulde krulletters en grote, witte borden met daarop de bedrijfsnaam in strakke, diamantzwarte plakletters. Dit moest de achterkant van het station zijn.

Zo'n honderd meter verder zag Chantal het ultieme bewijs: boven een ingang hing het NS-logo. Ze minderde vaart en speurde de rij auto's aan haar rechterhand af. Wellicht had ze geluk. Ze grijnsde toen het lampje van een Mercedes begon te knipperen en de bestuurder het gevaarte de rijbaan op joeg. De vrijgekomen parkeerplek bood ruimte genoeg voor haar Toyota. Met het grootste gemak parkeerde ze in.

De afstandsbediening piepte toen ze deze indrukte. De portieren vergrendelden, maar haar gedachten waren heel ergens anders. Haar hersens zaten hopeloos op slot en de hele rit van Almere naar Amersfoort had ze geprobeerd de sleutel te vinden. Tevergeefs. Alles wat ze deed ging min of meer op de automatische piloot.

Terwijl ze de straat overstak, deed ze een ultieme poging om met zichzelf in het reine te komen. Met het laatste restje overtuiging sprak ze tegen het stemmetje dat haar al een uur van verraad en het nemen van de verkeerde beslissingen beschuldigde.

Wat had ik dan moeten doen? dacht ze. Hem vertellen dat ik een afspraak heb met de bedenker van een internetsite die het all-inclusive systeem verafschuwt? Dat ik na het vrijen naar de computer sluip en tot midden in de nacht verhalen lees van en over all-inclusive slachtoffers?

Tot haar verwondering bleef een antwoord uit. Ditmaal volgde er geen beschuldiging of reprimande op haar verweer. Bedachtzaam op een omtrekkende beweging van de stem die immer tegen haar was, hield ze even haar pas in. Het bleef echter stil in haar hoofd. Verontrustend stil.

Het was bijna onmogelijk om het kantoor van HG&PF Consultants te missen. De gevel was een grote spiegel van uitermate sterk ogend glas. De naam van de raadgevers was er met zilverkleurige letters ingegraveerd. In de artdecowachtruimte zat een platinablonde medewerkster in een zwart mantelpakje aan een computer. Een forse replica van het wereldberoemde beeld van Rodin stond pontificaal in het midden van het pand. Door oude wijsheid aangestuurde jeugdige overmoed? Chantal keek ernaar en wist niet of ze nu moest glimlachen of huiveren. Na wat wikken en wegen mat ze zich maar een neutrale gezichtsuitdrukking aan. Dat leek haar passend en veilig.

'Chantal van der Schaaf?' De stem kwam uit het niets. Ze draaide zich direct om. Ze probeerde haar schrikreactie te camoufleren, die vreemd was aangezien ze op hem stond te wachten.

'Hallo, ik ben Perry Zuidam,' zei de man wiens foto ze zo vaak had bekeken.

Perry Zuidam nam een slok van zijn cola. 'Het antwoord is nee, Chantal.' Hij glimlachte vriendelijk. De droevige blik in zijn grijsblauwe ogen lichtte even op. 'Jij bent niet de eerste sitebezoeker met wie ik persoonlijk spreek.' Hierna haalde hij nonchalant zijn schouders op. 'Dat wilde je toch vragen?'

Chantal voelde hoe het bloed naar haar hoofd steeg. Was ze dan zó doorzichtig? Ze speelde met het bovenste bierviltje van een stapeltje dat voor haar op tafel lag en hoopte dat ze niet ging blozen.

'Maak je niet druk, joh. Bijna iedere sitebezoeker die ik voor de eerste keer in levenden lijve spreek, stelt als eerste die vraag of een variant hierop. Heel logisch, want ze denken allemaal dat ik een zonderling ben die nooit buitenkomt.'

'Wat niet zo'n rare conclusie is als ze jouw verhaal hebben gelezen.' Ze verbaasde zichzelf over haar snelle reactie. In vreemd gezelschap was ze normaal gesproken niet zo ad rem. Helemaal niet aan een tafeltje met een relatief onbekende man in een bruin café in een vreemde stad.

Perry's grijns werd breder. 'Ik leg het er in "Mijn verhaal" wel dik bovenop, toch? Niet iemand met wie je gezellig een biertje gaat drinken. Ik heb dat bewust gedaan. In afspraakjes waar claims over een gebroken voet of tijdens de vakantie opgelopen rugklachten ter sprake komen heb ik geen trek.'

Chantal fronste haar wenkbrauwen.

'Geloof me, je wilt echt niet weten waarmee mensen op de proppen komen om er financieel beter van te worden. Voor dat soort idioten blijft mijn deur hermetisch gesloten.'

Chantal permitteerde zich een voorzichtige glimlach. 'Dus ik heb de eerste schifting overleefd.'

In een oogwenk was de grijns op zijn gezicht verdwenen. Met een uitdrukking die het midden hield tussen streng en bedachtzaam keek hij haar aan. 'Jullie verlies is enorm, Chantal. Nauwelijks te bevatten en niet onder woorden te brengen.' Terwijl hij weer een slok nam, bleef hij haar aankijken. Hij zette zijn glas neer en vroeg: 'Weet je man dat je hier bent?'

Ze sloeg haar ogen neer en schudde haar hoofd. Dat ze zich hiermee vol in de kaart liet kijken was duidelijk. Toch kwam het niet in haar op om zichzelf groter voor te doen dan ze in werkelijkheid was. Misschien was dit naïef, wellicht dom. Maar op de een of andere manier had ze vertrouwen in de man tegenover haar en wilde ze van meet af aan open kaart spelen.

'Ook daarin vorm je geen uitzondering, Chantal,' zei Perry op rustige toon. 'Veel mensen die ik spreek zijn zogenaamde "loners", of voelen zich zo. In een poging hun verdriet een plekje te geven, zijn ze ooit op mijn site gestuit. Naargelang ze de site vaker bezochten, groeide hun aversie tegen het all-inclusive systeem. Ook kwamen ze er langzamerhand achter dat de geuite beschuldigingen op een kern van waarheid berusten.'

Chantal betrapte zichzelf erop dat ze aan zijn lippen hing. Hoewel Perry betrouwbaar overkwam, wilde ze hem niet op andere ideeën brengen. Hij bleef tenslotte toch een man. Door zo nonchalant mogelijk in haar ooghoek te wrijven, doorbrak ze het gestaar van daarnet.

'Mensen die regelmatig de site bezoeken bevinden zich in een proces, Chantal. Iets wat in eerste instantie het geraaskal van een gebroken man leek, wordt naarmate ze frequenter inloggen een verhaal dat raakvlakken heeft met hun eigen ervaringen. Gevoed door andere verhalen op de site ontstaat er een andere manier van denken. De knop gaat om. Ze gaan het leed dat hen op vakantie is overkomen vanuit een ander perspectief bekijken. Verontwaardiging en woede maken plaats voor verdriet en ontzetting.'

Hij wees nu op haar. 'Ik heb je e-mail gelezen. Daarin was je helder over het ongeluk van Max en Dennis. Over je man was je daarentegen vrij vaag. Als ik stel dat hij nog geen deel uitmaakt van jouw proces, zit ik er dan ver naast?'

'Nee.' Haar stem klonk helder, een meevaller die haar zelfvertrouwen een fikse opkikker gaf.

'En door al die uren op de site heb jij zoiets gekregen van "dit kan ik nooit meer uitleggen", nietwaar? Jij zit inmiddels diep in de materie. Zo diep dat je er niet aan moet denken om het aan je man uit te leggen. Hoogstwaarschijnlijk zou hij je naar een psychiater sturen.'

Chantal knikte slechts. Met zijn laatste woorden was Perry onbewust in haar privéleven beland.

Perry spreidde zijn vingers en legde beide handen op de tafel.

'Oké, vraag maar raak.'

Ze pakte haar glas mineraalwater en nam een slok. Deze plotselinge wending in het gesprek had haar enigszins van haar stuk gebracht. Hoewel ze de tijd nam, bleef haar hoofd hopeloos leeg. Alle vragen en teksten die ze erin had gestampt, waren verdwenen. Opeens, op het moment suprême, moest ze improviseren. Wat ben je toch een ongelooflijke trut, dacht ze.

'Gooi alles wat je dwarszit eruit, Chantal. Daarvoor zitten wij hier. En misschien heb ik wel een paar antwoorden, wie weet.'

'Oké...' Ze haalde diep adem. Het treiterende stemmetje dat haar voor 'trut' uitschold snoerde ze de mond door sterk aan Max en Dennis te denken. Voor hen zat ze hier. Nu dichtklappen was het toppunt van zwakte. Dat zou ze nooit aan haar jongens kunnen uitleggen. 'De kans is groot dat ik van de hak op de tak spring, oké? Je moet weten dat dit voor mij best moeilijk is.'

Nu was het Perry's beurt om te knikken. Hij glimlachte dunnetjes, bijna kwetsbaar. Hiermee brak hij het laatste restje ijs dat er nog tussen hen dreef. Chantal voelde hoe de spanning uit haar lichaam trok en plaatsmaakte voor een gevoel van wederzijds vertrouwen. 'Toen wij terugkwamen uit Turkije was zowel mijn man Jeroen als ikzelf ervan overtuigd dat de dood van Dennis en Max een ongeluk was. Voor zover er een schuldvraag was, lag deze bij ons. Wij hadden beter op onze kinderen moeten letten, klaar. Elke dag van de rest van ons leven zouden we onszelf voor dit onverantwoordelijke gedrag ter verantwoording roepen. De zwaarst mogelijke straf dus.'

Perry maakte met een kort handgebaar aan de ober duidelijk dat hij nog even wilde wachten met een nieuwe bestelling.

'Nadat ik de verhalen op jouw site had gelezen, kreeg ik steeds meer het gevoel dat er iets niet klopte. Begrijp me goed, Jeroen en ik zijn niet vrij te pleiten, wij hadden er op dat moment gewoon moeten zijn. Nee, het gaat mij meer om de manier waarop ze zijn verdronken. Of liever gezegd: hoe konden ze verdrinken? Twee jongetjes van tien die hartstikke goed konden zwemmen? En dat op klaarlichte dag in een vol zwembad?' In een reflex sloot ze haar ogen. De gevreesde beelden bleven uit.

'Hoeveel hebben jullie eigenlijk voor die reis betaald?'

Ze werd verrast door deze vraag en het duurde even voor ze antwoord gaf.

'Rond de 1.600 euro. Een vijfsterrenhotel, vijftien dagen.'

'En dat vonden jullie normaal?'

Het gemoedelijke in zijn houding was verdwenen. Hij keek haar doordringend aan. Zijn huid stond strak gespannen om zijn jukbeenderen, waardoor zijn wangen ineens ingevallen leken. Het gezicht van een afgetrainde man. Het viel haar nu pas op dat hij zeker vijf kilo lichter was dan zijn pasfoto deed vermoeden.

'Nou... eh... we waren er blij mee. Voor dat geld konden we in Zuid-Frankrijk met veel pijn en moeite in een blokhut zitten.' Ze verwachtte dat door haar lichte chargeren de gemoedelijke glimlach op het gezicht van Perry terug zou keren. Een misvatting.

'Vijftien dagen met twee volwassenen en twee kinderen in een vijfsterrenhotel in Turkije,' zei hij monotoon. 'Vliegreis, overnachting... all-inclusive. En dat alles voor de bespottelijke prijs van 1.600 euro.' Ontstemd zoog hij zijn lippen naar binnen en hij slaakte vervolgens een diepe zucht. 'En hier draait het allemaal om, Chantal. Voor die prijs kan het dus niet. Dat is de kern van de zaak die in principe als basis geldt voor elk antwoord waarnaar je op zoek bent.'

Met een kort gebaar maakte hij de ober duidelijk dat er nog tweemaal van hetzelfde moest komen. Hierna kneep hij zijn ogen iets samen, alsof hij heel snel een veelomvattend onderwerp analyseerde. 'Wat dacht je ervan als ik je eens wat meer vertelde over het ontstaan van het all-inclusive systeem? Wellicht dat je dan dingen te weten komt die een rits verdere vragen overbodig maken, zodat we meteen tot de essentie kunnen komen.'

Chantal knikte. 'Prima.'

Hij schraapte zijn keel. 'Zoals in elke branche hebben de managers het in de reiswereld voor het zeggen. Zij zijn de hele dag maar met één ding bezig: geld verdienen. Dit gebeurt op allerlei niveaus. Van de managers op de werkvloer tot aan de beleidsbepalers en de president-directeur van welke touroperator dan ook. Ondanks hun verschillende functiebeschrijvingen, zijn het in feite allemaal managers. Managers die worden beloond of afgerekend op het bedrijfsresultaat.'

Hij klopte met zijn hand op het borstzakje van zijn blauwe overhemd. De beweging van iemand die ooit met roken is gestopt, maar onbewust terugvalt in een routinematige beweging. Hij legde beide handen recht voor zich en ging verder. 'Zo eind jaren negentig tekende zich een nare ontwikkeling in de reisbranche af. De economische groei van de afgelopen jaren begon zijn sporen achter te laten. Aangezien de managers mede werden betaald om vooruit te denken, kwam deze ontwikkeling niet echt uit de lucht vallen. Sterker nog, de strategie om keihard terug te slaan was allang door de geldwolven bepaald.'

De gemene grijns die er op Perry's gezicht lag, paste mooi bij het beeld dat hij schetste. 'Wat was er aan de hand? De exacte details ken ik niet, maar van de grote lijnen ben ik wel op de hoogte. Het ging om twee hoofdzaken. Ten eerste was er het conservatieve vakantiegedrag van de consument waardoor te veel geld in verkeerde zakken terechtkwam. Straks wordt wel duidelijk wat ik hiermee bedoel. En ten tweede moesten er snel nieuwe vakantiebestemmingen komen. Hier voeg ik direct de woorden "exotisch", "luxueus", "spectaculair" en "goedkoop" aan toe. Verder speelde er nog een aantal bijzaken waarmee ik je niet zal vermoeien. Het ging er in feite om één passend antwoord te vinden waarin de oplossing voor alle problemen verscholen lag. Dit antwoord bevond zich onder een laag reisstof, een oud concept van Club Med, en de naam was all-inclusive. De daaropvolgende stap was het marketinggedeelte, oftewel: hoe het in de markt moest worden gezet.'

Hij bedankte de ober die de bestelling voor hen neerzette. 'Bedenk wel dat de mensen die van het all-inclusive systeem zo'n succes hebben gemaakt echte profs zijn. De besten op hun vakgebied. Wees je er altijd van bewust dat onze tegenstanders toppers zijn.'

Chantal knikte. Ze vond het een vreemd intermezzo, maar wilde zijn verhaal niet onderbreken door een verkeerde opmerking of blik.

'Die beleidsbepalers waren en zijn dus de crème de la crème op hun vakgebied. Hun beslissingen namen ze op basis van feiten en informatie, emotie of compassie kwam er niet bij kijken. Als eerste werden de obstakels geanalyseerd. Te weinig nieuwe bestemmingen, stijgende olieprijzen, een blasé gevoel bij de consument plus een enorme concurrentie in de reiswereld waardoor de winstmarges daalden. Van de grote spelers gooide het Duitse megaconcern TOI, waar jullie reisorganisatie GoSunny een dochter van is, het roer om. Het all-inclusive systeem werd hun speerpunt.' Hij nam een slok van zijn cola. 'Als ik je verveel moet je het echt zeggen, Chantal.'

Ze schudde direct van nee. De informatie mocht dan droog zijn, het onderwerp maakte alles goed.

'Oké, het werkt als volgt. De projectmanager van elke grote touroperator deelt zijn bestemmingen op in zones. Een zogenaamd "head contracting" is de spil waar het in deze gebieden om draait. Hij of zij heeft enkele "contractors" onder zich. Deze mensen sluiten met de hotels de deals af die door het head contracting zijn voorbereid. Deze contractors waren degenen die in de "conservatieve" vakantiebestemmingen zoals Spanje, Portugal, Frankrijk en Griekenland de all-inclusive boodschap aan de hoteliers overbrachten. Die was vrij duidelijk: slikken of stikken.'

Chantal interrumpeerde hem met een korte beweging van haar hand. 'Wat bedoel je met de "conservatieve" bestemmingen? De all-inclusive aanval gold toch voor alle landen?'

Perry knikte enthousiast. Als een leraar die bemerkt dat zijn stof wordt opgepikt. 'Met de "conservatieve" bestemmingen bedoel ik de landen die al geruime tijd op de vakantiekaart stonden. Bestemmingen waar je bij het reisbureau een kamer met ontbijt boekte. Of een vliegreis met appartement. Lekker basic. De hele dag op het strand liggen en 's avonds gezellig in een knus, lokaal restaurantje een vorkje prikken. Die bestemmingen moesten dus als eerste om. Daar vloeide te veel cash in de zakken van derden.'

'Maar hoe zat het dan met Turkije?'

Perry hield zijn hoofd ietwat schuin en keek haar aan. Ze kreeg sterk het idee dat ze met deze vraag de chronologie van zijn verhaal verstoorde. Dat was dan jammer, dacht ze. Want ze zat hier wel met een doel. En die bedoelingen waren duidelijk gedefinieerd. 'Turkije, en in mindere mate Egypte, Marokko en Brazilië, is weer een ander verhaal. Deze landen behoorden namelijk tot de nieuwe bestemmingen in de reismarkt. Zij waren de toefjes op de taart.'

Chantal luisterde geconcentreerd en hij vervolgde zijn verhaal. 'Nu komen we op duister terrein, waar ik op de tast doorheen ga. Dit heeft voornamelijk te maken met het feit dat er in deze landen op hoog niveau deals zijn gesloten. Dat soort afspraken wordt meestal niet aan de grote klok gehangen.'

'Ik neem aan dat het nu over raadsleden, burgemeesters en dat soort lui gaat.'

'En hoger. Kijk,' ging hij verder. 'De landen waar ik het zojuist over had werden door de reisbranche als "ontwikkelingslanden" betiteld. Daar was het toerisme nog niet op grote schaal ingevoerd in het economische systeem. Met de juiste benadering konden ze er grote bestemmingen van maken. Hoe ze dit deden, laat ik dus links liggen. Te ingewikkeld, te veel sidelines. Waar het daadwerkelijk om gaat is het gegeven dat in het begin van deze eeuw in die landen de hotels als paddenstoelen uit de grond rezen. Turkije was hierin de absolute koploper. Daar bouwen ze in hetzelfde tempo een hotel als wij hier een snackbar inrichten. En in die nieuwe bestemmingen werd uitsluitend op all-inclusive basis gewerkt. Van de kant van de hoteliers en de politiek ondervond men geen enkele weerstand. Die vonden het allemaal prima. Het nieuwe vakantieconcept was een zegen voor hen. Zij...'

Een fel gebaar van Chantals hand onderbrak hem. 'Wacht even, Perry. Iedereen blij? Je beweerde toch dat het voor dat geld niet kon? Ik ken niemand die zich verheugt op een verliesgevende onderneming.'

Perry schudde hevig met zijn hoofd om meteen haar woorden te ontkrachten. 'Toen lagen de zaken nog anders, Chantal. We praten over lagelonenlanden met een hoog werkloosheidspercentage. Het personeel in de hotels werkte naar onze begrippen voor een scheet en drie knikkers. Bovendien zaten de charters naar de nieuwe bestemmingen stampvol. Dit had natuurlijk alles te maken met de scherpe prijzen en de luxe van de hotels.'

Hij schudde wederom met zijn hoofd. Ditmaal heel rustig. Het leek meer alsof hij mijmerde over goede, oude tijden. 'Nee, Chantal, in de beginperiode was er nog niets aan de hand. Sterker nog, er werd door alle partijen veel geld verdiend.'

Ze liet het nu wel uit haar hoofd om een vraag te stellen. Het kon niet anders of het woord 'maar' stond op het punt om uitgesproken te worden.

'Pak 'm beet een jaar of twee nadat all-inclusive zijn herintrede had gedaan, staken de eerste problemen de kop op. Het ging om een combinatie van factoren. De lokale economie die, in tegenstelling tot die van de westerse wereld, aantrok. Stijgende olieprijzen. De onderlinge prijzenoorlog van de touroperators. Omdat TOI en de concurrentie pertinent weigerden om de oplopende kosten naar de klant door te berekenen, werden de hoteliers voor het blok gezet.'

Hij keek Chantal aan met een standvastige blik waarin geen enkele ruimte voor twijfel was. 'En zo'n beetje vanaf dat moment is het betrekkelijk veilige all-inclusive systeem een riskante onderneming geworden. Zowel voor de klant als de hotelier. Want er komt een tijd dat ook zij aan de beurt zijn. En dat moment kan mij niet snel genoeg komen.'

Ze nam een slok van haar water. De informatie die Perry haar had gegeven was nuttig, maar niet meer dan dat. Veel van wat hij vertelde had ze al tussen de regels door in berichten op de site opgepikt. Het was nu tijd om spijkers met koppen te slaan, wist ze. Een confrontatie die de antwoorden naar boven moest brengen waar zij naar op zoek was. Geheel tegen haar natuur in moest ze zich egocentrisch opstellen. 'Jij en ik weten dit. De mensen die de site bezoeken weten dit. De reiswereld weet dit. Hoe is het in godsnaam mogelijk dat er van hogerhand niet wordt ingegrepen?'

'Omdat de klachten voor de wereld waarin wij leven niet ernstig genoeg zijn,' antwoordde Perry laconiek. 'En als er een relletje dreigt uit te breken, dan gooit de reisbranche er subiet een batterij advocaten tegenaan. Opeens blijkt de bewijsvoering te magertjes of trekt de eiser zijn klacht in. Uiteindelijk loopt het allemaal met een sisser af en gaat men weer over tot de orde van de dag.'

'Waarom...'

'Daar wil ik nog aan toevoegen dat wij in een snelle maatschappij leven waarin alles om de centen draait. Ik zal ik je een schrijnend voorbeeld geven.' Een kort, minzaam lachje volgde. 'Een tijdje terug zond een consumentenprogramma een paar verslaggevers incognito naar Turkije. Zij namen bij negen verschillende all-inclusive resorts monsters van het buffet. Deze lieten ze analyseren in het laboratorium in Wageningen. De uitkomst was erbarmelijk. Het eten van slechts twee resorts voldeed enigszins aan de hygiënenormen. De overige serveerden voedsel dat je nog niet aan de valse hond van de buren geeft. Bij twee resorts was de uitslag zo hemeltergend slecht dat de wetenschappers in Wageningen het vergeleken met stront. Niet na te bootsen in hun laboratorium, zoveel bacteriën.'

Hij zag het ongeloof in Chantals ogen. Met de spottende maar ook trieste lach nog om zijn lippen, vervolgde Perry zijn verhaal. 'Het mooiste moet nog komen. Toen de mensen van het televisieprogramma de Turken om een reactie vroegen, antwoordde men doodleuk "dat de standaardnormen met betrekking tot hygiëne in Turkije anders lagen dan die in Nederland". De reiswereld zweeg collectief. Hun reactie volgde ruim een week later. In opdracht van TOI gooiden enkele dochterbedrijven zoals GoSunny voor een spotprijsje een aantal all-inclusive reizen naar Turkije op de markt.'

Chantal onderbrak de korte stilte die hierop volgde. De clou die zou volgen kon ze wel raden, maar niet begrijpen. 'Zeg me dat het niet waar is.'

Perry lachte hees. 'Binnen acht uur waren ze volgeboekt.'

'Jezus.'

Terwijl ze het glas tussen haar vingers rond liet draaien, probeerde ze zijn blik te vermijden. Het antwoord op haar volgende vraag zou zeer pijnlijk kunnen zijn en ze wist niet of ze hem dan recht in de ogen kon kijken. 'Mag ik uit jouw woorden concluderen dat het een gevecht tegen de bierkaai is? Dat alle inspanningen op de site tot niets concreets leiden? Dat ons gesprek gaat uitdraaien op één grote desillusie?'

Perry grinnikte. Hoewel zij oogcontact vermeed, kreeg Chantal niet de indruk dat hij probeerde zijn werkelijke gedachtegang te maskeren. 'Dat zouden ze wel willen, Chantal,' zei hij op spottende toon. 'De touroperators kennen de site. Er is zelfs contact geweest met tussenpersonen. Of ik wat genuanceerder wilde zijn, en, mocht ik een andere koers gaan varen, hun koers, dan waren zij bereid tot allerlei vormen van ondersteuning.'

'Dat ruikt naar omkoping.'

'Noem het zoals je wilt. Feit is dat zij de site in de gaten houden en er verre van gelukkig mee zijn. Lijkt me ook niet meer dan logisch.'

'Waarom gooien ze er dan geen bataljon advocaten tegenaan? Ze zijn toch zo machtig?' De irritatie in haar stem was het gevolg van haar toenemende teleurstelling. De hoge verwachtingen die ze van dit gesprek had gehad, waren tot nu toe nauwelijks uitgekomen.

'Rustig, Chantal,' zei Perry kalm. 'Ik kan me goed voorstellen dat je meer van dit gesprek had verwacht. Maar je moet wel begrijpen dat ik geen goede fee ben die de verlangde antwoorden zomaar tevoorschijn tovert. Ook ik ben een slachtoffer van het systeem, niets meer of minder.'

Chantal voelde hoe schaamte een plaatsje in de carrousel van haar gevoelens opeiste. Ze realiseerde zich dat haar reactie unfair was, misschien wel kwetsend. En dat tegen een man die speciaal voor haar tijd had vrijgemaakt. 'Sorry,' mompelde ze. 'Dat was niet bepaald slim van me.' De onmacht droop van haar gezicht toen ze fluisterde: 'Ik heb gewoon het gevoel dat ik tegen een muur oploop. Wat kan ik nog meer doen dan praten over een systeem waaraan ik mijn kinderen heb verloren?'

'Genoeg,' antwoordde Perry. 'Je onderschat je eigen capaciteiten, de specifieke kwaliteiten van het individu.'

De niet-begrijpende blik in haar ogen zei meer dan woorden konden doen.

'Ga terug, Chantal. Als er antwoorden op jouw vragen zijn, dan kun je die alleen in Turkije vinden. Neem een retourtje hel.'

Haar vingers omklemden het glas. Een impuls vanuit haar hersens weerhield haar ervan nog harder te knijpen waardoor het zou breken. De gedachte aan een terugkeer naar de onheilsplek deed haar hart als een bezetene bonzen. 'Ik... ik denk niet dat ik dat emotioneel aankan.'

Perry keek Chantal aan zonder haar daadwerkelijk te zien. Zijn blik was als die van een oude zeeman die over het oneindige water tuurt en zijn leven aan zich voorbij ziet trekken.

'Onzin,' zei hij beslist. 'Ik heb het gedaan, dus moet het jou zeker lukken.'

Chantal zei meteen wat ze dacht. Ze had haar natuurlijke terughoudendheid naar de achtergrond verbannen. 'Dat staat anders niet op je site.'

'Soms is het beter om niet alles te vertellen. In dit geval leek me dat verstandiger.'

Ze keek oprecht verbaasd. 'Waarom? Wat ben je dan te weten gekomen?'

Hij glimlachte vermoeid. In zijn magere gezicht tekenden zich de lijnen af. Littekens van verdriet en een gebroken hart. In enkele seconden was hij enkele jaren ouder geworden. 'Alles en niets, Chantal. Dat is dus het wrange. Eenmaal terug in de Dominicaanse Republiek werd het mij al snel duidelijk waardoor Moniek was gestorven. Bewijzen kon ik het echter niet. Alles wat mij werd verteld was *off the record* en vond plaats in donkere hoekjes en duistere steegjes. De mensen die na veel aandringen iets wilden zeggen, deden dat anoniem. Ze waren doodsbang voor hun baantje. Uiteindelijk ging ik naar huis met een tweeledig gevoel. Ik wist wie er verantwoordelijk was voor Monieks dood, maar zou dit nooit kunnen bewijzen.'

Hij nam een slok van zijn cola en leek in een mêlee van gedachten te verzinken. De geluiden in het café ten spijt was de stilte die tussen hen hing indrukwekkend.

Hoewel Chantal de aandrang voelde om iets te zeggen waaruit haar medeleven bleek, zweeg ze. Soms sprak de stilte voor zich. Dit was zo'n moment.

'Als je teruggaat zul je alles weer opnieuw beleven, Chantal.' Hij sprak bedachtzaam, zijn stem klonk twee octaven lager. 'Blijf je thuis, dan zul je je de rest van je leven afvragen waarom je niet bent gegaan. De redenen hiervoor zullen langzaam vervagen tot laffe excuses.'

Ze voelde hoe haar ademhaling versnelde. Een reactie van haar lichaam waarop ze geen antwoord had. De beelden schoten als flitsen uit een nachtmerrie aan haar geest voorbij. Een zwembad en blauwe flippers. Haar geest was haar lichaam vooruitgesneld. Haar wil was gedegradeerd tot iets secundairs. 'Waarom doe je me dit aan, Perry?' beet ze hem tussen haar opeengeklemde kaken door toe. 'Geloof me, ik heb genoeg ellende meegemaakt voor tien levens.'

Hij bleef haar stoïcijns aankijken. 'Dat weet ik, Chantal. Op dit moment ben jij echter mijn enige hoop.'

De daaropvolgende minuten legde Perry Zuidam haar precies uit wat hij hiermee bedoelde.

29

Het uitstapje naar Amersfoort had ruim drie uur geduurd. Een flink tijdsbestek voor wat boodschappen en het passen van een aantal spijkerbroeken. Op een gemiddelde dag zou ze deze zaken met gemak binnen een uurtje hebben gepiept. Deze keer duurde het echter driemaal zo lang. Tenminste, dat moest ze Jeroen zien wijs te maken. Iets waar ze tegen opzag, want ze had een hekel aan liegen.

Ze parkeerde de auto voor de deur en wierp een blik op de spullen op de passagiersstoel. Fruit, toiletpapier, wat blikjes soep en vier flessen frisdrank. Een niet erg indrukwekkende buit. Daar kon de luxe plastic tas met daarin een spijkerbroek weinig aan veranderen. Het bleef uiterst schamel. Toch moest de spijkerbroek haar verhaal van body voorzien. Bij de eerste boetiek zat maatje 38 net te strak, daarna een 40 geprobeerd, maar dat model beviel weer niet. Door naar de volgende winkel, blabla. Tussendoor nog een oude kennis tegen het lijf gelopen die maar door bleef zeuren over haar nieuwe baan, lange rijen voor de kassa's van de supermarkt...

De waarheid was dat ze vanuit Amersfoort direct naar het winkelcentrum was gereden. Met haar verstand op nul was ze langs de schappen gelopen en in recordtempo had ze wat alledaagse dingen in het mandje gelegd. Gelukkig was ze bij de kassa meteen aan de beurt. De spijkerbroek had ze bij de dichtstbijzijnde boetiek van een rek gegrist in de hoop dat deze zou passen. Het was haar maat. Dit en de prijs ervan deden er nu toe. Het ding fungeerde namelijk als alibi. Daarom moest het een redelijk dure broek zijn. Het verklaarde waarom ze zo lang was weggebleven. Ze was prijsbewust, zo'n dure broek kocht ze niet in een opwelling. Daar was tijdens het passen van andere broeken goed over nagedacht.

Met de tassen in haar handen stapte ze de gang binnen.

'Ik ben er weer!' Ze liet bewust opluchting in haar stem doorschemeren. Het was een zware middag geweest, daar in het winkelcentrum...

'Hoi, lieverd. Fijn dat je er weer bent.' Jeroens stem klonk normaal, neutraal. Geen spoortje van sarcasme, wat op zich niet eens zo vreemd zou zijn overgekomen. Ze was tenslotte drie uur de hort op geweest.

'Goh, wat een dag,' zei Chantal meteen toen ze de kamer binnenkwam. Hierna slaakte ze een diepe zucht. 'Tijden geleden dat ik zó lang over een broek heb getwijfeld.' Ze hield de plastic tas met daarin het bewijsstuk pontificaal omhoog. '149 euro 95. Voordat je me vermoordt, pak ik eerst wat te drinken.' Zonder de reactie af te wachten van Jeroen die ontspannen op de bank zat, liep ze naar de keuken. De opgekropte zenuwen verdwenen met elke stap die ze zette. Het lijkt erop dat ik ermee wegkom, dacht ze terwijl ze de koelkast opende. 'Wat kan ik voor jou inschenken?' vroeg ze zo nonchalant mogelijk. 'Doe maar een dubbele whisky.'

Chantal grijnsde. Niet zozeer om het antwoord, maar om de manier waarop Jeroen het zei. Hij klonk zowel spontaan als vrolijk. Dit gaf aan dat haar langdurige afwezigheid wat hem betrof letterlijk tot het verleden behoorde. Er zou geen discussie volgen waarin zij zich in allerlei bochten moest wringen om tot een geloofwaardig verhaal te komen.

'Yes,' fluisterde ze. Daarna feliciteerde ze zichzelf in stilte. 'Dat heb ik zeker verkeerd verstaan,' zei ze jolig, helemaal in de geest van de beknopte conversatie.

'Nee, hoor. Ik zei: "Doe mij maar een dubbele whisky." Dat is namelijk net zo belachelijk als wat jij daarnet tegen mij zei.'

Een adrenalinestoot leek haar bloed in ijswater te veranderen. Ze bleef als aan de grond genageld staan. Het tolde en kolkte in haar hoofd. Haar hand omklemde het handvat van de koelkast. Het enige houvast dat daadwerkelijk hulp bood. Haar hersens lieten het volledig afweten.

'Doe mij maar een cola en kom dan bij me zitten. We moeten praten.'

Haar zwakke en deprimerende 'oké' was een lichte afspiegeling van de apathische toestand waarin ze zich ineens bevond. Haar geest zat vol donkere wolken. Het onweer kon elk moment losbarsten, wist ze. Haar hand trilde toen ze de cola inschonk.

Jeroen klopte op het kussen naast hem. 'Kom bij me zitten en maak je vooral niet druk.'

Ze wist op dat moment dat ze een open boek voor hem was. Er waren momenten dat acteren slechts aan acteurs voorbehouden was. Niet aan een huisvrouw die het vertrouwen van haar man had geschonden en op het punt stond om door hem ontmaskerd te worden.

'Je bent vandaag in Amersfoort geweest. Daar heb je afgesproken met ene Perry Zuidam.' De kortaf uitgesproken woorden klonken als repeterend vuur uit een machinegeweer.

'Hij is de beheerder van een site waarop mensen hun ongenoegen kunnen uiten over het all-inclusive systeem.' Hij legde zijn hand op haar been. Een teder gebaar dat niet leek te rijmen met zijn woorden en de situatie waarin zij zich bevonden. Ergens gloorde er hoop, ging het door Chantal heen. Jeroens gedrag strookte niet bepaald met dat van een man die zich midden in een vertrouwenscrisis bevond. 'Ik weet dat je geen verhouding met die man hebt. Nou ja, ik weet natuurlijk helemaal niets... daar ga ik dus van uit.'

Chantal wilde meteen reageren, maar wist zich te beheersen. Ze beet op haar lip om haar verontwaardiging een halt toe te roepen. Een uitstekende beslissing, meldde haar verstand enkele seconden later. Ze bevond zich nu niet bepaald in een positie waarin ze keihard haar mening moest ventileren.

'Ik denk dus te weten waarom je met die Zuidam hebt afgesproken. Vermoeden is echter niet goed genoeg. Vertel me alles, lieverd. En dan bedoel ik ook alles, vanaf het begin.'

In de blik die zij hem toezond, stond in plaats van een uitgebreid antwoord een simpele vraag te lezen.

'Hoe ik erachter ben gekomen?' Hij grinnikte kort. 'Omdat je zo lang wegbleef begon ik me een beetje te vervelen. Aangezien het alweer een tijdje geleden was dat ik op internet surfte, ben ik aan de computer gaan zitten. De rest kun je wel raden.'

Chantal kon zichzelf wel voor haar hoofd slaan. De site van Perry was het laatst bezochte adres. In plaats van hun mailwisseling in de digitale prullenbak te kiepen, had ze de berichten gewoon laten staan. Hoe kon ze toch zó stom zijn geweest? Zomaar uit het niets diende de vergelijking met Pieter Kronenberg zich aan, een intelligente vent die zijn vrouw had onderschat en nu op de blaren diende te zitten. Opnieuw gonsde er een reprimande door haar hoofd. Deze vergelijking was namelijk zo krom als wat. Zij had Jeroen niet onderschat, zo'n manier van denken was haar vreemd. Het allerbelangrijkst was echter dat zij in tegenstelling tot Pieter niets te verbergen had. Ze schaamde zich voor haar gedrag, dat was iets heel anders...

'Ik heb ongeveer een halfuur op die site rondgekeken, Tal. Interessant, absoluut interessant.'

De droge prop in haar keel loste als vanzelf op. De schaamte én gereserveerdheid verdwenen met de felle ademstoot die aan haar longen ontsnapte. Ze had het gevoel dat ze rood aanliep. Normaal gesproken zou ze zich hier ongemakkelijk onder voelen. Nu kon het haar echter niets schelen. 'Absoluut interessant, zei je?' siste ze. 'Absoluut interessant? Wíl jij het soms niet zien, Jeroen? Is er echt geen belletje bij je gaan rinkelen toen jij al die verhalen las?'

'Tal, luister nou...'

'Nee, jíj luistert nu naar míj! Denk jij nou werkelijk dat ik voor mijn lol naar Amersfoort ben gegaan? In een bruin café met een onbekende over het all-inclusive systeem heb zitten praten terwijl mijn man herstellende is van een zenuwinzinking? Zijn verhaal te moeten aanhoren in de hoop er iets uit op te pikken waarmee ik verder kan? Daarna in doodsangst zitten omdat ik tegen jou moet liegen?' Ze keek hem nu recht aan. De tranen stroomden over haar wangen. 'En dan zeg jij: "Interessant, absoluut interessant." Alsof je het over een nieuwe auto of caravan hebt.' Ze haalde diep adem. 'Dit gaat over de dood van onze kinderen, Jeroen. Met de dag krijg ik meer het idee dat er iets heeft plaatsgevonden waar wij geen flauwe notie van hebben. Iets wat het daglicht niet kan verdragen.'

Haar oogopslag was onverzoenlijk. De blik van een tijgerin die de geur van een jager heeft opgesnoven wiens kogels verantwoordelijk waren voor de dood van haar welpen. 'En ik kan je melden dat ik erachter zal komen wie dit op zijn geweten heeft. Goedschiks of kwaadschiks.' Hierna stond ze op en verliet de kamer.

30

Zijn vingertoppen streelden haar wang en hals. De huiveringwekkende kilte die de afgelopen uren in haar lichaam en geest was gehuisvest, begon beetje bij beetje een ander onderkomen te zoeken. De rillingen werden minder frequent. Tussen de huilbuien in zaten langere pauzes. Ook deze tegenslag ging ze overwinnen.

'Ik hou van je,' fluisterde Jeroen. 'Jij bent alles voor me.'

Ze knikte traag. Op dit moment beviel de stilte die in de slaapkamer hing haar prima. Ze had minstens anderhalf uur aan één stuk door gesproken. Ze had zoveel gezegd, gefluisterd, geschreeuwd en geroepen. Soms bijna poëtisch, alsof het een ballade betrof, dan weer afgelost door ongetemd getier dat eerder bij een tirade paste. Een verhaal met vele zijwegen. Eindpunt onbekend.

'Kun je begrijpen dat ik behoorlijk in de rats zat toen je ruim drie uur wegbleef? Ik bedoel, jij kende die Perry van internet. En je leest tegenwoordig zoveel rare verhalen...'

Ze kneep haar ogen iets samen. 'Ik had het anders moeten aanpakken.' De zin klonk scherper dan voorzien. Het was de vermoeidheid, wist ze. Haar mond was droog en haar tong voelde aan als een vaatdoek waarvan al jaren geen gebruik meer werd gemaakt. Ze kon zich niet herinneren ooit zo lang aaneengesloten te hebben gesproken. Een uitgebreide monoloog over haar eigen verwerkingsproces, de nachtelijke uren aan de computer en het gesprek met Perry Zuidam. Ook het belachelijke gedrag van Dorien had ze onder de loep genomen en Pieter Kronenberg had de wind van voren gekregen. Alle grote en kleine zaken die haar dwarszaten had ze er in een lange reeks van zinnen uitgegooid. Alles, op één ding na. Hoewel het op haar lippen lag, had ze het onderwerp waar nog steeds een taboe op rustte weten te vermijden. Jeroen luisterde. Geen enkele keer had hij haar onderbroken.

Nadat al haar brandpunten de revue waren gepasseerd, volgde de leegte. Ze had eindelijk haar kant van het verhaal verteld en haar gal gespuugd. Geestelijk was ze op. Haar lichaam voelde aan als een broos omhulsel dat de boel binnenin ternauwernood bij elkaar hield. Het liefst wilde ze slapen. Tot morgenavond, of zo. Een droomloze slaap waaruit ze fris zou ontwaken. Als je iets echter te graag wilde, dan lukte dat dus niet. Slapen was daar een mooi voorbeeld van.

Met oogleden die steeds zwaarder werden keek ze Jeroen aan. Hij oogde ontspannen. Waar zij de laatste dagen op haar tandvlees liep, had hij de tegenovergestelde route bewandeld. Zijn absolute dieptepunt was de opname in het ziekenhuis geweest. Daarna had hij teruggevochten. Tijdens deze martelgang had hij uit elke kleine overwinning veel moed geput en energie getrokken. Door vaker op te staan dan te vallen was hij uit het dal geklommen.

Chantal realiseerde zich opeens heel sterk dat ze trots op hem moest zijn. Het was werkelijk verbazingwekkend hoe snel hij herstelde van zijn inzinking. Het leek wel alsof er iemand in het ziekenhuis met een toverstafje op zijn schouder had getikt, waarna zij haar oude Jeroen weer mee naar huis kon nemen. Onzin, natuurlijk. Het was een samenspel van verschillende factoren waarop hij zowel fysiek als mentaal perfect had gereageerd. 'Jeroen, ik ben zo moe. Het lijkt wel alsof ik een marathon heb gelopen.'

Hij boog zich verder naar haar toe en kuste haar voorhoofd. 'Het is de spanning die je lichaam verlaat. Je hebt wekenlang alle stress opgekropt. Je moet het zien als een leeglopende strandbal. Die wordt ook slap.'

Chantal glimlachte vermoeid om de rare vergelijking. Een beproeving, aangezien haar mond aanvoelde als de Sahara. Blijkbaar vermoedde Jeroen al zoiets, want hij stapte energiek van het bed af en vroeg: 'Wat wil je drinken?'

'Water, graag. Een liter of tien.'

Terwijl ze hem de trap af hoorde lopen gingen haar gedachten weer terug naar het afgelopen uur. De rustige manier waarop Jeroen haar spraakwaterval begeleidde, die meer weg had van een vulkaanuitbarsting, was groots te noemen. Hij liet haar uitrazen en toonde daarna veel begrip. Dit gaf niet alleen aan dat hij de situatie juist inschatte, maar eveneens dat hij goed in zijn vel zat. Wellicht dat hij al verder was dan zij vermoedde.

In vier slokken dronk ze het glas leeg dat Jeroen op het nachtkastje had gezet. Hierna sloot ze even haar ogen en slaakte een zucht. 'Wat kan water toch heerlijk zijn.' Ze zette het glas weer op het nachtkastje. Met de seconde nam de twijfel af over de beslissing die ze in de afgelopen minuten had genomen. Hoewel het tijdsbestek waarin ze de knoop had doorgehakt vrij kort was, ging het om een doordacht besluit. Tenminste, zo voelde het aan. Wel realiseerde ze zich dat ze nog steeds een gok nam. Tenslotte was ze geen arts die een diagnose kon stellen omtrent Jeroens geestestoestand. Haar handelwijze werd grotendeels gestuurd door intuïtie. En die had het vaak bij het rechte eind. Hopelijk was dit nu ook het geval.

'Er zit me nog iets dwars, Jeroen. Om je de waarheid te zeggen, spookt dit al heel lang door mijn hoofd.' Niet bepaald een denderende opening, dacht ze. Jammer dan, het gaat tenslotte om zijn reactie, het vervolg en de eindconclusie. 'Turkije.'

De reactie die dit ene woord had kunnen geven, bleef tot haar grote opluchting uit. Jeroen bleef haar even vriendelijk aankijken. Niets in zijn houding wees erop dat hij op het punt stond zich terug te trekken in zijn eigen wereld, waar onzichtbare muren effectiever waren dan blokken beton.

'Je doelt waarschijnlijk op datgene wat wij waarschijnlijk hebben gezien, maar ons simpelweg niet meer kunnen herinneren,' zei hij kalm. 'De gaten in ons geheugen die we zo graag opgevuld willen zien. Antwoorden die het allemaal wat draaglijker voor ons maken.' Hij sloot even zijn ogen. Een moment van pijn trok over zijn gelaat. 'Of niet. Het kan namelijk ook zo zijn dat de waarheid pijnlijker is dan wat de mistflarden waarin we ons nu bevinden suggereren.'

Het duurde enkele seconden voordat de impact van zijn antwoord tot haar doordrong. In feite had hij met een paar zinnen een groot gedeelte van zijn ziel opengelegd. Een beknopte verklaring gegeven voor zijn gedachtegoed, wat zijn gedrag van de afgelopen weken verklaarde.

'Jij...' stamelde ze.

'Inderdaad, Tal. Min of meer dezelfde gedachten hielden ons bezig. Het grote verschil was echter dat jij ermee om kon gaan en ik niet.'

31

Kwart voor tien. De boodschappen lagen in de kofferbak. Ze had de hele dag nog voor zich. De twijfel over wat ze nu moest doen was kortstondig. Misschien wel haar grootste winst van de laatste tijd. Ze kon knopen doorhakken. Nog niet radicaal en van het ene op het andere moment, maar de progressie was er ontegenzeglijk.

Ze pakte haar mobieltje en toetste haar huisnummer in.

'Van der Schaaf.'

'Jeroen, ik heb net boodschappen gedaan. Kun je ermee leven als ik een halfuurtje bij Heleen aanwip? Die meid heeft het niet makkelijk en zit ook maar in d'r eentje. Ik dacht...'

'Natuurlijk, joh,' zei hij. 'Neem je tijd, het is nog vroeg. Ik vermaak me wel.'

Een paar dagen geleden zou ze zich over dit spontane en meegaande antwoord minstens verwonderd hebben. Nu zei ze op vrolijke toon: 'Oké, dan zie ik je straks.'

Tijdens de rit naar Heleen probeerde ze zich te concentreren op de vervelende situatie waarin haar vriendin zich bevond. Een lastige opgave, aangezien delen van het gesprek van de avond ervoor met Jeroen steeds door haar hoofd galmden. Het was een onthutsend eerlijk gesprek geweest. Beiden waren ze diep gegaan, hadden hun ziel aan elkaar blootgelegd. Uiteindelijk bleek dat ze niet alleen op één lijn zaten, maar dit altijd al het geval was geweest.

Toen ze eenmaal voor het huis van de familie Kronenberg stopte, dwong Chantal zichzelf de problemen van Heleen snel de revue te laten passeren. Terwijl ze naar de voordeur van de woning liep, dacht ze erover na hoe ze zich tegenover haar vriendin moest opstellen. Ondanks het uitblijven van een oplossing drukte ze meteen op de bel. Het nemen van beslissingen gaat me steeds beter af, dacht ze.

Heleen deed open. 'Hé, Chantal. Leuk je te zien, kom binnen.'

Drie kussen volgden. Chantal toverde haar meest spontane glimlach tevoorschijn. 'Hoe is het ermee, meid?'

Heleen haalde haar schouders op. 'Ach, zo z'n gangetje.' De nonchalance die uit haar woorden en lichaamstaal sprak, bevreemdde Chantal. De Heleen die nu tegenover haar stond leek in niets op de woedende, verdrietige en gebroken vrouw van een paar dagen geleden. Het respect dat zij voor deze metamorfose diende te voelen, bleef vreemd genoeg uit. Ergens in haar achterhoofd klonk namelijk een stemmetje. Een stemmetje dat confronterende dingen zei. Zo goed en zo kwaad als het ging, negeerde ze de harde woorden en liep achter Heleen aan.

'Gezellig dat je langskomt,' zei Heleen, terwijl ze op de witleren bank plaatsnam. 'Was je soms in de buurt?'

Chantal verborg haar stijgende verbazing achter een nieuwe glimlach. 'Het leek me wel een goed idee om even langs te komen. Kijken of alles goed met je is.'

Heleen stak beide handen omhoog. Ze deed dit op een theatrale manier. Een ingestudeerd trucje waarmee ze de situatie naar haar hand dacht te zetten.

'Natuurlijk is alles goed, joh.' Ze keek erbij alsof Chantal in raadselen sprak. Toen tikte ze tegen haar voorhoofd. 'Ah, je hebt het natuurlijk over die toestand met Pieter,' zei ze op een lacherige toon. Ze schudde met haar hoofd. 'Dat was één groot misverstand. Zoals gewoonlijk trok ik weer eens te snel mijn conclusies. Hij heeft helemaal niets met zijn secretaresse.'

Chantal had ineens het gevoel dat ze zich in een toneelstuk bevond. Of het hier een klucht of een tragedie betrof, was haar nog niet duidelijk. Eigenlijk wilde ze helemaal niet achter de naam komen van hetgeen haar hier werd voorgeschoteld. Ze wilde enkel weg. Naar huis. Naar Jeroen.

'Pieter schrok zich dood toen ik hem vertelde dat ik zijn e-mail had gelezen,' ging Heleen op een toon verder waaruit eerder desinteresse dan passie klonk. Het was overduidelijk dat deze zaak al ver achter haar lag. Een incident dat nauwelijks voor een botsing door kon gaan. 'Hij vertelde me dat dit soort taalgebruik doodnormaal in internetverkeer was. Daar moest ik echt niets achter zoeken... Nee, hij heeft niets met die meid, joh. Die man kust de grond waarop ik loop.'

Ze stak haar linkerhand vooruit. Een brede glimlach volgde.

'Met deze ring kwam hij de dag erna aanzetten. Mooi, hè?'

Uit beleefdheid keek Chantal naar de met robijnen en saffieren ingezette platina ring. Ze dwong zichzelf om 'prachtig' te zeggen en een bijpassende bewonderende blik te tonen.

'En hoe gaat het bij jou thuis?' De vraag van Heleen klonk als een verplicht nummertje. Gelijktijdig sloeg ze met haar hand op de leren bekleding van de bank. Een modieus gebaartje waarmee ze het nieuwe onderwerp aankondigde, terwijl het oude wat haar betrof definitief tot het verleden behoorde.

'Z'n gangetje,' antwoordde Chantal oppervlakkig. In enkele minuten was ze veranderd van een zorgzame vriendin in een buitenstaander die op haar hoede was. Een merkwaardige gedaantewisseling die volledig op het conto van de vrouw tegenover haar kwam. Dit was in de verste verte niet de Heleen Kronenberg die zij al jaren kende. Dacht te kennen, verbeterde ze zichzelf in stilte. 'Het gaat goed met Jeroen.' Een dooddoener om tijd te winnen. De afstandelijke sfeer maakte duidelijk dat hun gesprek snel zou doodbloeden. In de paar minuten die nog restten wilde ze antwoord zien te krijgen op de vraag die maar door haar hoofd joeg: wat was hier in 's hemelsnaam aan de hand?

'Fijn om dat te horen. Het is een moeilijke tijd voor jullie.' De inspiratieloze woorden bereikten Chantals geest nauwelijks. Ze concentreerde zich op de lichaamstaal van Heleen, wat haar vriendin precies zei was hieraan ondergeschikt.

Bij binnenkomst had ze geen bijzondere aandacht aan Heleens lichtroze trainingspak geschonken. Nu ze wat beter keek, werd duidelijk dat het kledingstuk niet onder die noemer viel. Het was meer een trappelpakje dat het midden hield tussen een trainingspak en een babydoll. Een typische outfit die Gooise tennisvrouwen droegen die nog nooit een tennisracket in hun handen hadden gehad. Haar nagellak was van dezelfde kleur en de make-up die ze droeg was zo zorgvuldig aangebracht dat het puur natuur leek. Dit gold eveneens voor de haardracht. Losjes en uiterst verzorgd. Die heeft vanmorgen een flinke tijd voor de spiegel gestaan, wist ze zeker. Het logische 'voor wie dan wel?' kwam daar direct achteraan.

'Hoe gaat het met Rogier op school?' Terwijl ze de vraag stelde, keek ze Heleen recht aan. Om haar mondhoeken speelde de onvermijdelijke glimlach van een oprecht geïnteresseerde vriendin. Ik kan ook toneelspelen, dame, dacht ze.

'Zijn gangetje, weet je wel.' Na een korte stilte voegde ze eraan toe: 'Hij heeft het vaak over Max en Dennis. Hij mist ze.'

Chantal speelde het spel mee en knikte inschikkelijk. Ze had de blik in Heleens ogen gezien. Toen Rogier ter sprake kwam, waren de twinkelingen uitgebleven. Dit kon slechts één ding betekenen: Heleen bevond zich op een andere planeet. De oogopslag van iedere moeder lichtte op als het over haar kind ging. Dat was een gevoelskwestie waaraan geen enkele moeder weerstand kon bieden. Kennelijk waren Heleens instincten op iets anders gefixeerd. Een item dat op dit moment allesoverheersend voor haar was.

'Ik moet er nu echt vandoor', zei ze plots. 'Jeroen zit op me te wachten.'

Heleen stond bedrieglijk snel op. Als een sprinter die op het startschot reageert. Voordat Chantal was opgestaan, maakte ze al aanstalten om in de richting van de gang te lopen. Het scherpe geluid van de deurbel stelde dit echter uit. Chantal zag hoe Heleen bevroor en paniek haar blik binnendrong. Ze herstelde zich echter razendsnel door zich om te draaien, zodat enkel haar rug zichtbaar was. 'Nou, dat heeft zo moeten zijn,' zei ze geforceerd grappig. 'Dat scheelt me weer een loopje.'

Chantal schatte hem voor in de twintig. Meer jongen dan man. Hij droeg een strakke spijkerbroek en een wit T-shirt met daaroverheen een kort, zwartleren jack. Met zijn brede glimlach showde hij een mooi gebit. Knappe jongen, dacht Chantal. Leuke uitstraling, niet overdreven macho.

'Hé, Heleen.' Na deze korte begroeting keek hij Chantal aan en knikte. 'Goedemorgen.'

'Robert heeft veel verstand van computers,' zei Heleen op een gereserveerde toon. 'Hij maakt me wegwijs op internet.' Hierna maakte ze een nonchalant beleefdheidsgebaar dat mensen bij volslagen vreemden doen als zij hen bij de lift voor laten gaan. 'Leuk je gesproken te hebben, Chantal. Kom gauw nog eens langs.'

Ze was weggereden zonder te zwaaien. Drie straten verderop parkeerde ze de auto, ze bleef doodstil zitten en keek strak voor zich uit. Het waas voor haar ogen egaliseerde de omgeving. De straat, de huizen en de geparkeerde auto's veranderden in één mismoedige, grijze deken. Enkel in naam bevond ze zich ergens in Almere-Buiten.

Ze haalde diep adem om haar hersens van extra zuurstof te voorzien. Diepe teugen die haar hoofd wellicht helder konden maken. Het gif moest eruit. De methode was ondergeschikt. Mentaal overgeven.

Fragmenten van haar bezoek aan Heleen snelden aan haar netvlies voorbij. Het waren de vreemde dingen die ineens de status van details ontgroeiden. Kleinigheden werden items. Heleens gitzwarte wimpers die langer leken, de zwoelheid van haar parfum die een tikkeltje te veel van het goede was, het uitblijven van het min of meer verplichte kopje koffie.

'Jezus,' stamelde ze. Beelden van een paar dagen geleden vermengden zich met de actualiteit. Een halfhysterische Heleen kwam voorbij, waarna Jeroen in slow motion zijn mening gaf over het spoedbezoek aan haar vriendin die in geestelijke nood verkeerde.

'Vriendin.' Door een paar maal flink te snuiven onderdrukte ze de drang om het portierraam te laten zakken en op straat te spugen. Wellicht zou hierdoor de wrange smaak die om dit woord hing verdwijnen. Het feit dat ze de kracht kon opbrengen om te slikken, zorgde voor wat opluchting. Je wordt met de dag sterker, meid, flitste het door haar heen.

De daaropvolgende minuten bekeek ze het hele voorval op een zo afstandelijk mogelijke manier. In gedachten noemde ze het 'de zaak'. De klinische benadering symboliseerde de voormalige vriendschapsband die wat haar betrof voorgoed was verbroken.

Heleen had haar gebruikt. Ze voelde zich vernederd en verraden. Haar voormalige vriendin had bewust misbruik van haar gemaakt. Heleen kende haar karakter en wist dat ze in een zogenaamd noodgeval altijd op haar kon rekenen.

'Bitch.' Grof taalgebruik was nooit haar ding geweest. Nu voelde het lekker, bevrijdend aan. Het begin van een overwinningsglimlach speelde rond haar mondhoeken.

Oké, ik ben dus door Heleen gebruikt om Pieter klem te zetten. Ze wist allang dat hij vreemdging. Ze bedacht een plan waarbij ik vooral als getuige dienst moest doen. Een soort veredeld alibi. Toen ze hem zogenaamd via de e-mail had betrapt, kon hij geen kant meer op. Met deze zet toverde ze zijn affaire om in een vrijbrief voor haar eigen pleziertjes.

'Nee, nee, nee.' Dit klonk verre van overtuigend. De zinnen liepen niet en de argumentatie had meer weg van gatenkaas. Iedere willekeurige toehoorder zou zich rot lachen om haar redenatie. Een typisch geval voor de psychiater.

'Kletskoek!' Dat ze de juiste woorden niet kon vinden waardoor haar zinnen beter werden onderbouwd, had niets met de zaak op zich te maken. Zowel de grove lijnen als de fijne details van het plan waren kristalhelder voor haar. Heleen had een vuil spelletje gespeeld en kon wat haar betrof het heen en weer krijgen. Hun vriendschap was over.

Tegenover wie zit jij je eigenlijk te verontschuldigen? zei ze in zichzelf. Wie is hier de laatste tijd zo sterk geworden? Ze schrok van haar eigen woorden. De waarheid kon soms confronterend zijn. Het werd haar pijnlijk duidelijk dat ze daarnet een fractie verwijderd was van een stap terug in de tijd. Het had weinig gescheeld of bepaalde vragen hadden door haar hoofd gespeeld.

Zag je het niet aankomen? Hoe heb jij je zo kunnen laten gebruiken? Zie je het niet te zwaar? Had je het met een andere aanpak kunnen voorkomen? Ze schudde resoluut met haar hoofd. Ze wierp deze en alle vragen met een soortgelijke strekking in een denkbeeldige prullenbak. De nieuwe Chantal van der Schaaf liet zich geen schuldgevoel meer aanpraten. Daarvan had ze haar buik inmiddels wel vol.

32

Toen ze de straat in reed, viel haar blik direct op de zilverkleurige BMW. Zoals gewoonlijk had Sander zijn auto recht tegenover hun huis geparkeerd. Ze minderde vaart en even later zat er tussen de voorbumper van haar Toyota en de achterkant van de BMW hooguit vijf centimeter. Is hij straks lekker lang bezig met uitparkeren, dacht ze geniepig lachend.

Terwijl ze uitstapte verzette ze haar gedachten. Tijdens de rit naar huis was het haar gelukt om Heleen Kronenberg grotendeels uit haar hoofd te zetten. Daarna woog ze een aantal mogelijkheden af die betrekking hadden op de manier waarop ze het verhaal aan Jeroen moest brengen. Vanwege de opzichtige Duitse bak voor de deur was dit laatste ineens geen punt meer. Haar volledige aandacht ging nu uit naar het onaangekondigde bezoek van Sander. En dat van zijn passagiers, natuurlijk. Want je kon er donder op zeggen dat schoonmama een van hen was...

'Goedemorgen,' zei Chantal vrolijk toen ze de kamer binnenkwam. Met een brede glimlach onderging ze de verplichte omhelssessie. Nadat ze in totaal negen vluchtige kussen aan het trio op de bank had uitgedeeld, legde ze haar armen om Jeroens nek. Een welgemeende kus volgde.

'Dat ziet er goed uit, tortelduifjes,' merkte Sander op. Hij legde theatraal zijn arm om Eveliens schouders en zei: 'Doet me denken aan onze huwelijksreis, zo'n honderd jaar geleden.' Hierna lachte hij luid om zijn eigen grap. Zoals gewoonlijk viel Dorien hem met een beschaafd gegrinnik bij. Evelien keek enigszins opgelaten voor zich uit.

Chantal ging op de tweezitter zitten. Hier had ze de ruimte, aangezien Jeroen de stoel bezette die schuin tegenover de driezitsbank stond. Hopelijk drong het tot hem door dat hij zich recht in de frontlinie bevond, dacht ze. Het kon namelijk niet anders of er zou verbaal vuurwerk worden afgeschoten. Dorien en consorten kwamen niet voor de gezelligheid op een doordeweekse morgen langs. Daarvoor kende ze haar schoonfamilie net even te goed.

'Ik vind dat je er pips uitziet, jongen,' zei Dorien op een toon die meer suggereerde dan de woorden op zich deden vermoeden.

Door snel te reageren haalde Jeroen de angel uit de steek onder water. 'Ik voel me anders prima, ma. Die paar nachtjes in het ziekenhuis hebben wonderen verricht.' Hij draaide zich om en keek zijn vrouw aan. 'En Tal zorgt dat het hier op rolletjes loopt.'

Haar hart maakte een klein vreugdesprongetje. Voor zover er al sprake was van schermutselingen, was de eerste slag voor hen. In de wetenschap dat dit niet meer dan een windstoot was die voor de storm uit blies, genoot ze kortstondig van het moment. Enkele seconden later was haar blik weer gefocust op het duo op de bank. Het gevaar kwam van Sander en Dorien, wist ze uit ervaring. Aangever en afmaker. Duo Doortrapt. Bij voorkeur te boeken op feestjes en partijen waar een flinke rel moest uitbreken. Evelien diende in deze act hooguit als rekwisiet, wat genoeg zei over zowel haar intelligentie als haar karakter. Te simpel om mee te doen, te slap om zich te verzetten tegen haar rol als levende ballast.

Zoals verwacht opende Sander het bal. Hij mat zich een joviale houding aan en grijnsde breed.

'Jullie vragen je natuurlijk af waarom wij niet even hebben gebeld.' Evelien knikte enthousiast. Het vooraf bepaalde rollenspel was haar niet echt op het lijf geschreven. Sander liet zich door de koddige reactie van zijn vrouw echter niet van de wijs brengen. Zijn glimlach won zelfs aan kracht. 'Nou, wij hebben een verrassing voor jullie.' Zijn toon was even oprecht als die van een verkoper van tweedehands auto's met verborgen gebreken.

'Een originele,' vulde Dorien aan. Haar timing was perfect.

Chantal voelde hoe de haartjes op haar armen overeind gingen staan. Onbewust kneep ze haar ogen een beetje toe. De aanval was begonnen, wist ze. De vijand had de veiligheidspallen van de geweren verschoven. Het schieten kon beginnen.

'Gisteren zat ik een beetje op internet te surfen,' zei Sander. Met zijn vingers typte hij begeleidend in de lucht.

'Puur toevallig kwam ik op een site terecht waar stedentrips worden aangeboden. Weekendarrangementen voor een prijs waar je heel vrolijk van wordt. Eentje sprong er direct uit: Maastricht. Hotelletje bij het Vrijthof, hartje centrum. Helemaal leuk, dus.' Hij hief zijn wijsvinger op ten teken dat er meer volgde. 'Nu wil het toeval dat ma in de buurt van Valkenburg een vriendin heeft wonen die ze al een tijdje niet heeft gezien. Een ideale combinatie, lijkt me.' Zijn blik was strak op Jeroen gericht. 'Wij zetten ma af in dat gehucht en gaan dan samen een weekendje stappen in Maastricht. Even de zinnen verzetten. Als iemand daar recht op heeft, ben jij het wel, lijkt me.' Hierna tikte hij tweemaal kort met zijn hand op Eveliens bovenbeen. Als een dirigent die om de eerste maten van zijn orkestleden vraagt.

Jeroens zus leek in eerste instantie te twijfelen of ze wel in het verhaal wilde participeren. 'Wat wilde jij nog zeggen, schat?' zei Sander, en daarmee trok hij haar blijkbaar over de streep. Ze glimlachte vriendelijk en keek Chantal aan. 'Wij krijgen ook ons feestje. Een kuuroord op de Veluwe. Alles erop en eraan. Een heel weekend relaxen.'

'Dat bedoel ik maar,' reageerde Sander geestdriftig. Hij wreef stevig in zijn handen om zijn genialiteit als organisator te accentueren. 'Helemaal top, toch?'

Dorien en Sander hadden het buitengewoon slim gespeeld. Ze hadden een show in elkaar gezet die enkel tot doel had om een wig tussen Jeroen en haar te drijven. Die vriendin was onzin, dat wist Chantal zeker. Dorien ging gewoon mee naar Maastricht. Terwijl haar schoondochter ergens in een modderbad lag te doezelen, kon zij samen met haar geliefde schoonzoon ongestoord Jeroen een weekend lang bewerken.

Ze hadden haar klemgezet. Onder beide opties lag drijfzand. Als ze aangaf het plan niet te zien zitten, was ze de gebeten hond. Er zouden op z'n minst afkeurende blikken volgen, om over de rest maar te zwijgen. Stemde ze daarentegen toe, dan kon het best de verkeerde kant opgaan. Jeroen was sterk, maar of hij bestand was tegen de indoctrinatie van Dorien en Sander viel te betwijfelen.

De gouden ingeving bleef uit. Haar hersens waren een grijze soep die weigerden met een geschikte variant op de proppen te komen. Het wordt kiezen tussen twee kwaden, dacht ze. Deze slag ga ik dik verliezen.

'Een hartstikke leuk plan,' zei Jeroen. Hij glimlachte als een man die zojuist van zijn chef heeft gehoord dat er een flinke opslag aan zat te komen. 'En ik weet zeker dat ik namens Chantal spreek als ik zeg dat we dit enorm waarderen...'

Een gevoel van opluchting stroomde door haar heen. Ze had niet aan hem mogen twijfelen.

'... Maar wij kunnen echt niet op jullie aanbod ingaan, hoe lullig ik het ook vind. We hebben eindelijk de juiste balans in ons leven gevonden en kunnen het op dit moment niet riskeren uit dit ritme te stappen.' Hij haalde diep adem, blies stevig uit en haalde zijn schouders op. Onmacht, overgave en dankbaarheid samengevat in één gebaar. Alsof hij daadwerkelijk geroerd was door hun prachtige aanbod. 'Misschien over een paar maanden. In elk geval ontzettend bedankt.'

Chantal keek met ingehouden plezier naar de verslagen blikken. Ook in de houding van het duo was een opmerkelijke verandering opgetreden. Sanders hand ondersteunde nu zijn kin, waardoor hij leek op een veldheer die over-dacht welke fout had geleid tot de ondergang van zijn leger. Dorien liet geheel tegen haar gewoonte in haar schouders hangen. Hierdoor leek ze in enkele seconden minstens vijf jaar ouder. Dat kon zelfs haar beige mantel-pakje niet voorkomen.

Het was te mooi om waar te zijn.

Chantal stond op. 'Wie heeft er zin in koffie?'

33

Hij hield zich slapend. Ogen dicht, regelmatige ademhaling. Om niet in slaap te vallen maakte hij in gedachten rekensommen. Twaalf maal dertien plus zeventien. Negentien maal acht min drieëndertig. Na de veertiende som draaide hij zijn hoofd enkele centimeters naar rechts en keek door zijn oogharen. Chantal sliep.

Hij stapte voorzichtig uit bed, om daarna op zijn tenen de kamer uit te sluipen. Zonder onnodige bijgeluiden bereikte hij de zolderkamer. Hij drukte op de aan-uitknop. De computer kwam tot leven. Omdat het doodstil in huis was, klonk het gepruttel dat daarmee gepaard ging onevenredig luidruchtig. Toen de computer aan was, voelde hij een lichte twijfel. Voor de laatste keer overdacht hij de voor- en nadelen van zijn besluit. De voordelen wonnen. Hij tikte het adres in. Een strand met palmbomen verscheen.

Ze lag in een modderbad. De smurrie voelde lauw en hard aan. Als cement. Ze kon zich niet bewegen. De donkere drab reikte tot haar nek. De rest van haar lichaam zat gevangen.

De kamer waarin ze zich bevond was een meter of tien breed en oneindig lang. In de verte stonden drie mensen met elkaar te praten. Ondanks de afstand herkende ze hen onmiddellijk. Sander droeg een gouden clownspak. Hij stond druk te gebaren. Naast hem stond Jeroen, in een wit gewaad. Hij keek en luisterde naar zijn hyperactieve zwager. Dorien was van top tot teen in het zwart gekleed. Ze streelde Jeroens haardos.

Ze wilde schreeuwen. Jeroen waarschuwen voor het gemanipuleer van Dorien en haar gulden hofnar. Haar stem weigerde. Elke noodkreet stierf een geluidloze dood in haar keel.

Ze spande haar spieren. Eruit, ze moest de modder van zich afwerpen en naar Jeroen rennen. Hem beschermen tegen zijn eigen familie. Samen konden ze hen aan. In zijn eentje was hij kansloos.

'Lig je lekker?'

Ze draaide haar hoofd naar rechts. Twee meter naast haar lag Evelien in een soortgelijk modderbad. De glimlach om haar mondhoeken was hemels te noemen. 'Het is heerlijk als alles voor je geregeld wordt.'

Haar lippen vormden woorden: haal me hieruit. De lieftallige blik van Evelien leek de stille noodkreet niet te bevatten.

'Volgende maand gaan we naar Australië. Kangoeroes kijken. Dat zijn zulke lieve beestjes, zegt Sander.'

Ze schudde wild met haar hoofd om Eveliens aandacht te krijgen. Blijkbaar was dit onvoldoende. Op zoetsappige toon ging haar schoonzus verder. 'Als we vrijen vindt Sander het lekker als ik stil blijf liggen. Morgenavond gaan we eten bij L'hiver de Toulon. *The place to be*, zegt Sander. Volgend jaar krijg ik een Renault cabriolet. Franse tweezitters zijn trendy, zegt Sander. We gaan ook nog op vakantie naar Finland. De hoofdstad is Helsinki, zegt Sander. Of was het soms Kopenhagen?'

Neeeeeeeee! De kreet galmde door haar hoofd. Zij was de enige die het hoorde. De lippen van Evelien gingen op en neer. Vormden normale woorden die uitmondden in krankzinnige frasen. Gelukkig had iemand de volumeknop naar de nulstand gedraaid.

De hel kende veel gezichten.

'Hé, Tal, word eens wakker.'

Nog confuus van de warrige beelden opende ze haar ogen. Drie hartslagen later werd het haar duidelijk waar ze zich bevond. Nog slaapdronken grijnsde ze naar Jeroen. Onbewust gleed haar handpalm over het onderlaken. Het voelde vertrouwd aan.

'Dat leek me een stevige nachtmerrie.'

Ze knikte. Toen zijn vingers wat plakkerig haar uit haar ogen streken, trok er een rilling langs haar rug.

'Je bent ijskoud.' Hij kroop naast haar. Terwijl hij zijn best deed om lichamelijk contact te vermijden, ging hij op zijn rug liggen. 'Morgen gaan we boeken. Met een beetje geluk kunnen we volgend weekend al weg.'

Zijn woorden drongen keihard tot haar door. Ze reageerde als door een wesp gestoken. 'Jij denkt toch niet dat ik in een bubbelbad op de Veluwe ga liggen terwijl jij in Maastricht wordt gemanipuleerd?' Ze was klaarwakker, boos en vooral teleurgesteld. Die middag hadden ze het voorval uitgebreid besproken. De conclusie was dat Jeroen het perfect had opgepakt. Ze voelden zich sterker dan ooit met elkaar verbonden. Een echte eenheid. En nu dit...

'Nee, Tal,' zei hij droog. 'We gaan terug naar Turkije. Je hebt me overtuigd.'

Sharm el Sheikh, Egypte

'Binnen!' riep John Ratcliffe op ongeduldige toon. Hij trommelde met de vingertoppen van zijn rechterhand een warrig ritme op het bureau.

'U wilde mij spreken?' vroeg het hoofd van de tuinlieden timide.

'Ga zitten.'

Zonder omhaal deed de man wat hem werd gezegd.

'Ik kreeg een halfuur geleden een bijzonder vervelend telefoontje van de hotelarts. In een tijdsbestek van twee uur hebben zich negen gasten bij hem gemeld. Allemaal met dezelfde symptomen: braken, diarree en koorts.'

Hossam Midrouffa haalde automatisch zijn schouders op, het defensiemechanisme waarmee Arabische ondergeschikten westerlingen monddood of krankzinnig van woede konden maken. Toen hij de blik van de directeur van Hotel The President zag, wist hij dat dit laatste zomaar het geval kon zijn. Meteen ging hij over op een andere tactiek. Met een onschuldige en vragende blik hield hij beide handpalmen naar boven. 'Het eten?'

Ratcliffe schudde ontkennend zijn hoofd. Vanwege het alarmerende telefoontje had hij een feestje moeten verlaten. Een party waar de voltallige jetset van de badplaats aanwezig was. Broedplaats voor netwerken en het betere sociale smeerwerk. Net toen hij wat hoopvolle contacten had gelegd, belde de dokter. Nee, voor Arabisch gedraai om de feiten heen en meer van dat soort trucs was hij niet in de stemming. 'Denk jij dat ik een tuinman om halfelf 's avonds bij me laat komen omdat het eten niet deugt?' In zijn stem klonk geen spoortje van humor door.

'Ik weet niet...'

'Het zwembad, Hossam. Het is helemaal mis met het zwembadwater.'

'Hoezo mis...'

Ratcliffes hand kwam van het bureau en maakte een stopteken. 'Ik ken de omstandigheden waarin jullie werken. Vertel me precies wat er is gebeurd, anders kun je morgen op zoek naar een andere baan.'

Hij zag hoe de twijfel de Egyptenaar innerlijk verscheurde. Uit de school klappen was tegenover zijn collega's nauwelijks verdedigbaar. Aan de andere kant had hij wel zijn gezin dat hij moest onderhouden. Om thuis aan zijn vrouw te vertellen dat hun bron van inkomsten was opgedroogd, leek eveneens een weinig aanlokkelijk vooruitzicht. 'Het gaat om de chemicaliën, meneer. Voor deze maand zijn we er zo goed als doorheen.'

In twee afgebeten zinnen vertelde de man het hele verhaal, dacht Ratcliffe. Hij opende een bureaula, haalde er een chequeboek uit en zette de benodigde krabbels. Hierna gaf hij de cheque aan Midrouffa. 'Morgenochtend vroeg sta jij bij de leverancier voor de deur. Met deze cheque koop jij de benodigde spullen voor deze maand. De factuur laat je op verleden week aftekenen. Daarna ga je als een speer terug naar het hotel en zorg je ervoor dat het zwembadwater aan de standaardeisen voldoet.'

Hij zag de opluchting op het gezicht van de Egyptenaar.

'Denk erom dat je de factuur op verleden week laat zetten, Hossam. Dat is belangrijk.'

De man knikte, draaide zich om en verliet het kantoor.

Ratcliffe vond in zijn borstzak waar zijn longen om vroegen. Hij stak een sigaret op en inhaleerde diep. 'Wat een onvoorstelbare bende.' Grijze slierten begeleidden zijn hartgrondige klaagzang. Het liefst wilde hij de hele boel bij elkaar vloeken, volledig door het lint gaan. Een opleving van uiterste beheersing verhinderde dit echter. De imposante serie scheldwoorden bleef hierdoor achter in zijn keel steken.

Hij verzette zijn gedachten en fantaseerde over het groen van Nottingham, dat een stuk aanlokkelijker was dan het uitzicht waar hij bijna de hele dag mee werd geconfronteerd. De Rode Zee en het dorre achterland waren prachtig als je er een paar weken verbleef. Werd het je werkplek, dan kwam je er gauw genoeg achter wat de term 'tropenjaren' in werkelijkheid inhield. Maar het golvende, groene landschap dat nu aan zijn netvlies voorbijtrok, liet de harde trekken op zijn gezicht enigszins verzachten. De scherpe lijnen vervlakten, het onverzoenlijke vervaagde. Het stressniveau nam af.

Voor de zoveelste keer vroeg hij zich af waarom hij een baan als manager in een rustiek gelegen hotel net buiten Nottingham had ingeleverd voor een directeursfunctie in een oneindige zandbak waar de zon zelfs 's nachts leek te schijnen. Het antwoord hierop was even belachelijk als realistisch: het hoofdkantoor van de hotelketen had erop aangedrongen. Een logische carrièrestap, wisten ze zeker. Een hoge positie in het buitenland stond goed op je cv. De ervaring die je daar opdeed, was van onschatbare waarde.

Gelul.

In de twee jaar die hij hier nu zat, was er meer fout dan goed gegaan. Een onwaarschijnlijke hoeveelheid aan incidenten had zijn bureau gepasseerd. Van gebroken benen vanwege kapotte tegels tot acute voedselvergiftiging omdat het keukenpersoneel stelselmatig eten opwarmde. Miskleunen die vrijwel allemaal door geldgebrek waren ontstaan. Een onhoudbare situatie waarin helaas geen verandering kwam. Van hogerhand was men ongevoelig voor zijn argumentatie die de laatste maanden meer weg had van smeken.

Dit laatste geval was voor hem de bekende druppel. Niet zozeer het gegeven dat er weer eens wat drastisch mis was stoorde hem. Nee, het ging om zijn eigen reactie. Het automatisme ervan. Door op de factuur de datum aan te laten passen, werd gesuggereerd dat de chemicaliën al een week in het hotel lagen opgeslagen.

Morgenochtend zou hij naar aanleiding van het telefoontje van de hotelarts de gezondheidsdienst bellen en verzoeken om een versnelde inspectie. Met een beetje geluk kwamen deze aartsluie wezens over een dag of drie. Logischerwijze zouden ze prima waarden meten en ontdekken dat de voorraad op peil was. Handtekeningen werden gezet, zaak gesloten. Het hotel trof geen enkele blaam.

Ratcliffe stond op. Om zijn mondhoeken speelde een meewarig lachje. Het kwam hem ineens komisch voor dat hij zijn laatste frauduleuze handeling als directeur met eigen middelen had gefinancierd. Een waardige afsluiting.

Overmorgen diende hij schriftelijk zijn ontslag in. Direct hierna zou hij de boel de boel laten en een lijnvlucht naar Londen nemen. Wat er in de toekomst zijn pad kruiste, zou hij dan wel weer zien. Eén ding nam hij zich echter heilig voor: hij zou nooit meer in een all-inclusive hotel werken. Geen minuut.

Oktober

34

Het voelde surrealistisch aan. De tuin, de temperatuur en de zee die op de achtergrond verschillende melodieën fluisterde. Ze keken naar een film waarin ze zelf een hoofdrol speelden.

Jeroen en Chantal liepen hand in hand. Toch leken ze in niets op de andere paartjes die door de tuin van het hotel flaneerden. Ze oogden eerder vastberaden dan verliefd. Naarmate ze verder liepen, werd de grip van hun vingers steviger. Bewust of onbewust zochten ze met dit contact steun bij elkaar. Geliefden op weg naar een beproeving.

Jeroen hield zijn pas in. Achter hen klonk het gelach van een groepje toeristen die zich in de artificiële oase het bier goed lieten smaken. 'Is dit wel een goed idee, Tal? Ik bedoel, we zijn net aangekomen, het is donker...'

Ze draaide haar hoofd naar links. In het licht van de vollemaan zag ze Jeroens gelaat. Het verbaasde haar dat zijn woorden niet overeenkwamen met zijn standvastige gezichtsuitdrukking. Kon ik dat maar zeggen, dacht ze. Gelukkig was er geen spiegel in de buurt waarin ze de reflectie van twijfels zag. 'Ik denk dat we door moeten zetten,' antwoordde ze. Ze keek langs Jeroen en ontweek zo zijn blik. 'We zijn hier niet voor het mooie weer.'

Hij knikte langzaam. 'Ik dacht alleen... Maakt ook niet uit. Je hebt gelijk, kom op, dan gaan we verder.'

Het zand knisperde onder hun voeten toen ze langs de kleinere versie van de piramide van Cheops liepen. Beiden worstelden ze met hun houding. Moesten ze stilhouden, waarna er ongetwijfeld beelden van de ravottende tweeling op hun netvlies zouden verschijnen, of was het beter om de speelattributen links te laten liggen? Na een schuine blik op elkaar besloten ze tot het laatste. De rivier was die avond hun doel. De emotie die ergens anders vrijkwam, zou slechts averechts werken.

In de exotische tuin overstemde het kabbelen van de kunstmatige Nijl de natuurlijke lokroep van de Middellandse Zee. Op het houten bruggetje bleven ze staan. De verandering van het tot rivier omgeturnde zwembad was opmerkelijk. Chantal verwoordde hun beider gedachten. 'Waar zijn de speeltjes?'

Jeroen boog zich naar links om een beter uitzicht op de kronkelende rivier te krijgen. 'Dat is vreemd. Voorbij die bocht ligt er ook niets in het water.' Hij haalde gelijktijdig beide schouders op. 'Grote schoonmaak, of zo.' De onzekerheid in zijn woorden had direct een weerslag op zijn houding. Een verandering die Chantal feilloos oppikte. Haar gevoeligheid kwam op dit soort momenten bovendrijven. Hoewel ieder voor zich probeerde om kalm en beheerst te zijn voor de ander, kreeg de emotie langzamerhand steeds meer vat op hen. Een gegeven waar ze thuis uitgebreid over hadden gesproken. Door hierover open te zijn, hoopten ze een bepaalde mentale weerbaarheid te kweken. Het werd nu echter duidelijk dat er tussen de bank in Almere-Buiten en de onheilsplek in Zuid-Turkije een wereld van verschil bestond.

Zonder iets te zeggen trok ze hem mee. Het doel van deze avond lag een tiental meters verderop. Chantal nam bewust kleine stappen, waardoor het wandeltempo laag bleef. Hiermee ging ze lijnrecht in tegen de innerlijke drang om zevenmijlspassen te nemen.

De ligbedden stonden keurig op een rij. De schoonmaakploeg had puik werk verricht. Het plastic van de comfortabele stoelen glom in het maanlicht en op de grond was geen papiertje te bekennen. De serene rust en poëtische achtergrond vervolmaakten het decor dat symbool stond voor ultiem vakantiegenot.

Nare, koude rillingen trokken over Chantals rug. Toen kwamen de flashbacks en ze sloegen in als een bom. Van het ene op het andere moment werd haar hele wezen lamgelegd. Ze stond stokstijf. Elke spier in haar lichaam blokkeerde. De beelden kwamen tot haar vanuit iets wat veel sterker was dan zijzelf. Een oerkracht die huishield in het diepst van haar ziel.

'Tal?' vroeg Jeroen bezorgd. De blik van zijn vrouw in de richting van het water was van een ongekende heftigheid. Toen haar reactie uitbleef, kneep hij hard in haar hand. 'Tal!'

Ze knipperde een paar maal met haar ogen. De gruwelijke beelden en het beklemmende gevoel dat hiermee gepaard ging, verdwenen op slag. Haar ademhaling was opeens gejaagd. Haar longen smeekten om zuurstof. Volledig in de ban van de waanvoorstelling had ze zeker twintig seconden haar adem ingehouden. 'Laten we gaan,' fluisterde ze. 'Dit was onverstandig. Te snel. Te veel herinneringen...'

'Goedenavond, meneer en mevrouw.'

Chantal voelde hoe haar hart oversloeg. Alsof het afgesproken werk was, draaiden zij en Jeroen zich gelijktijdig om. De man die vlak achter hen stond deed zijn best om vriendelijk te glimlachen. Een poging die bij voorbaat gedoemd was om te mislukken. Daarvoor boezemde zijn gezicht te veel angst in.

Jeroen herstelde zich snel van de schrik. 'Goedenavond.' Hij liet zijn groet door een vriendelijke grijns volgen. De man knikte hen toe, draaide zich om en vervolgde zijn route. Bij elke stap die hij nam, wiegde de knuppel aan zijn riem dreigend heen en weer.

'Wat een engerd,' fluisterde Chantal toen de man uit het zicht was verdwenen. Dat hij hen in het Nederlands had aangesproken, vond zij verre van indrukwekkend. Een groot gedeelte van het personeel sprak redelijk Nederlands, wist zij nog van hun vorige bezoek. Nee, dit taalgebruik was hier alledaags. Dat kon je echter niet zeggen van het ruige gezicht met het litteken dat over zijn linkerwang liep. Om de kriebels van te krijgen.

'Laten we naar de kamer gaan,' zei Jeroen. Zonder op antwoord te wachten trok hij haar aan haar bovenarm mee. Hoewel hij het voorzichtig deed, voelde ze een zekere mate van dwang in zijn greep. Een voor Jeroen ongebruikelijke manier van doen. Ze kende hem lang genoeg om te weten dat hem iets dwarszat.

Nadat ze de oase passeerden, bleef Jeroen opeens staan. Hij keek peinzend naar de protserige verlichting van Hotel Luxor. Het kabaal van de feestgangers aan de lange houten tafels achter hen scheen volledig langs hem heen te gaan. 'Ik heb die bewaker nog nooit eerder gezien. Jij?'

Chantal schudde met haar hoofd. 'Zeker weten van niet. Zo'n gezicht vergeet je nooit meer.'

Jeroen knikte bedachtzaam. 'Hoe wist hij dan dat wij Nederlanders waren?'

35

In de hal waarin zij zich bevonden stonk het naar transpiratie. De walm die de opeengepakte lichamen verspreidden was werkelijk niet om te harden. Hoewel de ruimte vrijwel aan de hoofdingang grensde, kon Chantal zich niet herinneren hier ooit te zijn geweest. Op zich was dit niet zo vreemd, want haar hele aanwezigheid in dit ziekenhuis stond als één blinde vlek te boek.

'Op dit soort momenten besef je weer hoe goed wij het in Nederland hebben,' fluisterde Jeroen. Hij keek naar een jonge vrouw met een baby op schoot. De blik in zijn ogen hield het midden tussen gêne en schaamte. De wanstaltige gedaante van armoede die openlijk aan hem voorbijtrok was hier verantwoordelijk voor.

'Zou het nog lang duren?' vroeg Chantal, zo het gespreksonderwerp veranderend. De kleren van de jonge vrouw en haar baby zagen er zo sjofel uit dat ze wel kon janken. Als ze niet ergens anders over begon, zou dit zomaar kunnen gebeuren. Vooral hier en nu. Haar emoties konden van het ene op het andere moment met haar op de loop gaan.

'We worden geroepen,' antwoordde Jeroen. 'Tenminste, dat verzekerde die vrouw aan de balie me.'

Chantal zei: 'Ben benieuwd.' Ze liet haar blik langs de wachtenden glijden. Ze hield het bewust oppervlakkig, zodat ze de mensen misschien als objecten zou zien. Niet als levende wezens met een zwaar leven die extra in de problemen waren gekomen en hier om hulp aanklopten. Terwijl haar blik heen en weer schoot, bedekten de vingers van haar linkerhand het plastic bandje om haar pols. Het verplichte attribuut van Hotel Luxor was hier ongepast. Onbeperkt eten en drinken. Hoe legde je zoiets uit aan mensen die te arm waren om fatsoenlijke kleding te kopen?

Chantal beet op haar lip. Elke seconde die ze langer op de gammele stoel zat was een verzoeking. Ze schaamde zich. Voor haar kleding, het all-inclusive bandje en het feit dat ze hier simpelweg was. Ze liet haar blik rusten op een oneffenheid in de grauwgrijze muur. Het dode punt was een ontsnapping aan de toegeworpen heimelijke blikken die ze meer voelde dan zag.

'Ik weet niet of dit nou zo'n goed idee was,' hoorde ze Jeroen meer tegen zichzelf dan tegen haar zeggen. Hij schuifelde ongemakkelijk op het zitje. Chantal verwachtte min of meer dat hij binnen enkele minuten zou opstaan om het ziekenhuis te verlaten. De daaropvolgende minuten bleef hij echter zitten. De tegenzin was van zijn gezicht af te lezen.

Chantal voelde de opluchting uit haar poriën dampen toen de jonge vrouw met haar baby door een zuster werd opgehaald. Ze moest er niet aan denken dat zij eerder zouden zijn geroepen. De blik die haar dan door de vrouw zou zijn toegeworpen. Brr, enkel de gedachten aan het schuldgevoel dat haar zou bekruipen was genoeg voor een fiks aantal rillingen. Ongetwijfeld zou er straks door andere hulpbehoefenden vuil naar hen worden gekeken. Toch was dat anders. Zij had zich nu eenmaal op de jonge moeder en het kindje gefocust.

Ondanks de confronterende omstandigheden waarin ze nu verzeild waren geraakt, was het een goed idee geweest om naar het ziekenhuis te gaan. Hier waren Max en Dennis officieel gestorven. Wat automatisch inhield dat hier bepaalde documenten lagen. Bij de administratie of ergens in een archief, dat was haar om het even. Die papieren moesten boven water komen. De helderheid die zij zouden verschaffen, was van cruciaal belang.

Nadat ze thuis het besluit hadden genomen om naar Hotel Luxor terug te keren, was het plannen smeden begonnen. Een bezigheid die de eerste dag nogal chaotisch verliep. Dit kwam voornamelijk omdat ze beiden hun uiterste best deden om herinneringen uit die donkere periode op te diepen. Een vrij kansloze missie, bleek uiteindelijk. Het brein gaf uitsluitend wat het wilde geven, ook al deed de andere partij zijn of haar best om er meer uit te trekken. Voor hen beiden bleef het verblijf in het ziekenhuis een groot zwart gat waarin ze voor hun gevoel uren hadden gezweefd. Het enige lichtpuntje was de naam van de Turkse arts die Jeroen ineens te binnen schoot.

De volgende dag beleefden ze een merkwaardig halfuurtje bij hun huisarts. Jeroen had hem 's morgens gebeld. Aangezien hij door liet schemeren dat het belangrijk was, konden zij 's middags al langskomen. Dokter Oldeheuvel was natuurlijk op de hoogte van hun situatie en maakte tijd voor hen vrij.

Nadat ze enkele minuten over hun huidige situatie hadden gesproken, maakte Jeroen in een paar korte zinnen de werkelijke reden van hun bezoek kenbaar. De reactie van dokter Oldeheuvel was opmerkelijk. Hij vertelde nooit enige documenten te hebben ontvangen waarin de dood van Max en Dennis werd bevestigd. Hierna maakte hij met zijn armen een verontschuldigend gebaar om zijn ongelukkige woordkeus te nuanceren. Dat de tweeling was overleden, stond natuurlijk vast. Ten eerste waren ze geïdentificeerd en ten tweede waren er voor hun transport talloze officiële papieren nodig geweest. Weer zwakte hij met een handgebaar zijn eerste, onhandige opmerking af.

Alles was ongetwijfeld volgens het boekje verlopen, meldde hij. Het enige minpunt was echter dat hij als huisarts nooit een bericht van welke instantie dan ook had ontvangen. Hij had het dus voor kennisgeving moeten aannemen. Dit was niet geheel volgens de procedure, wist hij te vertellen.

Wat die procedure precies inhield, liet hij verder onbesproken. Wel benadrukte hij dat het hier om een papieren kwestie ging die op dat moment ondergeschikt was aan de situatie waarin zij zich bevonden. Natuurlijk was hij op de hoogte van Jeroens ziekenhuisopname. Mede hierdoor zag hij de documenten niet als een halszaak. Eerst het eigen huishouden op orde en daarna verder kijken, was de achterliggende gedachte. Chantal en Jeroen konden de redenatie van hun huisarts goed begrijpen. In de tijd dat het slecht ging met Jeroen had een mededeling van zijn kant over ontbrekende documenten zeker voor onwelkome beroering gezorgd. Wat hen betrof had dokter Oldeheuvel het uitstekend ingeschat.

Een uit de kluiten gewassen verpleegster kwam voor hen staan.

'Vaanderskaf?'

Jeroen knikte terwijl hij opstond. Ze liepen met de vrouw mee door een gang die gaandeweg meer op een labyrint begon te lijken. Na elke vijf meter volgde er een T-splitsing of kruispunt. Vanuit haar ooghoek zag Chantal de volgepakte ziekenzalen. De geur van schoonmaakmiddelen en medicijnen kon de lucht van menselijke lichamen niet verdringen. Ze voelde haar maag in opstand komen. Om verdere escalatie te voorkomen, dwong ze zichzelf haar blik op de schouderbladen van de verpleegster te laten rusten.

Na een wandeling van hooguit vijf minuten, die een vol uur leek te duren, bleef de verpleegster staan voor een van de vele deuren die de gang telde. Ze knikte kort en vervolgde haar weg. Jeroen klopte op de deur, waarop een onverstaanbaar antwoord volgde. Aannemend dat het hier de Turkse variant van 'binnen' betrof, opende hij de deur.

Het kantoor had de afmetingen van een kippenhok. Bij binnenkomst stonden ze recht voor het bureau van de arts. Tenminste, van dat laatste gingen zij uit aangezien de man dezelfde witte kleding droeg als de dokters die ze daarnet haastig door de aankomsthal hadden zien lopen.

De man knikte beleefd en stak zijn hand uit. Jeroen drukte deze kort, waarna Chantal hetzelfde deed. Hierna wees de arts op twee klapstoelen die tegen de zijkant van zijn bureau stonden. Jeroen opende beide met een snelle beweging waarna ze erop plaatsnamen.

'Eigenlijk zijn wij op zoek naar dokter Yildaram.' De man keek hen nietbegrijpend aan. Jeroen zag zijn vergissing in en grijnsde ongemakkelijk.

'Stom, ik ging ervan uit dat iedereen hier Nederlands sprak.'

Chantal lachte knullig mee met de arts die er zichtbaar geen woord van verstond. Het werd haar eveneens duidelijk dat ze niet tegenover de juiste persoon zaten. Op het naamplaatje stond namelijk A. Ogür.

'*English?*' probeerde Jeroen.

'*A little bit*,' antwoordde de man binnensmonds.

'Oké,' zei Jeroen in het Engels. Hij articuleerde even duidelijk als een derdeklashavoleerling. 'Wij zijn op zoek naar dokter Yildaram.'

De arts knikte. 'Doktor Yildaram is verleden maand overgeplaatst naar Istanbul. Ik ben zijn vervanger.'

Nu was het Jeroens beurt om te knikken. Al was het alleen maar om de man fysiek duidelijk te maken dat hij zijn steenkolenengels verstond. 'Wij zijn de ouders van Max en Dennis. Onze kinderen zijn in juli overleden. Ze zijn verdronken in het zwembad van Hotel Luxor. Dokter Yildaram heeft ons toen hier in het ziekenhuis opgevangen.'

Chantal zag de blik in de donkere ogen van de man verstrakken. Beide neusvleugels boven zijn zwarte, vingerdikke snor trilden licht. Van het ene op het andere moment was hij op zijn hoede.

'*Yes?*'

Jeroen twijfelde enkele seconden over de reactie van de arts. Was dit nou een antwoord of een vraag? Hoewel hij allebei de opties enigszins ongepast vond, bleef hierover een opmerking van zijn kant uit. Dat kon wellicht kwaad bloed zetten. Terwijl zijn gevoel hem iets anders influisterde, hield hij het op een misverstand in de communicatie. De man sprak tenslotte zeer gebrekkig Engels. 'Door alle commotie rondom de dood van onze kinderen hebben wij nooit een rapport gezien omtrent hun doodsoorzaak,' probeerde hij zo helder en correct mogelijk te formuleren. 'Is er misschien een mogelijkheid dat wij dit rapport alsnog inzien?'

Chantal zag in de ogen van de man dat zijn hersens op volle toeren werkten. Omdat ze zo snel niets anders wist te bedenken, gooide ze haar meest hulpeloze glimlach in het strijdperk. Blijkbaar had dit geen enkel effect op de Turkse arts. Hij schudde namelijk beheerst maar uiterst gedecideerd met zijn hoofd heen en weer. '*I can not help you. Files are secret.*'

'*But...*' zei Jeroen.

'*I am sorry.*' Hierna pakte hij de telefoon en sprak er een paar Turkse woorden in. Voordat Chantal en Jeroen eigenlijk beseften wat er aan de hand was, kwam een zuster binnen die hen gebaarde mee te gaan. Vijf minuten later stonden ze een illusie armer buiten.

36

Chantal zag aan de manier waarop hij liep dat hij een succesje had geboekt. Met ingehouden enthousiasme pakte hij zijn handdoek van het ligbed naast haar en begon deze op te vouwen. 'Ze werkt in het Las Vegas.' Hij propte de handdoek in zijn rugzak.

'Van wie weet je dat?'

'Een ober die haar nog kende.'

'Mooi.' Ze trok snel een T-shirt over haar bikini, schoot in de teenslippers en gooide de handdoek over haar schouder. 'Even iets anders aantrekken en dan wegwezen.'

De taxi deed er tien minuten over. In tegenstelling tot het gros van de passagiers lieten zij zich niet voor de ingang van het Las Vegas afzetten. Vlak voor de lange oprit van het hotel zei Jeroen tegen de chauffeur dat hij moest stoppen. Hij rekende een lachwekkend laag bedrag af, waarna zij in de richting van het winkelcentrum liepen dat tegenover het hotel lag.

'Vijfennegentig procent van de hotels in Turkije is all-inclusive, Tal,' antwoordde hij op de vragende blik die ze hem toewierp. 'En ze hebben allemaal een ander identificatiesysteem voor de gasten. De meeste werken met een polsbandje, maar dat wil ik in dit geval wel zeker weten.'

Chantal knikte enigszins beschaamd. Dit belangrijke detail was haar in de opspelende euforie geheel ontgaan. Zonder bandje kon je het schudden. Dan kwam je nooit langs de spiedende ogen van de bewakers die standaard bij de hotelingang stonden.

Ze gingen zitten op een terrasje met uitzicht op de ingang van het hotel. Met een ouder echtpaar waren zij de enige klandizie. De twee bestelde colaatjes stonden dan ook binnen een mum van tijd op tafel.

'Hou de mensen in de gaten die het hotel verlaten,' zei Jeroen. 'Let vooral op hun pols, dat is toch de meest voor de hand liggende plek.' De alternatieven liet hij bewust onbesproken. Er was namelijk altijd een mogelijkheid dat uitgerekend dit hotel een ander systeem voerde. Een plastic badge, een speciale sleutel of wat dan ook. In dat geval waren ze zogoed als kansloos.

Twee jonge vrouwen kwamen naar buiten. Ze liepen allebei achter een buggy waarin een peuter zat. De kinderen leken te slapen, al was dit vanuit hun positie lastig waar te nemen. Daarvoor was de afstand te groot.

'Opletten,' zei Jeroen zo nonchalant mogelijk. Als hun missie niet zo serieus was geweest, had Chantal waarschijnlijk om zijn 007-gedrag gegrinnikt.

De vrouwen liepen langs het terras. Zonder hun hoofd al te opzichtig te draaien, speurden Jeroen en Chantal door hun donkere zonnebrilglazen naar het visitekaartje van een all-inclusive hotel. Jeroen zag als eerste waar ze zo koortsachtig naar zochten. 'Bingo,' zei hij koel.

'Helderrood polsbandje,' antwoordde Chantal. 'Opgehangen aan het hengsel van de buggy. Hoe verzinnen ze het, wat een plek.'

Jeroen grijnsde. 'Ik zou eerder zeggen: "Wat een mazzel."'

Ze keek voor de vierde keer in een kort tijdsbestek op haar horloge. Jeroen was inmiddels veertien minuten weg. Geen kwartier, maar veertien minuten! Ze glimlachte flets om haar nervositeit, die tegen het maniakale aan zat. Om een beetje tegengas te geven, nam ze een slok cola en probeerde zich te ontspannen. Het maakt niet uit hoe druk je je maakt, sprak ze zichzelf in stilte toe. Het lukt 'm, of het lukt 'm niet, klaar.

Ze keek wat rond, maar er was weinig tot niets wat haar interesse kon wekken. Het aangrenzende winkelcentrum was nagenoeg leeg. Een paar verkopers hingen ongeïnteresseerd over de balustrade. In hun nabije omtrek was geen klant te bekennen. Blijkbaar was dit voor hen de normaalste zaak van de wereld, aangezien uit hun houding voornamelijk berusting sprak.

'Ik heb ook veel vrienden, Chantal,' fluisterde ze. De woorden van Perry Zuidam schoten haar ineens te binnen. Tijdens hun afscheid in het café in Amersfoort had hij haar op de valreep nog wat anekdotes verteld over ondernemers die hun steun aan zijn site betuigden. Meestal Nederlanders die in het buitenland een kroeg of restaurant waren begonnen en die nu, met dank aan het all-inclusive systeem, op het punt van faillissement stonden. Terwijl haar blik langs de contouren van het uitgestorven winkelcentrum gleed, drong de realiteit ervan pas echt tot haar door. Naast de horeca leden ook andere bedrijfstakken zichtbaar onder het systeem.

Ze knipperde een paar keer met haar ogen. Ze moest zich focussen op een eventuele taak die zij samen met Jeroen ging uitvoeren. Filosoferen over het all-inclusive systeem was nu onverstandig. Dat leidde slechts af. Nee, haar hoofd diende zo veel mogelijk leeg te zijn. De kleine ruimte die overbleef werd gebruikt voor een specialisme.

Het was verleidelijk om na te denken over hun ziekenhuisbezoek van de dag ervoor. Vooral over het gedrag van dokter A. Ogür, de plaatsvervanger van de man die ze wilden spreken. Ze waren tegen een muur van bureaucratie opgelopen waarvan deze arts slechts een voorpost was. Verdere pogingen bij de directie van het ziekenhuis zouden eveneens zinloos zijn, wisten ze. Ze hadden daarom besloten om zich niet vast te bijten in één persoon of instantie, maar systematisch hun lijstje af te werken. Ze wilden zo veel mogelijk mensen spreken die daarop stonden. De enige manier om van verschillende kanten informatie te verzamelen.

'Zo dan,' zei Jeroen. Hij was haar vanaf de andere kant genaderd, waardoor ze hem niet eerder had opgemerkt. Hij schoof een stoel bij en ging naast haar zitten. Voordat zij de kans kreeg een vraag te stellen, opende hij een blauw, plastic tasje. 'Dit komt er het dichtst bij in de buurt,' zei hij zelfverzekerd.

Chantal zag dat er naast een stapeltje ansichtkaarten twee rode polsbandjes in het tasje lagen.

'Die kaarten zijn voor de show,' verduidelijkte Jeroen. Hierna keek hij Chantal verontschuldigend aan. 'Sorry.'

'Geeft niet, joh. Als we thuiskomen laat ik me wel blonderen, oké?' Ze pakte de twee bandjes en liet deze door haar vingers glijden.

'Lance Armstrong is ermee begonnen,' zei Jeroen ineens. 'Je kent ze wel, die gele bandjes. Daarna volgden de zwart-witte tegen racisme.'

Chantal knikte. Tegenwoordig had je ze in alle kleuren met daarop verschillende spreuken. Je kon het zo gek niet bedenken of er was wel een bandje voor.

'Als we de tekst naar binnen draaien kan het er van een afstand mee door,' zei Jeroen. 'Bij een inspectie, zelfs een vluchtige, vallen we echter direct door de mand.'

'Dan hebben we dus een probleem. We moeten vlak langs de bewakers bij de ingang, weet je nog?'

In plaats van een voor de hand liggende opmerking in de trant van 'ik neem morgen een coupe soleil', glimlachte Jeroen geheimzinnig. 'Dat weet ik, Tal. Vergeet niet om je bandje van Hotel Luxor af te doen.'

Tarek Bodrun keek onverschillig voor zich uit. Hij was vijfentwintig en werkte al vier jaar voor dezelfde bewakingsfirma. In die vier jaar had hij zoveel vreemde dingen gezien en meegemaakt dat er behoorlijk wat voor nodig was om hem te verbazen. Hij was ook de eerste die dit volmondig en vaak verkondigde. Tegen zijn vrienden, familie en vrouw. Vooral tegen die laatste sprak hij het merendeel van zijn vrije tijd over het werk. Over de dingen die hij had meegemaakt en ongetwijfeld nog zou gaan meemaken. Zoals van een deugdzame vrouw werd verwacht, knikte deze dan begripvol en luisterde gedwee. In haar belevingswereld had ze het goed getroffen met Tarek. Hij werkte hard, sloeg haar nooit en er was altijd voldoende geld om eten en drinken te kopen. Ze waren twee jaar getrouwd. Over drie maanden zou ze hem zijn eerste zoon schenken.

Tarek zag het tweetal zijn richting op komen. Niet geheel in een rechte lijn. De man en de vrouw leken een beetje aangeschoten. Op zich was dit niet zo ongewoon. De gasten van het Las Vegas hadden all-inclusive geboekt, wat onder meer inhield dat lokale alcoholische dranken bij de reissom waren inbegrepen.

Het tweetal was nog twintig meter bij hem vandaan. Hij dacht bewust niet in een simpele term als 'echtpaar', daarvoor had hij het te vaak bij het verkeerde eind gehad. Hiervoor waren hoofdzakelijk de Russische gasten verantwoordelijk. Als er één volk was dat de boel besodemieterde, dan waren zij het wel. Huisvaders van wie de zogenaamde vrouw een hoertje bleek te zijn dat hem voor een gratis weekje vakantie dagelijks aan zijn gerief hielp, gescheiden vrouwen die van het ene naar het andere bed hopten, zakenmensen met meer geld, drank en vrouwen dan goed voor hen was. Tja, de Russen maakten er regelmatig een zooitje van. Daar kwam bij dat het wat hem betrof het onbeschoftste volk ter wereld was. Gasten die je liever zag gaan dan komen.

De twee waren nog vijftien meter van de ingang verwijderd. Ze dolden een beetje met elkaar. Als opgeschoten tieners die hun grenzen verkenden. Eigenlijk was het belachelijk, dacht hij. Deze mensen waren dertigers. Aan de andere kant, op vakantie deed je dingen waar je in het normale leven niet eens over nadacht.

Toen ze tien meter bij hem vandaan waren, hoorde hij aan hun stemmen dat het Nederlanders waren. Mocht er bij hem enige sprake van oplettendheid zijn, dan werd deze nu tot nul gereduceerd. Nederlanders kon je goed hebben, wist hij. Dat waren alleen zeikerds als het op betalen aan kwam. Aangezien alles in het complex gratis was, veroorzaakten ze nauwelijks problemen. Hij bekeek de twee met de blik van een afgestompte werknemer die zich elke dag weer verheugt op het moment dat zijn dienst erop zit. De vrouw was trouwens best de moeite van het bekijken waard, realiseerde hij zich nu pas. In zijn ogen was ze niet meer de jongste, maar met haar open gezicht en strakke figuur mocht ze er best zijn. Daar kon die lange vent naast haar de komende jaren nog veel plezier aan beleven.

Hij hoorde haar giechelen toen de lange man ongegeneerd in haar billen kneep. Om zichzelf zogenaamd van zijn gedrag te distantiëren, haalde ze slapjes naar hem uit. Met speels gemak werd de tik ontweken. Gelach uit twee monden volgde.

Nu is het weer zijn beurt om iets stouts te doen, dacht Tarek Bodrun verveeld. Hij had in de loop der jaren honderden van dit soort kinderachtige spelletjes moeten aanschouwen. Zolang het binnen de fatsoensnormen bleef, lachte hij vriendelijk maar bescheiden met de daders mee.

De lange man deed exact wat er van hem werd verwacht. Hij pakte de hand van zijn gezellin en trok met één snelle beweging het rode bandje van haar pols. Het protest dat hierop volgde was eerder gespeeld dan oprecht. Ze vond het allemaal prachtig, wist Tarek. Net als al die anderen voor haar die hetzelfde hadden uitgehaald. De grap met het bandje had hij al talloze keren gezien. Als het eigendom van het Las Vegas maar intact bleef vond hij het prima.

'Arresteer die man,' riep de vrouw op jolige toon. Hoewel Tarek geen Nederlands sprak, wist hij precies wat ze bedoelde. Door een stap naar voren te doen en dreigend te kijken, speelde hij het spelletje mee. Af en toe een goede daad kon geen kwaad, en tenslotte stond hij zich hier ook maar te pletter te vervelen.

De lange man reageerde op de gewenste manier. Hij stak beide, gesloten handen omhoog en keek gemaakt angstig. In zijn knuisten hield hij de bandjes. Slechts een fractie van hun omvang was zichtbaar, zodat het net leek alsof de toerist twee bloedvlekken had op het vleeskleurige gedeelte tussen duim en wijsvinger. Deze pose hield hij drie seconden vol, waarna het tweetal in lachen uitbarstte. Toen ze hem innig gearmd passeerden, grijnsde Tarek breed om aan te geven dat hij de grap wel kon waarderen. Die Nederlanders waren vreemde lui, dacht hij. Toch kon je ze prima hebben. In elk geval duizendmaal beter dan die ellendige Russen.

Jeroen liet de bandjes in het plastic tasje glijden. Als iemand hen erop aansprak, zou hij wel een excuus verzinnen. Op de hotelkamer laten liggen, of zo. De kans hierop was overigens nihil. Het binnenkomen was de bottleneck waar ze prima doorheen waren gegleden. Als ze geen gratis consumpties en dergelijke gebruikten, zou niemand hen in deze mensenmassa opmerken.

'Jij die kant op en ik de andere?' vroeg Chantal.

'Nee, joh. Dat doen ze alleen in de film.'

Chantal grijnsde om zijn opmerking. Ze liepen door de paradijselijke tuin van het Las Vegas en probeerden zich als relaxte toeristen te gedragen. Een lastige opgave, want achter hun ontspannen houding schuilde de scherpte van de jager die op zijn prooi loerde. Het was de kunst om koel en berekenend te werk te gaan, wisten ze. Pas op het geschikte moment moesten ze toeslaan.

'Dat noem ik nou een zwembad,' zei Jeroen luchtig. Hij pakte zijn vrouw bij haar hand op een manier die hevig verliefden doen. Innig en intensief; het oogcontact bleef intact. Hand in hand liepen ze langs het imposante zwembad, dat opgesplitst was in vier delen. De verschillende afdelingen werden gemarkeerd door een groene lijn die van een afstand gemakkelijk door kon gaan voor een dikke streng zeewier. Hiermee kweekte men bij de gasten de illusie dat zij in vier verschillende baden konden recreëren. Kunstig gedaan, dacht Jeroen.

Recht voor hen lag het ondiepe kwart. Ouders speelden met hun jonge kroost. Zwembandjes, opblaasbeesten en fonteinen maakten het poedelen tot een waar spektakel voor ouder en kind. Ogenschijnlijk op hun gemak liepen ze langs de kabaalvijver waar lachen en herrie maken de hoogste prioriteit genoten.

Het gedeelte waar ze nu belandden, was het domein van de opgroeiende jeugd. Dieper water, drijvende autobanden en twee glijbanen werden optimaal benut door luidruchtige tieners. Chantal en Jeroen hadden aan een korte blik genoeg om te constateren dat het onderwerp van hun zoektocht ook hier niets te zoeken had.

Terwijl ze keurig de buitenrand van het gigantische zwembad aanhielden, slenterden ze verder. Hun volgende doel lag vijfentwintig meter verderop: het instructiebad, oftewel de plas water waar men in alle rust baantjes kon trekken. Toen ze goed zicht op dit stuk hadden, bleven ze staan. Door de donkere zonnebrillen gleden twee zelfverzekerde blikken van hoofd naar hoofd. Hun lichaamstaal, daarentegen, suggereerde een opkomend gevoel van twijfel. Zouden ze nu wel of niet een stukje gaan zwemmen? Mocht iemand zich dit daadwerkelijk hebben afgevraagd, dan volgde het antwoord snel. Hand in hand liepen ze verder in de richting van het aangrenzende gedeelte.

Het stuk zwembad dat nu hun blikveld kruiste, werd hoofdzakelijk gevuld door mensen op leeftijd. De bodem liep langzaam af. Het ondiepste punt lag op vijftig centimeter, het diepste bedroeg twee meter vijftig. Ergens in het midden deed een vijftien man sterke groep potsierlijke oefeningen. De muziek waarop dit gebeurde kwam uit een draagbare cassetterecorder die op de rand van het zwembad stond. De instructrice zelf lag in het water. Tussen haar en de groep zat een meter of twee ruimte. Met luide stem gaf ze aanwijzingen aan de plenzende badgasten die stuk voor stuk serieus uit hun ogen keken.

Jeroen en Chantal keken elkaar aan. Gelijktijdig begonnen ze voorzichtig te glimlachen.

'Het lijkt erop dat we eindelijk eens een beetje geluk hebben,' zei Chantal.

Jeroen knikte. Daarna gingen ze op een bankje zitten om rustig hun kans af te wachten.

De instructrice zwom met een paar krachtige slagen naar de badrand en zette de muziek uit. Hierna spoorde ze de cursisten aan voor zichzelf te klappen. Na een paar hilarische momenten splitste de homogene groep zich op in verschillende eenheden. De les was afgelopen, de tijd van plezier maken kon beginnen! Dat dit niet leeftijdsgebonden was, bewezen enkele hoogbejaarde cursisten. Ze spetterden als kleuters in een pierenbad.

Geamuseerd bekeek de instructrice vanaf de kant het jolige tafereel. Geroutineerd liet ze de handdoek over haar armen en benen glijden. Hierna slaakte ze een groet die door het merendeel van de spartelaars enthousiast werd beantwoord. Ze pakte de cassetterecorder op en liep bij de rand vandaan.

'Dag, Martina.' Met het automatisme van iemand die tientallen malen per dag haar naam hoort roepen, draaide ze zich om. De herkenning volgde ogenblikkelijk. Ze sperde haar ogen open en glimlachte breeduit. 'Jeroen van der Schaaf!' Toen drong ineens tot haar door wat de omstandigheden waren waaronder ze elkaar voor het laatst hadden gezien. Haar glimlach reduceerde tot een zuinig mondje en de twinkeling in haar ogen verdween.

'Hoe is het ermee?' vroeg ze op neutrale toon. 'En waar is Chantal?'

Jeroen knikte naar het bankje even verderop. Chantal stak haar hand op, waarop Martina terug wuifde.

'Kom even mee,' zei Jeroen. 'We willen met je praten.'

Hij bemerkte de aarzeling in de houding van de animator. Een vertrouwelijke glimlach begeleidde zijn linkerarm die hij amicaal om haar heen sloeg. Samen liepen ze naar Chantal toe.

Na drie snelle kussen later zei Martina: 'Zijn jullie soms vandaag aangekomen?'

'We zijn hier al een paar dagen,' antwoordde Chantal.

'In Hotel Luxor,' vulde Jeroen aan.

'Hoe...' Martina liet de rest van de zin onuitgesproken. Hoe ze waren binnengekomen was eigenlijk helemaal niet interessant. Waarom ze het hadden gedaan des te meer.

'We hoorden van een ober in Hotel Luxor dat jij inmiddels hier werkte,' begon Jeroen. 'Het leek ons een goed idee om langs te gaan.'

'Thuis kwamen wij er niet meer uit,' ging Chantal verder. 'Om je de waarheid te vertellen werden we een beetje gek van al die vragen waarop de antwoorden steeds ontbraken.'

'Ik denk dat ik me daar wel iets bij voor kan stellen,' zei Martina. Ze had een ogenschijnlijk ontspannen houding, maar de schichtige blik in haar ogen viel Jeroen overduidelijk op. Het kwam heel even in hem op dat de jonge vrouw zich anders voordeed dan dat ze zich in werkelijkheid voelde. Hij verwierp die gedachte echter direct om zichzelf vervolgens te berispen. Je begint spoken te zien, jochie.

'We zijn bewust naar Hotel Luxor gegaan,' zei Chantal met gedempte stem. 'Noem het maar een soort verwerkingsproces. Gelijktijdig konden we dan met mensen spreken die in onze omgeving waren toen Max en Dennis verdronken.'

Martine kneep haar ogen een beetje samen. 'Maar... werkt dat niet averechts? Ik bedoel, haal je dan geen oude wonden open?'

'Dit is geen wond, Martina,' reageerde Jeroen meteen. 'Het belangrijkste deel van ons leven is verdwenen. Ons doel, de reden van ons bestaan. Op deze leegte zal nooit meer iets groeien. Zelfs geen littekens.'

Beschaamd keek Martina naar de grond. 'Sorry, zo bedoelde ik het niet.'

Jeroen schudde ontkennend zijn hoofd. 'Nee, ik ben hier degene die zich moet verontschuldigen. Ik reageerde veel te emotioneel.'

Chantal maakte een sussend gebaar. 'Doe eens rustig. Dadelijk putten we ons allemaal uit in verontschuldigingen en daar schiet niemand wat mee op, toch? Laten we het over zaken hebben die er écht toe doen.'

Martina glimlachte onwennig. De kordate reactie van Chantal leek helemaal niet bij haar te passen. De Chantal die zij enkele maanden geleden had ontmoet, zou nooit zo assertief hebben gereageerd. Dat was een rustig, enigszins verlegen moedertype dat bepaald niet overliep van zelfvertrouwen.

'Waarom ben je eigenlijk bij Hotel Luxor weggegaan, Martina?' wilde Chantal weten. 'Je had het daar toch goed naar je zin?'

Martina haalde haar schouders op. 'We konden hier meer verdienen,' was het voor de hand liggende antwoord. Maar het was een antwoord dat niet echt paste bij een jong en ambitieus iemand.

'We?' vroeg Jeroen.

Martina knikte kort in de richting van een houten hokje dat aan de overkant van het zwembad stond. Een vrouw van begin twintig deelde er drankjes uit aan dorstige badgasten. Het was er behoorlijk druk. Veel opgeschoten jeugd griste achter elkaar door de kartonnen bekers met frisdrank van de toonbank. De serveerster moest zich werkelijk uit de naad werken om het tempo bij te houden. Met beide handen tegelijk vulde ze uit twee grote flessen een rij nieuwe bekers bij die in plastic houders stonden.

'Claire en ik zijn verleden jaar gelijktijdig bij het Luxor begonnen,' verduidelijkte Martina. 'Bij toeval kregen we hier allebei een beter betaald baantje aangeboden. Zij in de bediening en ik in de animatie.'

'Duidelijk,' zei Jeroen. Het ontging hem dat zijn antwoord de nodige overtuiging ontbeerde. Als een magneet werd zijn blik naar de jonge vrouw getrokken die de ene na de andere fles voor haar gasten leegschonk. Waarom hij bijna geobsedeerd naar haar keek, was hem onduidelijk. En dat nota bene in het bijzijn van zijn eigen vrouw...

'Zal ik aan de directeur vragen of er nog een baantje beschikbaar is?' zei Chantal vinnig. 'Als inschenkassistent annex bekerophaler, lijkt je dat wat?'

Jeroen reageerde ongebruikelijk voor iemand die zojuist een flinke sneer van zijn vrouw had ontvangen. Met zichtbare moeite trok hij zijn blik los van de menselijke mierenhoop aan de overkant van het zwembad. Hierna keek hij Chantal aan.

Ze zag opeens in zijn ogen dat hij ergens diep over nadacht. Hij puzzelt met iets uit het verleden, maar kan het passende stukje niet vinden. Ze besloot hem met rust te laten en het initiatief te nemen. Ze wilden tenslotte met Martina praten. 'We hebben thuis een lijstje gemaakt met mensen die we willen spreken. Jij bent een van hen, Martina.'

De voormalige animator van Hotel Luxor beet op haar lip. Het schichtige in haar blik had nu eveneens vat op haar houding gekregen. Haar mondhoek trilde licht. 'Tja... ik begrijp alleen niet waar je naartoe wilt. Op wat voor vragen moet ik dan antwoord geven? Ik weet net zoveel als jullie. Of net zo weinig, het ligt eraan vanuit welk oogpunt je het bekijkt.'

'Als je met ons meewerkt zijn we daar zó achter,' zei Chantal, veel feller dan ze eigenlijk wilde. De oorzaak hiervan lag in de groeiende irritatie die vanuit haar onderbuik opspeelde. Waarom werd Martina toch met de seconde afstandelijker? Zowel in haar woordkeus als houding.

'Hoor eens,' zei Martina vlug. 'Ik kan nu niet praten.' Ze keek gejaagd om zich heen. Het nuchtere en doortastende waar iedere animator patent op leek te hebben, was op slag verdwenen. In enkele seconden was ze veranderd in een nerveuze jonge vrouw die naarstig zocht naar een vluchtroute. 'Ik neem deze week contact met jullie op.' Hierna liep ze zonder te groeten weg. Drie meter verder hield ze echter haar pas in en draaide zich om. 'En kom hier niet meer terug,' zei ze snel. 'Daarmee breng je ons allemaal in de problemen.'

37

Chantal had de rugleuning van het ligbed op de hoogste stand gezet, zodat ze min of meer rechtop zat. Met een apathische blik bekeek ze de namaak-Nijl en de levendige bezoekers. De toeristen hadden het reuze naar hun zin. Om de haverklap sprong er wel iemand in het heldere water. Dit ging steevast gepaard met herrie. Op de achtergrond keek de azuurblauwe zee toe. In een waterige trance, net als zij.

De avond ervoor hadden ze ruziegemaakt. Nee, het was meer een woorden-wisseling, dacht ze. Zelfs dat was niet de juiste omschrijving. Zij had gespro-ken en Jeroen had voornamelijk geluisterd. En dat laatste was op een gege-ven moment op haar zenuwen gaan werken. Terwijl zij had geprobeerd de afgelopen dagen zo goed mogelijk te analyseren, had hij afwezig geknikt. Als-of bijna alles wat zij vertelde volledig langs hem heen ging.

Nadat ze waren teruggekomen van hun bliksembezoek aan het Las Vegas was het gevoel van machteloosheid aan haar opgebouwde zelfvertrouwen gaan knagen. Het begon onschuldig, als de eindfase van de incubatietijd van een griepje op een zomerse dag. Je voelt je niet helemaal lekker, maar alles functioneert nog prima. Naargelang de uren verstrijken, wint het virus aan kracht. Uiteindelijk lig je gestrekt op de bank. Alles doet pijn.

Het gevoel dat ze aan een kansloze missie bezig waren, werd dus sterker en sterker. Alle positieve energie die ze erin hadden gestopt, werd opgezogen door een nietsontziend monster dat negativisme heet. Hoewel het hier een geestelijk proces betrof, ondervond ze er net zo goed lichamelijk ongemak van. Maar ze weigerde zich erbij neer te leggen, wilde serieus verzet bieden. Een vloedstroom van woorden volgde.

'Papa, kijk eens!' Een jochie van een jaar of vijf maakte een gebiedend gebaar naar zijn vader. Toen de man naar hem keek, sprong het ventje met opge-trokken knieën in het water. Zijn plons werd vergezeld door een aanzienlijke waterzuil. Eenmaal boven, zei hij: 'Bommetje!' Zijn gezicht glom van trots en inspanning.

Het zoveelste hartzeer bleef uit. In plaats daarvan voelde ze hoe haar mond-hoeken een eigen leven leidden. Het begin van een glimlach. Sommige din-gen waren echt onbegrijpelijk, dacht ze. Om niet verder in deze gedachtegang te blijven hangen, richtte ze haar blik op Jeroen. Hij stond tien meter verderop aan de betonnen rand van de Nijl. Zijn ogen waren onafgebroken gericht op de bar waarachter een ober in een hagelwit shirt frisdrank voor de liefhebbers inschonk. De man liet zich niet opjagen door de vragende blikken van de gasten. Op zijn gemak schonk hij de kartonnen bekers vol. In tegenstelling tot de jonge vrouw in het Las Vegas die met twee flessen tegelijk in de weer was, liet deze ober het verkwikkende vocht uit één fles tegelijk lopen. Dat de gasten hierdoor wat langer moesten wachten, scheen volkomen langs hem heen te gaan. Stoïcijns schonk hij in zijn eigen tempo door.

Zonder enige aarzeling draaide Jeroen zich om. Met zelfverzekerde stappen liep hij naar zijn ligbed en ging erop zitten. Hierna deed hij zijn zonnebril af en keek haar recht aan. Hij hield zijn gezicht in de plooi, al verraadde de blik in zijn ogen hoeveel moeite hij hiervoor moest doen. 'We kunnen alle namen op ons lijstje schrappen, Tal,' zei hij met een stem die bol stond van emotie, 'behalve een. Alleen de onderste naam doet er nog toe. Bij die hufter gaan wij op bezoek.'

Hij begroef zijn gezicht in zijn handen. Ondanks zijn verzet vonden de tranen een uitweg. Met duim en middelvinger veegde hij ze weg en hij schudde een paar maal met zijn hoofd. Onmacht, verbijstering en verslagenheid. 'Ik weet hoe en waarom Max en Dennis zijn verdronken,' fluisterde hij.

De bewaker keek traag om zich heen. Een houding die hij zich bewust had aangemeten. Net zoals hij de locatie zorgvuldig had gekozen. Hij stond op een smal pad dat door de palmbomen bijna geheel aan het zicht werd onttrokken. Mocht een gast toevallig een glimp van zijn uniform opvangen, dan zou dit eerder een gevoel van veiligheid dan argwaan opwekken. In deze woelige tijden waar criminaliteit en terrorisme aan de orde van de dag waren, was het altijd prettig om te constateren dat er iemand over je waakte. Dat dit op een vrij onopvallende manier gebeurde, kon enkel wijzen op een hoge mate van professionaliteit.

Hij lette erop dat zijn hoofd regelmatig draaide. Hierdoor wekte hij de indruk grote delen van het terrein te inspecteren. In werkelijkheid was de blik achter de spiegelglazen gericht op twee personen. Ze zaten nu samen op de ligbedden en de lichaamstaal van de man sprak boekdelen.

De bewaker voelde aan het litteken aan zijn linkerwang. Als er onheil dreigde begon het aandenken van een vechtpartij in Ankara op te spelen. Wat de Nederlander precies had ontdekt, wist hij niet. Dat viel ook buiten zijn taakomschrijving. Daar waar mogelijk moest hij het echtpaar in de gaten houden.

Openlijk, of in het geniep. Zolang hij maar geen achterdocht wekte, maakte het weinig uit hoe hij zijn taak uitvoerde. Tenslotte dekte zijn functie zijn optreden.

Hij haalde een klein opschrijfboekje uit zijn zak en noteerde de tijd en hetgeen hij had gezien. Details waren belangrijk, wist hij. De directeur had hier nadrukkelijk op gewezen. Aan het einde van zijn dienst zou hij zijn aantekeningen aan hem overhandigen en als een voldane man naar huis gaan.

38

Het was doodstil in het hotel. Geen gebonk van hardwerkende liften, onbedaarlijk gebrul van dronkaards ergens in de verte of het dichtslaan van een kamerdeur of autoportier. Af en toe was even het tjirpen van een krekel te horen, maar dit kon je nauwelijks als geluid kwalificeren. Dit was een onderdeel van de natuur, evenals het nachtelijk gemurmel van de Middellandse Zee.

Chantal keek op haar horloge: halfvijf. Precies vijf minuten eerder waren ze uit hun kamer op de vierde verdieping geslopen. Daarna het trappenhuis in. Ze droegen gymschoenen, maar elke stap had voor hen geklonken als een pistoolschot in een verlaten weiland. Hoewel er geen eind aan de trappen leek te komen, stonden ze drie minuten later op de begane grond. In tegenstelling tot de liften die recht tegenover de receptie lagen, was de ingang van het trappenhuis er minstens tien meter van verwijderd. Daar kwam bij dat het in een dode hoek lag, zodat de receptionist er nauwelijks zicht op had. Verder hadden ze het geluk dat de gang die alleen voor personeel toegankelijk was bijna in het verlengde van het trappenhuis lag. De afstand bedroeg hooguit drie meter.

De route die ze nu liepen was nieuw voor hen. De avond ervoor hadden ze hun plan tweemaal doorgenomen. Vanaf hun kamer naar het trappenhuis en dan naar de deur van de dienstingang. Daar hadden ze zich omgedraaid en waren teruggelopen. Terwijl het om hen heen bruiste van het leven waren ze beide keren niemand tegen het lijf gelopen.

De gang was dertig meter lang. Tien donkere deuren, om de zes meter aan elke kant één. Op de bruine deklaag stond in het wit in twee talen een aanduiding. Van het Turks begreep ze niets, het Engels was daarentegen een makkie. Op hun tenen liepen ze langs toiletten, twee opslagruimtes en kantoren.

Chantal voelde hoe de rillingen over haar rug liepen. Doordat de noodverlichting brandde en zij de enige twee personen in de gang waren, kreeg het geheel iets spookachtigs. Een verlaten kantoorpand waar zich ooit een vreselijke tragedie had afgespeeld. Of de gang van een afgelegen laboratorium waarin vroeger heel enge experimenten werden uitgevoerd. Ze schudde even met haar hoofd om deze waanideeën naar een andere wereld te helpen. Hierna prentte ze zichzelf in om bij de les te blijven. Ze waren geheel volgens plan onopgemerkt gebleven en dit moest zo blijven. Voor idiote bijgedachten was nu geen plaats.

'Wedden dat het de laatste deur is?' fluisterde Jeroen.

Ze knikte. In films werd de spanning ook altijd opgebouwd. Aangezien ze het gevoel had ongewild de hoofdrol te spelen in een dramaserie met thriller-elementen was de kans vrij groot dat ze de hele gang door moesten. Ze draaide zich even om. Er was niemand.

De laatste deur bleek inderdaad de juiste. Nu volgde het moeilijkste gedeelte. Omdat ze ervan uitgingen dat de deur op slot zat, was Jeroen de avond ervoor op strooptocht gegaan. Ruim anderhalf uur na zijn vertrek kwam hij met een schroevendraaier en een beitel de hotelkamer binnen. Over de herkomst ervan wilde hij weinig kwijt. Hij stak zijn energie liever in het maken van een plan en bromde daarom tussen de regels door dat hij ze had gevonden in de gereedschapskist van de onderhoudsmonteur.

Jeroen ging op zijn hurken zitten, zodat hij op ooghoogte met het slot van de deur kwam. Door deze beweging trok zijn poloshirt wat op, waardoor een gedeelte van de beitel zichtbaar werd die uit de kontzak van zijn korte broek stak. Chantal dacht direct aan de kleine schroevendraaier die zij in haar heuptasje had verstopt. Ze opende de rits.

'Wacht even.' Jeroen legde zijn hand op de deurknop en draaide. Tot hun grote verbazing was de deur niet op slot. Jeroen duwde voorzichtig, waarna ze het kantoor binnenstapten.

Terwijl ze in de kleine hal van het kantoor even pas op de plaats maakten, werd Chantal door een dubbel gevoel overvallen. Aan de ene kant was ze opgelucht dat ze niets hadden geforceerd om binnen te komen. Dit was zeker het geval geweest als de deur op slot had gezeten. Er bestond namelijk geen twijfel over dat ze hadden doorgezet. Hier zouden ze namelijk de bevestiging van hun vermoedens vinden. Aan de andere kant vond ze het op z'n minst vreemd dat het kantoor van zo'n belangrijk persoon 's nachts niet op slot zat. Een zeurderig stemmetje in haar achterhoofd meldde dit tot vervelens toe.

Jeroen zette de deur achter hem op een kier. Door het streepje schemerlicht dat nu nog overbleef konden ze slechts onduidelijke contouren onderscheiden. Jeroen tastte met zijn rechterhand de muur af naar een lichtknop. Na tien seconden hield hij daarmee op. Hij pakte Chantal bij haar rechterarm en drukte haar kalm maar beslist naar beneden. Op handen en voeten zetten ze hun missie voort.

Nadat hun ogen aan de duisternis gewend waren geraakt, zagen ze de omtrek van een indrukwekkend bureau. Jeroen wilde meteen op onderzoek uit en kroop verder. Met de vingers van haar rechterhand wist Chantal echter zijn schouder te pakken te krijgen. Hij draaide zich om en bracht zijn gezicht vlak bij dat van zijn vrouw. Ze wees recht naar boven. Jeroen zag het koordje en glimlachte. Zonder zich te bedenken trok hij eraan, waarna de luxaflex zich opende en het maanlicht vol naar binnen scheen.

Chantal voelde hoe haar hart in haar keel schoot en haar maag zich gelijktijdig omdraaide. Ze verstijfde en wilde schreeuwen. Doordat er een enorme schokgolf door haar heen raasde, blokkeerden al haar functies. Met wijdopen ogen en een van afgrijzen vertrokken gezicht keek ze recht voor zich uit.

'Jezus christus,' stamelde Jeroen. In een schrikreactie liet hij het touwtje los, waardoor de luxaflex hard dichtklapte en de inhoud van de kamer weer door het duister werd opgeslokt.

Met wild op- en neergaande borstkas zat ze naast elkaar. Hun hart klopte zo heftig dat het leek alsof er een op hol geslagen kerkklok in hun lichaam huisde. Het beeld dat ze zojuist hadden gezien, stond op hun netvlies gebrand.

Chantal haalde een paar maal diep adem. Ofschoon de waanzin in haar hoofd regeerde, wist het laatste restje logica haar juiste snaar te raken. Hoe langer ze hier in het donker bleven en een beslissing uitstelden, des te lastiger werd het om de vreselijke waarheid onder ogen te komen. Voordat de twijfel kans kreeg toe te slaan, trok ze aan het koordje.

De maan belichtte direct het afschuwelijke decor. Een man lag voorovergebogen op het indrukwekkende mahoniehouten bureau. Zijn hoofd lag in een plas geronnen bloed. In zijn rechterhand hield hij een revolver. Hij was dood. Je hoefde geen arts te zijn om deze diagnose te stellen.

'Grote hemel,' fluisterde Jeroen. Centimeter na centimeter kroop hij in de richting van het bureau.

'Niets aanraken,' fluisterde Chantal. Waar deze tegenwoordigheid van geest opeens vandaan kwam, wist ze niet. Waarschijnlijk was het een zin uit een detectiveserie die was blijven hangen en nu van haar lippen rolde. Jeroen knikte bedachtzaam, alsof soortgelijke woorden allang in zijn eigen gedachten waren opgekomen.

'De directeur,' mompelde hij. Zijn blik schoot van het ene naar het andere voorwerp dat op het bureaublad lag.

'Wat zou daarop staan?' Chantal knikte in de richting van een aantal A4'tjes die naast de linkerhand van de man lagen.

'Kun jij Turks lezen?' beet Jeroen haar toe. Het gebeurde in het heetst van de strijd, dus verweet ze hem niets. Haar conclusie dat de directeur van Hotel Luxor een bericht of rapport had gelezen waarna hij zichzelf had omgebracht, was ineens toonaangevend. Onderlinge kinnesinne was tijdverspilling.

Ze kroop naar het bureau. Welk bericht kon zo verschrikkelijk zijn dat iemand na het lezen ervan zich door het hoofd schoot? Op handen en voeten passeerde ze Jeroen. In een flits bedacht ze hoe belachelijk dit eruitzag. Bij *Funniest Home Videos* zouden ze er ongetwijfeld een prijs mee winnen. Er was echter geen sprake van ongecompliceerde humor, maar van dodelijke ernst.

Ze moest weten wat er in die papieren stond. Een reeks van mogelijkheden trok aan haar geest voorbij. Ze mocht nergens aankomen. Als het toevallig in het Engels of Duits was opgesteld, dan had ze geluk, in het Turks was een probleem, maar er waren ongetwijfeld kopieerapparaten in de buurt...

Op het moment dat ze op haar hurken ging zitten om haar plannen te concretiseren, verscheen er nog een lichtbron in de kamer. Zowel Jeroen als zij draaide zich geschrokken om. De deur was zojuist geopend. In de opening stond een man. Na nog een blik volgde de herkenning. Het uniform, het gedrongen postuur, de wiebelende knuppel aan zijn riem. Het litteken op zijn linkerwang voegden ze er in gedachten aan toe.

'Goedemorgen,' zei de bewaker op strenge toon. Zijn Turkse accent leek hierdoor veel zwaarder dan de eerste keer dat hij hen aansprak. 'Dit is niet jullie kamer.'

39

Met een kort handgebaar maakte de bewaker duidelijk dat ze naar hem toe moesten komen. Om zijn superioriteit te bevestigen, sloeg hij zijn armen over elkaar. Hij keek nu als een hoogst verontwaardigde conciërge die zojuist twee brugklassers had betrapt op het roken van een sigaret in de toiletten.

Voetje voor voetje schuifelden ze zijn kant op. De vernedering en de zekerheid dat het over was met hun plannen hing als een molensteen om hun nek. Vanuit haar ooghoek keek Chantal naar Jeroen. Uit zijn houding sprak de verslagenheid van iemand die op heterdaad is betrapt. Het was definitief over, wist ze. Jeroen was de laatste dagen de motor van hun onderneming. Na elke teleurstelling vond hij steeds weer de kracht om toch weer actie te ondernemen. Als hij opgaf, eindigde hun missie hier. In het kantoor van een hoteldirecteur die zichzelf voor zijn kop had geschoten.

Voordat het tot haar doordrong dat deze kantoorruimte slechts het voorportaal van meer ellende was, kwam Jeroen plotseling in actie. Vliegensvlug ging zijn hand naar zijn kontzak. Hij deed twee grote stappen naar voren, waarna de beitel in zijn hand verscheen. Met uiterste precisie drukte hij de scherpe kant van het werktuig tegen de keel van de verraste bewaker.

'Wacht aan het eind van de gang op me,' zei hij tussen zijn opeengeklemde kaken door tegen haar.

'Maar...'

'Doe wat ik zeg, Tal!'

Op een drafje voerde ze zijn bevel uit. Omdat ze op de automatische piloot handelde, was denken onmogelijk. Ze moesten hier weg. Ze waren op de vlucht in een land waarvan ze slechts een paar vierkante kilometer kenden. Hopelijk had Jeroen een oplossing. Zo niet, dan waren ze reddeloos verloren. Aan een korte blik had Jeroen genoeg. Chantal had het einde van de gang bijna bereikt. Hij haalde de knuppel van de bewaker van diens riem en hield het slagwapen dreigend omhoog.

'Laat ons met rust.' Hij sloot zijn ogen half om een zo gemeen mogelijke gezichtsuitdrukking te tonen. Blijkbaar was de bewaker hiervan niet erg onder de indruk. Met een uitdrukkingsloze blik keek hij hem aan.

Jeroen draaide zich om en begon te rennen. Nadat hij tien meter had overbrugd, hoorde hij de bewaker opgewonden spreken. Terwijl hij doorliep, kon hij zichzelf wel voor zijn kop slaan. In plaats van de wapenstok, had hij de radio mee moeten nemen. Daarmee stond de bewaker in verbinding met... ja, met wie eigenlijk? Andere bewakers, hotelpersoneel, de politie?

Het antwoord op deze vraag kwam op hen af toen ze de deur van de dienstingang openden. Twee receptionisten, met hun gezicht op onweer. In een fractie van een seconde schatte Jeroen hun kansen in. Het trappenhuis viel af, waarna hij Chantal bij haar hand pakte. Dat hij hierdoor de wapenstok moest laten vallen, kon hem niets schelen. Hij had zijn portie geweld voor die dag wel gehad.

Ze renden door de foyer heen in de richting van de tuin. Hun voorsprong was hooguit tien meter. Eenmaal op het bordes werd het uitzichtloze van hun situatie direct duidelijk. De vollemaan zorgde voor een natuurlijke verlichting, waardoor de meeste attracties in de gigantische tuin van Hotel Luxor tot in detail zichtbaar waren. Een korte blik op het feeërieke uitzicht verhoogde het nachtmerriegehalte van hun ontsnapping aanzienlijk.

'Naar het bos,' zei Jeroen terwijl hij zich omdraaide. De achteropkomende achtervolgers deinsden geschrokken terug toen hij met de beitel begon te zwaaien. Hij hoorde Chantal wegrennen en besloot alles op alles te zetten.

Bekomen van de schrik, cirkelden de drie mannen om hem heen. Ze loerden als haaien op een kans om hem te grazen te nemen. Af en toe stapte er een naar voren, net buiten het bereik van de beitel. Een snelle zwiep was echter genoeg om hen weer terug in hun positie te drijven.

Hoewel de beide receptionisten er niet bepaald als watjes uitzagen, hield Jeroen voornamelijk de bewaker in de gaten. Uit alles bleek dat hij een ervaren vechtjas was die zich geen tweede maal zou laten verschalken. Zijn bewegingen waren behoedzaam en beheerst. Op zijn gezicht lag een vileine glimlach, waardoor het litteken op zijn linkerwang er nog afschrikwekkender uitzag.

Hij voelde hoe de vermoeidheid aan zijn spieren begon te knagen. Medicijngebruik en een gebrek aan conditie eisten nu hun tol. De idiote vertoning hier op het bordes duurde al minstens een minuut, wist hij. Hierdoor had Chantal inmiddels wel een ruime voorsprong. Het enige positieve ervan. Hij spande zijn spieren en zwaaide vervaarlijk met de beitel in het rond. De mannen stapten gezamenlijk terug, waarna hij zich razendsnel omdraaide en het op een lopen zette.

Met de blik op oneindig scheerde hij langs de tafels die in de oase stonden. Zijn knieën speelden op toen zijn voeten tot zijn enkels in het zand wegzakten. Op pure wilskracht ploegde hij door tot het einde van wat een gedeelte van de Sahara moest voorstellen. Het daaropvolgende stenen pad was een verademing voor zijn gestel.

Links van hem verschenen wat bomen. Ze stonden vrij dicht op elkaar, waardoor je met enige fantasie over een bos kon spreken. Een ober had hun ooit verteld dat de bomen synoniem stonden voor het noordelijke gedeelte van de Nijl, waar de oevers dicht begroeid waren. Hij voelde de harde schors langs zijn huid schrapen toen hij het minibos in stoof.

Dikke takken en bladeren dwongen hem snelheid te minderen. Een nadeel dat al snel een voordeel bleek. De forse begroeiing ontnam namelijk elk vergezicht. Slechts een fractie van het maanlicht drong tot de kern van het woud door.

Jeroen ging op zijn hurken zitten. Hij hield zich muisstil en hoorde hoe zijn achtervolgers het tegenovergestelde deden. Dorre bladeren ritselden onder hun voeten en er klonk regelmatig een vloek als een grote tak venijnig tegen een lichaamsdeel zwiepte.

Terwijl hij aandachtig luisterde, overviel het zinloze van zijn actie hem als een dief in de nacht. Het werd hem ineens duidelijk dat hun onderzoek definitief was afgelopen toen ze in het kantoor van de directeur waren betrapt. Daar had hij zo wijs moeten zijn om met de bewaker mee te gaan, in plaats van zich aan een dwaze vluchtpoging te wagen. In stilte mompelde hij 'lul' tegen zichzelf en hij vroeg zich daarna af waar Chantal zich had verstopt. Een halve minuut later wist hij het.

'Uw vrouw is nu bij ons. Zij wil met u spreken.' In de stem van de bewaker klonk geen spoortje van victorie door. Hij deed gewoon zijn werk.

40

Anderhalf uur nadat ze door de bewaker naar een klein kamertje waren gebracht, ging de deur hiervan open. De man met het lugubere litteken wenkte hen. Blijkbaar was hij behoorlijk zeker van zichzelf, want van een dreigende houding was geen sprake. Op de gang ging hij hen voor, waarmee hij aangaf de situatie volledig in de hand te hebben. Wat ook klopte, aangezien Chantal en Jeroen geenszins van plan waren om nogmaals een ontsnappingspoging te wagen.

Het kantoor waar ze even later binnenstapten was ruim en zakelijk ingericht. Voor de ramen hing gesloten luxaflex, tegen de rechterwand stond een grijze archiefkast en op de vloer lag een bordeauxrood tapijt. Er stond welgeteld één bureau met daarvoor twee stoelen.

Een opvallend blonde man van rond de veertig stond op. Hij droeg een donkerblauw maatpak met daaronder een azuurblauw overhemd en een donkerrode stropdas. Hij knikte en glimlachte hen vriendelijk toe. 'Goedemorgen, neem plaats,' zei hij in het Duits.

Toen ze eenmaal zaten, liet hij zich in de zwartleren bureaustoel zakken en zuchtte. 'Het gebeurt zelden dat mijn dag zo hectisch begint.'

Chantal en Jeroen keken hem zwijgend aan. 'Mijn naam is Jurgen Steiner. Ik geef leiding aan het segment crisismanagement afdeling Noord-Afrika van TOI.'

'De grote touroperator, baas van GoSunny,' zei Jeroen smalend.

'Groot zijn we zeker,' zei Steiner met een amicale glimlach. 'Om ons enkel als touroperator te betitelen is echter wat kort door de bocht. De belangen van TOI strekken zich uit van reizenverkoop tot het managen van toeleveringsbedrijven in de metaalsector in en rond het Ruhrgebied. Wereldwijd is TOI eigenaar of grootaandeelhouder van zo'n 250 bedrijven in negentien verschillende bedrijfstakken in zevenentwintig landen.'

Hij liet een korte stilte vallen. 'Eén van die bedrijven is Hotel Luxor.'

'Indrukwekkend,' zei Jeroen. De blik in zijn ogen zei echter iets heel anders.

Terwijl ze de Duitse crisismanager recht aan bleef kijken, opende Chantal de rits van haar heuptasje. Ze haalde er een pakje Marlboro-sigaretten uit en duwde het kartonnen klepje omhoog. Met haar linkerduim en wijsvinger graaide ze naar de inhoud. Tijdens deze actie vermeed ze zorgvuldig de blik van haar echtgenoot.

'Sorry, mevrouw Van der Schaaf. Roken is hier verboden.'

Chantal haalde haar schouders op en sloot het klepje. Het pakje sigaretten liet ze voor zich op het bureau liggen.

'Voor een crisismanager van een mondiaal concern is het verwonderlijk dat u weet hoe twee onbeduidende toeristen heten,' zei Jeroen met een scherpe tongval. Zijn verbazing over het pakje sigaretten was reeds vervlogen. De blik in zijn ogen was nu vijandig. Het was overduidelijk dat hij zich aan de gemaakt vriendelijke houding van de Duitser ergerde.

'U bent allang bij ons bekend, meneer Van der Schaaf. Ook stond dit gesprek al op mijn agenda. Enkel door het onverwachte heengaan van Bodrun Gondogdu is het wat vervroegd.'

Jeroen schudde vertwijfeld met zijn hoofd. 'Is het in managerskringen gebruikelijk om zelfmoord te definiëren als "onverwacht heengaan"?'

Van het ene op het andere moment boorden de staalblauwe ogen van Steiner zich in Jeroens blik. De huid op zijn gezicht spande zich aan, waardoor zijn kaaklijn nog prominenter leek. Ondanks de felle oogopslag was er geen sprankje emotie bij de Duitser te bekennen. Chantal vond hem het menselijke equivalent van een haai die naar de zwakheden van zijn aanstaande lunch zocht.

'Wie zegt dat het zelfmoord was, meneer Van der Schaaf?'

Jeroen knikte een paar maal met zijn hoofd en lachte minzaam. 'Wilt u soms beweren dat wij de directeur hebben neergeschoten, menéér Steiner?' hij benadrukte bewust de laatste twee woorden, omdat de geposeerde beleefdheid van de Duitser hem behoorlijk de keel begon uit te hangen.

'Dat zult u mij niet horen zeggen. Dat laat ik aan de autoriteiten over.'

Jeroen wilde een snedige opmerking maken, maar wist op het allerlaatste moment zijn woorden in te slikken. Het was een combinatie van factoren die hem deed besluiten te zwijgen. De intonatie in Steiners stem en zijn intimiderende lichaamstaal waren onderdelen van een spel dat de Duitser speelde. Daarvan raakte hij als nuchtere Nederlander niet in de war. Nee, het ging om datgene wat Steiner níet had gezegd. De bijpassende beelden van deze zojuist bedachte stelling trokken in een flits aan zijn netvlies voorbij.

Hij zag hoe de bewaker tijdens zijn nachtdienst het lichaam van de directeur vond. Volgens de regels diende hij bij zware calamiteiten direct de eigenaar op de hoogte te brengen. Na dit telefoontje stapte crisismanager Steiner vanuit Istanbul in een privéjet. Eenmaal in Hotel Luxor liet hij alles bij het oude.

Nog geen politie dus, aangezien hij eerst een praatje met die ondernemende Nederlanders wilde maken.

'Ik denk dat ik het plaatje voor me zie...' Jeroen fluisterde zonder daarbij Steiner aan te kijken. 'Directeur Gondogdu zat na de dood van Max en Dennis met een enorm schuldgevoel in zijn maag. Dat lijkt me logisch, het vond tenslotte in zijn hotel plaats. Eigenaar TOI stuurde iemand van het crisismanagement om op Gondogdu in te praten. U, meneer Steiner, of wellicht iemand anders, dat is niet echt interessant. Hij moest doorgaan met zijn werkzaamheden alsof er niets was voorgevallen. Nou ja, niets... een ongeval dat bij elk ander hotel had kunnen gebeuren Dat soort dingen gebeurt.'

Jeroen bleef dromerig voor zich uit kijken. Chantal wist hoe moeilijk hij het had. Zijn verhaal betrof de dood van hun kinderen. Hoewel de woorden anders deden vermoeden, beleefde hij opnieuw hun overlijden. Deze keer heel sterk. Ze liet hem echter begaan. Elk woord van haar kant zou hem uit zijn zelfgecreëerde trance kunnen halen en dat wilde ze niet. Wat haar betrof verliep het gesprek naar behoren.

'Meneer Van der...'

Jeroen stak dwingend zijn rechterhand op. 'Om de directeur het gevoel te geven dat er zwaar met hem mee werd gedacht, nam het crisismanagement van TOI direct maatregelen. Mensen die tijdens het overlijden van onze kinderen cruciale posities bekleedden, werden vervangen. Een minireorganisatie die voornamelijk in het belang van TOI zelf was.'

Hij keek de man van TOI nu recht aan. Daagde hem met zijn blik uit om een weerwoord te geven. Steiner hapte niet. Met een uitdrukkingsloos gezicht wachtte hij op het vervolg van Jeroens verhaal. 'Zoals u zojuist al meldde, zijn de tentakels van TOI verstrekkend. Men sprak met de directie van het ziekenhuis, waarna de arts die sectie op onze kinderen deed werd overgeplaatst. Bepaalde documenten raakten zoek. Mocht er ooit iemand informatie over deze zaak willen, dan zou men op een bureaucratische puinhoop stuiten. Oftewel een doodlopende lijn. Martina, de Nederlandse animator, moest natuurlijk weg. Zij was een landgenote van ons en veel te dicht bij de zaak betrokken. Voor haar werd een baantje in het Las Vegas geregeld. In haar kielzog lieten jullie een ander meisje vertrekken, Claire, een serveerster die op de dag dat onze kinderen verdronken dienst had bij de bar aan het zwembad. Om dit meisje ook ergens anders onder te brengen, is jullie grootste vergissing geweest.'

Steiner lachte minzaam. 'Ik begrijp dat u geëmotioneerd bent. Het beeld dat u schetst hoort echter meer thuis in een aflevering van *The Sopranos*.' Hierna maakte hij een vragend gebaar met beide handen. 'U zet ons neer als een niets en niemand ontziende maffiaorganisatie. Dat is onzin, meneer Van der Schaaf. Als dit werkelijk het geval zou zijn, zouden wij iedereen toch uit de weg hebben geruimd? Een stuk simpeler, nietwaar? Dit is echter niet gebeurd en zal nooit gebeuren omdat TOI een keurig concern is dat zich altijd aan de regels houdt. Wij zijn zakenmensen, geen gangsters.'

Jeroen schudde ontkennend met zijn hoofd. 'Nee, jullie zijn zakenmensen én witteboordencriminelen. Dat is het grote verschil. Jullie vermoorden geen mensen, althans niet in opdracht. Dat jullie even slecht zijn als de Corleones van deze wereld is voor mij geen vraag maar een weet.'

Steiners rechterhand kwam met een harde klap op het bureau terecht. De aderen in zijn hals begonnen langzaam op te zwellen. Voor de eerste maal tijdens dit gesprek vertoonde zijn masker van innemendheid scheuren. 'Nu gaat u te ver! Deze beschuldigingen zijn absurd!'

Jeroen keek hem minachtend aan. 'Het enige absurde is dat jullie hiermee ongestraft weg denken te komen.'

Chantal zag dat Jurgen Steiner de grootst mogelijke moeite deed om zich verder te beheersen. Vanuit zijn optiek nam het gesprek een verkeerde wending. In plaats van twee bange muisjes werd hij geconfronteerd met een standvastig duo van wie er één als een getergde leeuw van zich afbeet. Wat als een belerende monoloog stond gepland, was uitgemond in een dialoog. Een verhitte discussie, zelfs. Tevens had hij zich laten verleiden tot een openlijke uitbarsting, hetgeen haaks stond op de normale werkwijze van crisismanagers. Een aan zekerheid grenzend vermoeden meldde haar dat Steiner nu knarsetandend zijn kans afwachtte om ergens aan het gesprek een bepaalde wending te geven waarmee hij het overwicht kon heroveren.

'Ik zal heel duidelijk zijn,' zei Jeroen, daarmee de stilte van de patstelling doorbrekend. 'Onze kinderen zijn gestorven door het wanbeleid van Hotel Luxor. Hier wil ik direct aan toevoegen dat ook wij niet vrijuit gaan. Ikzelf of mijn vrouw had beter op hen moeten letten. Betere ouders moeten zijn. De gevolgen van die fout zullen we ons hele leven moeten meedragen.' Het volume van zijn stem nam danig af. Het strijdlustige in zijn houding, die de afgelopen minuten tegen agressief aan had gezeten, slonk tot een aanvaardbaar niveau.

'Bovenop ons verdriet en de oneindige nasleep die nog wacht, komt de reactie van degenen die medeschuldig zijn geweest aan de dood van Max en Dennis. Die is ronduit schandalig te noemen. Ik kan u dan ook verzekeren dat we alles in het werk zullen stellen om ons recht te halen. Dat zijn we aan zowel onze gemoedsrust als de jongens verplicht.'

Jurgen Steiner wreef met zijn vingertoppen over zijn oogleden en voorhoofd.

Het universele gebaar van vermoeidheid. Maar ook een poging om te laten zien dat menselijke gevoelens hem niet vreemd waren. Een stelling die de laatste minuten veel aan geloofwaardigheid had ingeboet. 'Geloof me als ik zeg dat ik meeleef met uw intense verdriet. Wat u hebt moeten doorstaan is meer dan triest. Twee kinderen verliezen... ik heb zelf een jongen en een meisje. Ik moet er niet aan denken dat...' Hij keek hen beiden aan. Er lag een waas over het helblauwe van zijn ogen. De scherpe, vitale manager had een emotionele knauw gekregen en wenste dit niet te camoufleren. Boven alles ben ik vader, leek zijn blik te zeggen. 'Hoe moeilijk dit ook is, we moeten wel proberen om bepaalde dingen los van elkaar te zien en de zaken op de juiste manier te beraden. Het is zonder meer logisch dat er naast uw verdriet ook een flink stuk onvrede heerst. Uit uw woorden kan ik opmaken dat het voortkomt uit onmacht. Ik kan u echter verzekeren dat de beschuldigingen in de richting van TOI ongegrond zijn. Wij houden er geen duistere praktijken op na. Een bedrijf met zoveel verantwoording naar zijn werknemers toe kan dit eenvoudigweg niet maken.'

Hij legde beide handen op tafel en slaakte een diepe zucht. 'Nogmaals, ik begrijp hoe moeilijk u het hebt. Probeer echter om uw verdriet een plekje te geven en jaag geen hersenschimmen na. Hiermee beschadigt u mensen die dit niet hebben verdiend. Wij zijn geen duivels, maar hardwerkende mensen die het beste met Jeroen en Chantal van der Schaaf voorhebben. We moeten zien hier samen uit te komen.'

Chantal had moeite om met de opspelende woede haar gezicht in de plooi te houden. De poging van Steiner om hen voor zich te winnen, was een belediging aan hun intelligentie. Het was eveneens een actie die in dit stadium van het gesprek tot een reactie van Jeroen zou leiden. Als hij binnen de fatsoensnormen bleef, zou ze zich er voorlopig buiten houden. Op het puntje van haar stoel wachtte ze haar moment af.

'Er samen uitkomen, zei u?' antwoordde Jeroen bitter. 'U verwacht dat wij een pact sluiten met de moordenaars van onze kinderen?' Nu was het zijn beurt om keihard op het bureau te slaan. 'Blijkbaar bent u zó geïndoctrineerd dat u inmiddels over een selectief geheugen beschikt. Het lijkt mij daarom geen overbodige luxe om die hersens van u eens te updaten.'

Hij haalde diep adem. 'Op die bewuste dag oefende mijn vrouw voor een modeshow en dommelde ik wat op een ligbed aan de rand van het zwembad. De jongens hadden de grootste lol in het zwembad. Om toch nog een beetje zicht op hen te houden, maakten we een afspraak. Elk halfuur zouden ze zich bij mij melden. Geholpen door de zon en de naweeën van een overdadige lunch maakte ik de grootste fout van mijn leven: ik viel in slaap. Toen ik wakker werd van geschreeuw en de voetstappen van hollende mensen was het te laat. Toegesneld personeel deed nog wel een poging hen te reanimeren. Tevergeefs!' De temperatuur in het kantoor leek tot onder het vriespunt te zijn gedaald. Jeroen wierp een ijzige blik op de vertegenwoordiger van TOI. 'Heel misschien gaat het in uw bovenkamer dagen, meneer Steiner,' zei Jeroen met een stem waar het cynisme vanaf droop. 'Mocht dit niet het geval zijn, maakt u zich dan vooral geen zorgen. Er komt namelijk nog meer.' Zonder de Duitser een kans te geven om te reageren, ging hij verder. 'Vlak naast het zwembad stond een bar. Het meisje dat serveerde had het zoals altijd enorm druk. All-inclusive is een zegen voor de klant, maar een straf voor het personeel, niet-waar? Enfin, bij ons thuis werd altijd met mate frisdrank gedronken. Voor de tweeling stond die bar dus gelijk aan het walhalla. Ze zagen hoe ik begon weg te dommelen, waarna ze hun kans schoon zagen.

Ze pakten de volle glazen, dronken in een enorm tempo en hadden de grootste lol. Dit deden ze twee, drie keer, misschien nog wel vaker. Ze bleven maar drinken, omdat het meisje achter de bar op de automatische piloot werkte. Ze moest ervoor zorgen dat de gasten ongelimiteerd konden drinken. Voor datgene wat er zich buiten haar piepkleine wereldje afspeelde, had ze geen oog. Dat stond niet in haar taakomschrijving. Met barstensvolle buikjes hervatten ze hun spelletjes. De meeste kinderen kennen hun grenzen niet, meneer Steiner. Daarvoor zijn de volwassenen uitgevonden. Zij dienen die limieten te bepalen. Wat dat betreft ligt de schuld dus bovenal bij onszelf. Wat er zich daarna precies heeft afgespeeld laat zich raden.'

Hij schraapte de opspelende emoties uit zijn keel. 'Omdat Max, de oudste, de meest ondernemende was, ga ik ervan uit dat hij als eerste getroffen werd door helse pijnscheuten. Het ravotten met een maag vol lunch en frisdrank werd hem fataal. Verlamd van de pijn kon hij het hoofd niet boven water houden en zonk hij naar de bodem. Dennis is achter hem aan gezwommen. Hij heeft zijn broer vastgepakt en geprobeerd hem naar boven te brengen. Onbegonnen werk voor een jochie van tien met een steen in zijn maag die met de seconde zwaarder werd. Toch heeft hij niet losgelaten. Tot aan het moment dat het zwart voor zijn ogen werd heeft hij geprobeerd zijn broer naar de oppervlakte te brengen.' Na deze woorden keek Jeroen voor zich uit. Zijn blik was wazig. Hij keek zonder daadwerkelijk te zien. In gedachten zweefde hij ergens boven de wolken in niemandsland. Op zoek naar zijn jongens. Hij had hun nog zoveel te vertellen.

Steiner verbrak de drukkende stilte. Hij fluisterde: 'Maar... Dennis had toch weg kunnen zwemmen om hulp te halen?'

Jeroen knikte bedachtzaam. 'U begrijpt het niet. Het was een tweeling. Twee lichamen, één ziel. Het zou nooit in Dennis zijn opgekomen om weg te zwemmen. Hij zag zichzelf liggen...'

Na enkele seconden knikte Jurgen Steiner. Chantal zag dat het verhaal hem had aangegrepen. Hij bleef een mens. Het onvoldongen feit dat ze hier zowel letterlijk als figuurlijk recht tegenover elkaar zaten, deed daar niets aan af. Maar ze zette deze gedachte snel van zich af. Jurgen Steiner was en bleef hun tegenstander.

'Ik zie in uw ogen iets wat voor medeleven door kan gaan,' zei Jeroen. 'Een wereld van verschil als je de feiten uit een dossier door mensen van vlees en bloed hoort vertellen, toch?'

Steiner knikte. 'Ik...'

'We willen uw medelijden niet. We zijn hiernaartoe gekomen om te ontdekken hoe onze kinderen zijn gestorven. En dat is gelukt. Hoe jammer dat voor uw organisatie ook is.'

'U hebt geen enkel bewijs. Alles wat u stelt is hypothetisch. Elke rechtbank veegt dit meteen van tafel.'

Jeroen glimlachte meewarig. 'Alleen uw reactie spreekt al boekdelen.' Hij haalde laconiek zijn schouders op. 'En het had niet eens zover hoeven komen. Als TOI een ander beleid had gevoerd, zouden wij hier hoogstwaarschijnlijk nooit hebben gezeten. En dan heb ik het niet over all-inclusive, maar over de begeleiding en nazorg.'

Chantal zag de vonk in de ogen van Steiner die zijn interesse verraadde. Hij had zich een houding aangemeten van een verre vriend die aandachtig luisterde naar een dieptriest relaas. Een rol die hij, op dit korte moment na, uitstekend vertolkte. Hoewel zij hem vanaf de kennismaking al doorhad, viel hij nu definitief door de mand.

Ze verbaasde zich er wel over dat ze haar eigen rol van zwijgende echtgenote volhield. Er waren genoeg momenten geweest dat ze op haar tong had moeten bijten. Aangrijpende passages waarin ze Jeroens verdriet zowel mentaal als fysiek beleefde. Het had haar moeite gekost om hem niet met een hand op zijn arm of met een lief woordje te steunen. Hem het gevoel te geven dat gedeelde smart het begin was van een nieuwe start.

Ze had gezwegen. Met haar volle verstand, aangezien haar hart een andere taal sprak. De weg die zij hadden afgelegd was lang. Een emotionele reactie kon het laatste stuk dat naar het eindpunt leidde vertragen. Naast Jeroen moest de ratio als metgezel optreden.

'Na de dood van Max en Dennis raakten wij beiden in een shock. Alles wat er hier gebeurd en gezegd is, ging langs ons heen. Pas na de begrafenis van onze kinderen in Nederland raakten wij langzamerhand uit dit vreemde coma. Van dode levenden werden wij levende doden. Op wat troostende woorden van de reisleidster na hebben wij van uw organisatie nooit iets vernomen. Geen boeketje op de begrafenis namens GoSunny of een telefoontje van iemand van TOI die zijn deelneming betuigde. Niets wat ook maar enigszins op menselijkheid duidde. In plaats van een portie medeleven en begrip werden wij snel overgeboekt naar de eerste de beste vlucht. Daarna ging de bezem erdoorheen. Voor de mensen die te dicht bij het "ongeluk" betrokken waren, vond men een andere werklocatie. Daarna was het wat TOI betreft einde verhaal.'

Steiner schonk hun een vertwijfelde blik. 'Ik kan wel blijven zeggen...'

'Dat ik maar wat uit mijn nek klets,' vulde Jeroen aan. Zijn wijsvinger ging snel heen en weer. 'Het ging mis toen wij opnieuw boekten voor Hotel Luxor. Ik kan me levendig voorstellen hoe de alarmbellen op het hoofdkantoor begonnen te rinkelen.' Hij lachte gemeen en ging direct verder. 'De directeur raakte in paniek. Mede door zijn zelfmoord ga ik ervan uit dat hij vanaf de eerste dag zwaar met deze zaak in zijn maag zat. Bang voor zijn baantje en reputatie had hij zich door u laten overtuigen dat alles op z'n pootjes terecht zou komen. Aangezien dit dus niet het geval was, draaide hij door. Hoewel het systeem op zich onveranderbaar was, had hij na het ongeval wel enkele nuances aangebracht. Zo werden de speeltjes uit het zwembad verwijderd en moest het personeel aan de bar in een lager tempo frisdrank serveren. Dit was zijn manier om tegengas te geven, iets aan preventie te doen. Vanuit uw kantoor gaf u hem de opdracht om ons door de bewaking te laten schaduwen. Tevens werd hem verzekerd dat u het persoonlijk zou komen oplossen.'

Jeroen schudde licht met zijn hoofd. Een grijns speelde om zijn mondhoeken. 'Wat kan het leven toch rare wendingen nemen, hè? Nadat de directeur een boodschap had ontvangen waaruit hij concludeerde dat wij de waarheid dicht op de hielen zaten, schoot hij zich door z'n hoofd. De bewaker vond hem en belde u. Geslepen door opleiding en ervaring, onderkende u direct de onvoorstelbare kans die voor het grijpen lag. Waar in het reeds geplande onderhoud met ons behoorlijk wat beren op de weg konden staan, bevonden de troefkaarten zich in het nu te volgen gesprek in een en dezelfde hand. Wellicht geen zelfmoord, corrupte politie, smerige cellen. Als de wraakzuchtige ouders van een tweeling die in dit hotel om het leven was gekomen, werden wij nota bene bij het lijk aangetroffen. Alle reden dus om aan zelfmoord te twijfelen. Tja, wij hadden onszelf in een lastig pakket gebracht, was een zin die meerdere malen van uw lippen zou rollen.'

De blik in de bruine ogen van Jeroen weerstond de bundel ijskoude vlammen die Steiner hem toezond. In de lichaamstaal van de crisismanager was een spectaculaire verandering opgetreden. Zelfs de schijn hield hij niet meer op. 'Als we eenmaal murw waren, kwam de aap uit de mouw. Vanwege uw werkzaamheden kende u natuurlijk mensen bij justitie. Met wat getrek aan de juiste touwtjes en een beetje geluk bestond er een mogelijkheid om uit de problemen te blijven. Met veel theater zou u erop wijzen dat dit absoluut niet de gebruikelijke gang van zaken was. Voor ons werd deze uitzondering echter gemaakt. U was tenslotte op de eerste plaats mens en een vader die begreep welke ellende wij reeds hadden doorgemaakt. Tussen neus en lippen door zouden wij dan een document te tekenen krijgen waarin stond dat wij GoSunny en TOI op geen enkele manier aansprakelijk stelden voor de dood van onze kinderen. Wat als een formaliteit werd afgedaan was in werkelijkheid de eigenlijke reden van het gesprek. Alles was en is ondergeschikt aan het grote geld dat TOI met het all-inclusive systeem verdient. Zelfs mensenlevens.'

Terwijl Jeroen aanstalten maakte om op te staan, schudde Steiner ontkennend zijn hoofd. 'Ik kan u verzekeren dat TOI geen groot geld aan het all-inclusive systeem verdient. Er is zelfs...'

Jeroen onderbrak hem met een vinnige snijbeweging van zijn rechterhand. 'Genoeg! Bel de politie en vertel ze dat wij de directeur van Hotel Luxor hebben neergeschoten. Laat ze ons maar in een cel gooien. Prima. We zullen alles aangrijpen om een rel te schoppen. Het maakt me in principe geen donder uit wat er gebeurt, zolang ik maar niet meer naar uw geklets hoef te luisteren.' Hij stond op. Er lag een verbeten trek op zijn gezicht.

'Ga zitten, Jeroen,' fluisterde Chantal. Ondanks het gebrek aan volume klonk er kracht in haar stem door. 'Laat hem uitspreken... toe.'

Haar woorden deden hem zichtbaar twijfelen. Na enkele seconden waarin er intens oogcontact tussen hen was, zakte hij rustig door zijn knieën om weer plaats te nemen.

Jurgen Steiner richtte zich tot Chantal. 'In het begin van het all-inclusive systeem werd er door alle partijen veel geld aan verdiend. Door de verslechtering van de economische situatie, hogere brandstofprijzen, stijgende lonen in de toeristische ontwikkelingslanden, enzovoort, enzovoort, krompen de marges. Omdat de concurrentie in de reisbranche moordend was en is, werden deze prijzen niet doorberekend naar de klant. Met een prijsstijging zou elke organisatie zichzelf regelrecht naar de financiële afgrond brengen. De saneringen troffen in dat stadium dus voornamelijk de hotels en resorts die men dwong tot een nóg scherpere prijsstelling.

Het werd echter meer en meer duidelijk dat deze politiek een trein zonder remmen bleek die maar doordenderde. Een crash was onvermijdelijk. Uiteindelijk kwam die klap toen men er van doordrongen raakte dat alle interne reorganisaties niet afdoende waren. Om toch geld te blijven verdienen, hadden de reisorganisaties namelijk flink in het eigen huishouden gesnoeid. Hierbij moet u denken aan het reduceren van hostesses op de vakantiebestemming, ontslagen van kantoorpersoneel, het intensiveren van internetboekingen en loonbevriezing. Omdat de voor een touroperator essentiële zaken als brandstofprijzen, landingsrechten en luchthaventoeslagen bleven stijgen, bleken alle interne bezuinigingen niet meer dan een druppel op een gloeiende plaat. De vrije val was ingezet en van een bodem was geen sprake.'

Hij richtte zijn blik van Chantal naar Jeroen. Van het ferme en zelfverzekerde van de crisismanager die te allen tijde een oplossing vindt, was geen spoortje meer in zijn houding terug te vinden. Het leek er sterk op dat hier een man zat die er zojuist was achter gekomen dat de realiteit ook hem had ingehaald. 'Niemand heeft uw kinderen met opzet iets aan willen doen. Op het verkeerde moment en de verkeerde plaats deden zij iets waarvan de gevolgen dramatisch waren. Achteraf beschouwd zijn er fouten gemaakt. Had het nooit mogen gebeuren.'

Steiner slikte en haalde toen diep adem. 'Het was een ongeluk. Een ongeval dat overal had kunnen plaatsvinden. Wij van TOI zijn op dit moment bezig met een nieuw concept, de naam is all-inclusive platina. Met dit pakket bieden wij de klant tal van extra zaken zoals excursies en luxe faciliteiten aan. Voor de eerste keer zullen wij de prijs scherp verhogen. De achterliggende gedachte hiervan is het kweken van een financiële buffer waarmee wij belangrijke aspecten als veiligheid en hygiëne in talrijke hotels kunnen bevorderen.'

Hij haalde adem om zijn verhaal te vervolgen, maar Chantal was hem voor. 'Meneer Steiner, voordat u verder gaat met het uiteenzetten van de toekomstplannen van TOI wil ik u graag iets duidelijk maken.' Ze negeerde de verbaasde blikken. 'Uit pure onmacht zijn wij terug naar Hotel Luxor gegaan. Het was voor ons onmogelijk om in Nederland de antwoorden op tal van vragen te krijgen. Op een onorthodoxe manier hebben wij deze uiteindelijk gekregen. Wij weten wat er is gebeurd en daarmee is het voor ons klaar. Het is bij ons zelfs nooit opgekomen om een rechtszaak tegen wie dan ook te beginnen. Het hoe en waarom was en is onze prioriteit. Wat ons rest is verdergaan met ons leven.'

Een lichte twinkeling verscheen in de vragende blik van Steiner. Hoewel hij op zijn manier behoorlijk emotioneel bezig was, vergat hij nooit wie zijn rekeningen betaalde. Het antwoord van Chantal zou instemmend door de directie worden ontvangen. Dat hij hiervoor zwaar door het stof was gegaan, deed niet ter zake. Alles draaide om het resultaat, en dat mocht er zijn. De familie Van der Schaaf ging rustig terug naar huis en probeerde nog wat van haar leven te maken. Er kwam geen aanklacht. Een rechtszaak bleef uit. Omdat er geen gevecht kwam, was TOI bij voorbaat winnaar. Hij had gewonnen. Hij had het weer geflikt. Ondanks het inwendige juichen wist hij zijn gezicht in een bijpassende, sobere uitdrukking te plooien. 'Toch heb ik het idee dat u nog iets dwarszit, mevrouw Van der Schaaf.' Hij moest het zeker weten. Geen losse eindjes of geneuzel achteraf. Daarvoor was deze overwinning te belangrijk.

'Inderdaad,' antwoordde Chantal. 'Tijdens dit gesprek heb ik van alles gehoord. Van zelfmoord tot aan de nieuwe strategie van TOI toe. Wat voor ons echter het allerbelangrijkst is, heb ik u niet horen zeggen.'

Steiner keek haar oprecht verwonderd aan. 'En dat is?'

'U hebt niet namens TOI sorry gezegd.'

Om tijd te winnen, wreef Steiner met de vingertoppen van zijn linkerhand over zijn gezicht. De raderen in zijn hoofd draaiden als molenwieken met windkracht tien. Een fractie van een seconde schoot het door zijn hoofd dat het om een valstrik ging. Omdat dit idee rechtstreeks uit zijn eigen, verdorven brein kwam, verdween het even snel in een denkbeeldige prullenbak. Nee, deze mensen wilden geen ellende meer. Daarvan hadden ze immers genoeg meegemaakt. Dat gold ook voor die bijdehante echtgenoot, wist hij. Zijn grote mond was eigenlijk een vorm van aandacht vragen. Naast hun verdriet voelden zij eveneens ergernis over de afwikkeling van TOI. Het werd hem nu duidelijk dat dit tevens tot zijn takenpakket behoorde. Als hij het goed speelde, was de zaak definitief afgewikkeld en iedereen blij. Vooral hijzelf. Hij schraapte zijn keel.

'Meneer en mevrouw Van der Schaaf.' De emotionele klankkleur van zijn stem paste perfect bij zijn zorgelijke gezichtsuitdrukking. 'Wat ik u nu ga zeggen blijft tussen ons. Mocht dit ooit waar dan ook ter sprake komen, dan kan ik u verzekeren dat ik het in alle toonaarden ontken.'

Zowel Chantal als Jeroen knikte.

'Uw kinderen zijn hier in Hotel Luxor verongelukt. Een hotel dat eigendom is van TOI. Ook de reis is geboekt via ons concern. Vanwege technische redenen, de aansprakelijkheid, heeft de directie van TOI besloten zich ten opzichte van deze trieste zaak op de achtergrond te houden. Dit heeft alles met het zakelijke en niets met het menselijke aspect van doen. Ik kan u namelijk verzekeren dat het de leidinggevenden van ons bedrijf diep heeft aangegrepen. Ik spreek namens deze mensen als ik stel dat het nooit had mogen gebeuren. Uw kinderen zijn het slachtoffer geworden van het slecht functioneren van sommige takken van het all-inclusive systeem. Wij realiseren ons dat deze tragedie in elk willekeurig all-inclusive hotel had kunnen plaatsvinden. Het is echter gebeurd in Hotel Luxor, eigendom van TOI. Dat maakt ons automatisch direct betrokken. Naar aanleiding van de dood van uw kinderen is er intern een memo verstuurd. Hierin wordt gewezen op de noodzaak van het aantrekken van meer veiligheidsinspecteurs. Wij willen ten koste van alles voorkomen dat er ooit nog zo'n drama plaatsvindt.' Hij schonk Chantal en Jeroen de meest oprechte blik uit zijn arsenaal. 'Het spijt ons. Het spijt mij. Het spijt iedere werknemer van GoSunny en TOI.'

De stilte die volgde was er een van onuitgesproken gedachten. Van herinneringen en toekomstperspectieven. Chantal stond als eerste op. Ze knikte Steiner even toe. 'Dank u wel.' Daarna pakte ze het pakje sigaretten van tafel, draaide zich om en liep weg. Ook Jeroen stond op. Terwijl hij achter zijn vrouw aan liep, keurde hij de Duitser geen blik meer waardig.

De liftdeuren openden zich, waarna ze direct instapten. Toen de lift zich in beweging zette, sloeg Jeroen met zijn gebalde vuist tegen de stalen wand. 'Ze wisten het. Ze wisten tot in detail hoe de jongens zijn verongelukt.' Opnieuw reageerde hij zijn woede op de lift af. 'Ze hebben bewust hun mond gehouden. Om aansprakelijkheidsredenen.' Hij spuugde deze woorden uit alsof het vergif betrof. 'Het ergst is dat ze het altijd zullen blijven ontkennen. Die mooipraterij van Steiner leidt tot helemaal niets. Ja, dat er nog meer slachtoffer vallen. Jij denkt toch niet dat ze hun geld gaan uitgeven aan onbenulligheden als veiligheid en hygiëne? Schei toch uit! Tuig van de richel is het!' Hij schudde vertwijfeld zijn hoofd. 'En we kunnen er verdorie niets aan doen om het tegen te houden.'

Hij keek Chantal aan, die het pakje Marlboro als een beginnend goochelaar tussen haar vingers liet glijden. 'Ik wilde er tijdens het gesprek niets van zeggen, maar wat moet jij in 's hemelsnaam met sigaretten?'

Ze opende het klepje en viste er een zwart, langwerpig doosje uit. Hierna glimlachte ze breeduit. 'Een cadeautje van Perry Zuidam. Het hele gesprek is opgenomen.'

Van verbazing viel Jeroens mond half open. Zijn pupillen verwijdden zich. 'Het is nooit onze bedoeling geweest om tegen wie dan ook een rechtszaak te beginnen,' fluisterde hij toen de impact van Chantals actie tot hem doordrong. 'Wat een meesterzet, schat. Het hoeft in eerste instantie niet eens tot een rechtszaak te komen. Er zijn nu zoveel andere manieren om ze te treffen. De media bijvoorbeeld.'

De glimlach van Chantal won aan kracht. 'Je weet toch wat een hekel ik aan liegen heb.'

Een labyrint van gangen en uitpuilende boekenkasten klom omhoog vanaf de basis tot aan de top, en een bijenkorf tekende zich af met tunnels, trappen, platformen en bruggen die een gigantische bibliotheek met een onmogelijke geometrie deden vermoeden. Ik keek naar mijn vader, sprakeloos. Hij glimlachte naar me en knipoogde. 'Daniel, welkom in het Kerkhof der Vergeten Boeken.'

ISBN 90 5672 078 3
ISBN 90 5672 187 9

Carlos Ruiz Zafón
De schaduw van de wind

Als Daniel op een dag door zijn vader wordt meegenomen naar het Kerkhof der Vergeten Boeken en daar een boek uitkiest met de titel *De schaduw van de wind*, is zijn leven voorgoed veranderd. Vanaf dat moment wordt Daniel beheerst door de personages die het boek bevolken. Hij raakt geïntrigeerd door de schrijver ervan, Julián Carax, en gaat naar hem op zoek. Het ene na het andere verhaal wordt verteld en zo ontspint zich een web van verhalen, waarin de levens van Daniel en Julián steeds meer met elkaar verweven raken…

Een duizelingwekkend verhaal tegen de schitterende achtergrond van een mysterieus Barcelona.

'Een geweldige, romantische leeservaring.' – Stephen King

'Een bestseller à la Gaudí.' – Trouw

'Belofte uit Barcelona.' – Het Nieuwsblad